de

DOODSBRUID

Ander werk van Unni Lindell

Honingval (2008)
Boeman (2009)
Suikerdood (2010)
Duivelskus (2012)

UNNI LINDELL

Doodsbruid

Vertaald door Carla Joustra en Ingrid Hilwerda

AMSTERDAM · ANTWERPEN

2014

Q is een imprint van Em. Querido's Uitgeverij BV, Amsterdam

Oorspronkelijke titel *Brudekisten*

Oorspronkelijke uitgever Aschehoug, Oslo
Published by arrangement with Nordin Agency AB, Sweden

Bronnen en weergave van dichtregels:
'De dochter van de imker' van Sylvia Plath
'Leven is de enige manier' van Wisława Szymborska
De Kleine Prins van Antoine de Saint-Exupéry
Helt alminnelig galskap – en oppslagsbok om psykiske lidelser [*Doodgewone waanzin – een naslagwerk over psychisch lijden*] van Svein Andreas Ihlen Kjos, Ellen Wennevold Aas
In het boek worden een paar keer psychologische oefeningen weergegeven. Deze citaten zijn afkomstig uit *Selvfølelse nå* [*Gevoel van eigenwaarde nu*] van Mia Tørnblom.

Omslag Wil Immink Design
Omslagbeeld Hollandse Hoogte / Plainpicture

ISBN 978 90 214 5591 4 / NUR 305
www.uitgeverijQ.nl

Het Ketelhuis was al jarenlang afgesloten. Ik heb me geïnstalleerd in het kleine stenen huisje waar de wilde wingerd zich vastklampt aan de buitenmuren, zoals ik me vastklamp aan de toekomst. Hier heb ik alles: rust, stilte, duisternis. Ik moet niet stilstaan bij mijn persoonlijke problemen, maar gewoon doen wat ik moet doen. Het is net alsof ik de enige overlevende ben na een verschrikkelijke catastrofe. De angst doorkruist mijn lichaam als een donker spinnenweb. Ik ben geen moordenaar, geen echte.

Hier op het terrein is het gebeurd, lang geleden. Alsof ik door een schacht viel, maar de tijd verstreek en ik heb me gered. Alles is hier nog als voorheen: de stalen trap met het mos, de mussen die pikken op het asfalt. De vossen aan de bosrand. In de zomer zoemende insecten tegen de kleine glas-in-loodramen; niemand kan erdoor naar binnen kijken, maar de grote schaduwen van de boomkronen op het gras kunnen van binnen wel gezien worden. Ik hoor de ratten lopen in de kelder, en de koude lucht van de muren in de onderaardse gangen trekt omhoog door de kieren in het houten luik. Het sneeuwt nu. De geur van winter zit in de muren. De sneeuwwitte deken op het plein tussen de gebouwen lijkt op een lijkkleed. Over het gazon loopt een strook van een meter breed, de warmte van de ondergrondse gang doet de sneeuw smelten. De ondergrondse gang komt vanaf het hoofdgebouw. De beveiliger denkt dat ik hier hoor te zijn. Hij zet nergens vraagtekens bij. We maken vaak een praatje, dan loopt hij verder. Als het zover is, zal ik verhuizen. Waarschijnlijk vannacht. De korfkist is nu in de oven geschoven. Zodra haar lichaam verbrand is, zal ik deze plek voor altijd verlaten.

Psychiatrisch Ziekenhuis Gaustad
27 november 1988

Lieve Berit,

Wat er een week geleden gebeurd is, is verschrikkelijk. Dat Maike Hagg maar twaalf jaar is geworden, is gruwelijk. De politie is hier geweest en heeft me verhoord en ik weet dat ze ook bij jou thuis zijn geweest. Wat had dat meisje in de archiefkelder te zoeken? De Kinderdagen zijn bij dezen afgeschaft. Hoe verstandig was het om te denken dat kinderen van psychiatrische patiënten behoefte hebben aan contact met lotgenoten? De mannen op de forensische afdeling zijn gevaarlijke patiënten. Dat weet je. Hoe heeft Maike de sleutel te pakken gekregen? Je hebt de kinderen beneden rondgeleid, ze de afgesloten ruimte met de oude houten banken en de leren riemen laten zien. Je hebt ze meegenomen naar de onderaardse gangen, ze de catacomben in laten lopen, en je hebt ze de elektroshockkamer en de archiefkelder getoond. Was Maike misschien op zoek naar iets in de archieven, misschien in opdracht van haar vader?
Waarom blijf je thuis? Je moet terugkomen op je werk! Ik heb analyses en onderzoeken met je besproken. Je hebt zelf onwettig gehandeld en patiënten meer verteld over hun diagnose dan ik als chef-arts heb gedaan. Dat heb ik niet aan de politie verteld. Van nu af aan verbied ik je om patiënten nog langer met je persoonlijkheid in te palmen, onder het mom van zorg. Hierna zullen Norma en ik degenen zijn bij wie de patiënten hun persoonlijke problemen kwijt kunnen. Zij is predikant. Jij bent secretaresse, Berit.
De lippenstift rond de mond van het meisje maakte de politie erg achterdochtig. Daarvoor moet jij verantwoording

afleggen. Op dit moment is het belangrijk om de andere kinderen te beschermen en voor ze te zorgen. Vooral Maikes broers Jan en Piet, maar ook Aud en mijn Emmy.

Groet,
Carl

Emmy Hammer sloeg haar jas om zich heen en liep snel naar de glazen deur met de fraai gebogen messing klink. Ze moest hier weg, het Theatercafé uit. In een oogwenk zag ze in het glas haar eigen weerspiegeling, van top tot teen; ze leek wel een spook in haar witte mantel, haar dreadlockachtige pijpenkrullen zagen eruit als gerafeld touw. Ze had blonde wimpers en wenkbrauwen en een iets te brede mond. Ze rukte de deur open en liep naar buiten, de koele avondlucht in. De donkere hemel was bezaaid met sterren; de lichtpuntjes boven het koepeldak van het Nationaal Theater deden haar denken aan vingerafdrukken. Ze wierp een blik op het reclamebord tegen de verlichte muur van het theater en hoorde in haar hoofd weer het akelige, schrapende geluid van een lepeltje over een bordje. Het was de laatste avond van oktober, precies 19.35 uur. Ze draaide zich om en keek naar de verlichte ramen van het Theatercafé, Aud zat nog op dezelfde plek, met haar rug naar haar toe. Het korte zwarte haar boven de gele jurk leek net de bloembodem van een zonnebloem. Emmy botste tegen een ouder echtpaar, stevig gearmd, in hun allermooiste kleding. De vrouw verloor haar lange lichtblauwe sjaal, die verdween tussen een groep gemaskerde jongeren. Emmy keek niet om en liep snel voorbij de ingang van het hotel, langs de bloemenwinkel en de kiosk op de hoek. Het was vreemd geweest om haar weer te zien. Ze waren inmiddels zevenendertig. Aud had allerlei akelige dingen beweerd. Het was net alsof ze in een nepdecor hadden gezeten waarin niets klopte. Om hen heen klonk het geschraap van bestek over witte borden. Emmy had zich op dat moment een enorme sufferd gevoeld, hoewel de beschuldigingen niets met haar te maken hadden. Ze wilde er niet naar luisteren en had ten slotte haar tas gegrepen, hem stevig tegen zich aan gedrukt en was snel naar de garderobe gelopen.

De tram denderde langs haar heen. Jongeren vermomd als skeletten en vleermuizen stonden in het witte licht in de wagon. Ze overwoog even de politie te bellen, maar wist niet precies wat ze moest vertellen zonder een verkeerde indruk te wekken. Ze moest nadenken, snel. *Een reünie*, had Aud het genoemd. Na bijna vijfentwintig jaar. Heftige gevoelens van warmte en kou spoelden door haar heen. Ze was al bang geworden op het moment dat ze aan het tafeltje plaatsnamen. Aud was niet dezelfde. Ze was journalist en had haar *ontboden*, de dochter van de psychiater. Op de dag van de doden, om over Maike te praten, die overleden was toen ze twaalf waren. Van een huishoudtrap gevallen en met haar hoofd op de stenen in de kelder van Gaustad terechtgekomen.

De ober had wijn ingeschonken en hun een mandje met brood gebracht. Met glasheldere stem had Aud gezegd: *Fijn dat je bent gekomen. Ik wil al een hele tijd met je praten. De verjaringstermijn voor moord is vijfentwintig jaar. In de Maike-zaak is dat over drie weken.* Emmy had haar met open mond aangekeken; alleen al die uitdrukking: de *Maike-zaak*. Alsof het een zaak was. Het afgrijzen verspreidde zich als gif door haar hele lichaam. 'Heb jij contact gehad met Berit Adamsen? Ik heb geprobeerd haar te pakken te krijgen.'

Emmy had haar vaders secretaresse al vijfentwintig jaar niet gezien. Het enige wat ze had kunnen vertellen over zichzelf was dat ze een zoon had en dat ze een expositie zou houden. Ze had het nogal aangedikt, zei niet dat de tentoonstelling al zo goed als afgezegd was en dat ze de afgelopen maand maar één schilderij had verkocht. De doeken lagen op grote stapels in haar atelier. Eigenlijk had ze het al opgegeven, in het besef dat ze nooit meer zou zijn dan een amateurschilder. De grote voorstellingen die ze had als ze aan een schilderij begon, verschrompelden altijd tot een of ander pathetisch motief met stijve, bijna kinderlijke figuren die een hobbyistische indruk wekten.

Ze wierp een afwezige blik op een gestreepte jurk in de etalage van Norway Design en liep vlug binnen bij Burns. Het bruine café zat stampvol. De akoestiek was snijdend. Stemmen en gelach galmden door de ruimte. Emmy baande zich een weg en vond een vrij tafeltje in de achterste hoek. Ze zette haar tas neer en pakte haar mobiel eruit.

Ze wurmde zich uit haar jas, liep naar de bar en bestelde een gin-tonic bij een magere, zwartharige man. Ze pakte haar glas en plofte op de stoel neer. Ze huilde stil voor zich uit. Ze dacht aan Maike. Ze was doodgegaan. Aan Maikes arme vader, Werner Hagg. Een lange man, hij leek op Bruce Willis. Hij werd 'de reus' genoemd. Hij had iemand vermoord met een bijl en was op haar vaders afdeling geplaatst. Hij moest nu al over de zestig zijn. Ze dacht aan Maikes broers, Jan en Piet; de ene lang en stoer, de andere een sneu geval. Ze veegde met de mouw van haar blouse onder haar neus. Ze kon zich ook Auds vader, John Johnsen, goed herinneren: een magere, fletse patiënt in een lange jas.

Als twaalfjarigen giebelden ze om alles. Ze speelden dat de gebouwen van het psychiatrisch ziekenhuis een slot waren waar vreemde dingen gebeurden. De rode strepen in de herfstlucht boven de daken gaven de gebouwen iets mysterieus en duisters. Ze dacht eraan hoe ze op een bankje in het park bij het gesticht zaten te praten en de droge zomerwind door het hoge gras hoorden ruisen, hoe ze ijs kochten in de stenen kiosk bij de receptie en hoe ze hinkelden op de galerij, binnen de vierkante blokken, terwijl de schaduwen van de grote bomen over de stenen bewogen. Hun vaders zaten achter slot en grendel en werden door haar vader behandeld. Maike was klein en gezet, met korte, stevige benen en vet, grijsbruin haar. Ze had een keer zitten pochen dat toen ze klein was haar melktanden aan de randen zwart werden en waren weggerot. Aud en zij waren niet altijd aardig tegen Maike geweest. Zo ging het in alle groepen, iemand moest de zwakste zijn. Emmy had verzonnen dat Maike wormen had. Ze hadden terpentijnolie uit het Ketelhuis gepakt en aan haar gegeven. Ze waren betrapt. Berit Adamsen was woedend geworden. Norma Winther ook, maar op een andere manier. Norma was predikant en zachtaardiger.

Emmy Hammer sloeg het heldere drankje met een paar grote slokken achterover. Ze dacht aan de tijd op Gaustad. De warmte verspreidde zich door haar maag, en ze zette het glas met het slappe schijfje citroen met een klap op de tafel. Hitte en getintel trokken door haar keel. In haar hoofd hoorde ze Auds stem. *Morgen heb ik een afspraak met Norma, de predikant, en ik ga nog een keer contact opnemen met Ole Porat, want toen ik laatst belde, nam hij niet op. Volgens mij had hij toen iets door.*

Ole Porat was destijds de jonge coassistent van haar vader. Hij had in het Ketelhuis gewoond. Hij moest nu tegen de vijftig lopen. Vader was gepensioneerd en sprak nooit over die tijd, maar er was iets met Porat geweest. *Hij is niet te vertrouwen.* Had haar vader dát gezegd? Het was allemaal een kwart eeuw geleden. Emmy Hammer draaide haar rug naar een opdringerige dronkenlap. Straks zou ze hun telefoonnummers opzoeken op haar iPhone en ze waarschuwen. Ze zou eerst Jan bellen om te zeggen dat Aud had ontdekt dat Maikes dood geen ongeluk was, maar moord. En dat Aud dacht dat hij zijn zusje had vermoord. En daarna zou ze zijn broer bellen, Piet. En Ole Porat.

In die volgorde. Ze zouden alle drie de schrik van hun leven krijgen als ze het zou vertellen, want er was nog meer: de bijlmoordenaar Werner Hagg, de vader van Jan, Piet en Maike, had zijn vrouw niet vermoord. Zijn zoons hadden dat gedaan. Jan en Piet waren nu eenenveertig en negenendertig. En nu wilde Aud Johnsen er een artikel over schrijven. En ze zou de politie inlichten, voor de verjaringstermijn verliep. Emmy Hammer bestelde nog een drankje en keek op toen een man haar schatje noemde.

De taxichauffeur keek in de achteruitkijkspiegel naar de donkere vrouw met het doorleefde gezicht. Hij had haar opgepikt bij het Theatercafé. Ze maakte een gespannen indruk. De klok op het dashboard stond op 19.47 uur. 'Breng me naar de Sandakerveien 22 G,' herhaalde ze.

'Ik weet waar het is: de oude fabrieksgebouwen aan de oever van de Akerselva. Die tot appartementen zijn verbouwd,' zei hij en hij reed langs het parlementsgebouw.

*

Aud Johnsen ontmoette de blik van de taxichauffeur in de achteruitkijkspiegel. De verwarming maakte een zoemend geluid. Niemand wachtte thuis op haar, alleen haar hond. Over drie jaar was ze veertig, haar mondhoeken waren dieper dan ze zouden moeten zijn, over de bleke huid op haar voorhoofd liepen twee horizontale rimpels, haar lippen waren niet meer dan een streep dwars boven haar kin. Emmy had er vanavond mooi uitgezien, in een lange broek en een lichte blouse. Haar bijna witte haar viel over haar schouders, de lichtblauwe ogen straalden onder de blonde wenkbrauwen en een dun laagje lippenstift had haar nog mooier gemaakt. Zelf droeg ze een sportieve gele jurk met zakken onder haar dunne jas. De jurk stond mooi bij haar pikzwarte, kortgeknipte haar.

Het was vanavond precies zo gegaan als ze had verwacht. Het werd te veel voor Emmy. Ze voelde dat het voor haarzelf ook te veel werd. Het woord 'dissociatief' speelde door haar hoofd. Geheugenverlies als gevolg van grote beproevingen en stress in haar jeugd. Emmy had een verloren indruk gemaakt. Behalve toen ze over haar zoon Philip vertelde, toen ontdooide ze. Hij was eenentwintig en studeerde medicijnen in Polen. Dat Emmy kunstenaar was, had haar een tikje verrast, het had voor de hand gelegen dat ze het verder had geschopt, ze was tenslotte de dochter van de psychiater.

De taxi reed over de Alexander Kiellands plass en verder langs het Hønse-Lovisa Huis. De oude arbeiderswoning was nu een cultureel café en droeg de naam van een personage uit een roman van Oskar Braaten. Op haar iPhone zocht ze het nummer van Berit Adamsen op en ze belde voor de derde keer. De telefoon ging eindeloos over. Ook nu nam ze niet op. Aud dacht aan Berit Adamsen en voelde de woede die ze al die jaren had onderdrukt en ingekapseld. Berit had in Gaustad gewerkt. Samen met de predikant had ze de Kinderdagen georganiseerd. Hun vaders zaten in het rode stenen gebouw, aan het eind van het ziekenhuisterrein. Ze hadden gehinkeld, Maike, Emmy en zij, met Maikes broers Jan en Piet als toeschouwers. Soms speelden ze landjepik, met het mes van Piet.

Maike werd vermoord. Over drie weken verliep de verjaringstermijn. Morgen had ze een afspraak met Norma Winther in het parochiehuis. Natuurlijk wist ze iets. Ze zou zich waarschijnlijk verschuilen achter haar zwijgplicht. Ze wilde ook Ole Porat te pakken krijgen; hij zou zich wel zorgen maken over zijn carrière. Maar ze ging hoe dan ook dat artikel schrijven. En dan zou ze contact opnemen met de politie. Vanavond echter niet. De situatie was niet acuut, het was niet nodig het alarmnummer te bellen. Maike kwam toch nooit meer terug. Morgen was vroeg genoeg.

Toen de taxi over de klinkerstraat naar de voormalige fabriek van Myrens Verksted reed, was het al vijf voor acht. Ze betaalde, zei dat ze geen kwitantie hoefde en stapte uit. Door de grote verlichte ramen van de sportschool zag ze mensen op de loopband trainen. Bij de ingang stonden twee flinke uitgeholde pompoenen met lichtjes erin. De rode achterlichten van de taxi verdwenen uit het zicht toen de auto de helling op reed. Ze liep vlug de donkere steeg tussen de gebouwen in en sloeg de hoek om naar de deur in de hoge muur; ze wilde naar binnen, de warme vacht van de hond onder haar handen voelen en de ruis in haar hoofd kwijtraken. De straatlantaarn verlichtte zwak de binnenplaats aan de achterkant van het fabrieksgebouw.

Ze had eerder vandaag geprobeerd contact te krijgen met haar vader, om hem te waarschuwen voor wat er komen ging, maar hij nam de telefoon niet op. Ze wist zeker dat hij in haar huisje op de volkstuin in Sogn was. Hij had weer een slechte periode. Haar vader had de diagnose 'schizofrenie' gekregen en was een groot deel van haar jeugd opgenomen geweest. Ze herinnerde zich dat hij, toen ze klein was, vertelde over vogels met diamanten ogen die hem in de gaten hielden. En over God en Jezus en engelen. *De engel is een duivel. Mensen denken dat engelen goed zijn.* Ze hoorde zijn trage stem in haar hoofd. Hij was op medicijnen ingesteld en kon zich nu goed redden, maar hij dacht nog steeds dat mensen achter hem aan zaten. Nu was hij weer begonnen met de reclamefolders; hij verzamelde stapels reclame uit de postbussen, stopte alles in grote enveloppen en stuurde ze terug aan de afzender.

*

De middelgrote bruine hond, een vuilnisbakkenras, kwam haar kwispelend tegemoet. Ze had hem al zeven jaar. Haar eigen Bruff. Ze gaf de hond een aai, deed het licht aan, trok haar laarzen uit en gooide haar jas op een stoel. Ze keek op naar de staande klok. Bij het grote fabrieksraam bleef ze staan kijken naar de rivier, naar de lichten in de oude arbeiderswoningen aan de overkant. De huizen stonden daar al honderdvijftig jaar. Ze belde weer naar haar vader. Nu nam hij op.

'Vader,' zei ze. Ze zag zijn smalle grijze gezicht voor zich. 'Ik weet dat je in het huisje bent.' Het bleef stil aan de andere kant van de lijn. Ze hoorde hem een krant opvouwen. Hij ploos hem waarschijnlijk helemaal na op nieuws over misdaden en ongelukken die zijn kijk op de wereld onderschreven. *Er gebeuren overal vreselijke dingen. Je moet overal op voorbereid zijn.* Ze wierp een blik op de rij coniferen, draaide zich om en staarde naar de ingelijste posters aan de wand zonder ze te zien. 'Het is goed, vader, het is goed dat je daar bent. Ik heb het druk de komende tijd, maar ik moet je iets vertellen. Herinner je je Maike nog, de dochter van Werner Hagg, dat meisje dat is gestorven?'

'Jaaa...'

'Toen jij was opgenomen speelde ik met haar en met de dochter van dokter Hammer. Buiten, bij de gebouwen, weet je nog? 's Zomers. En we waren ook in de kelder, en op de zolder. Ik wil dat je mijn dagboek leest. Het ligt onder de losse vloerplank bij de tuindeur. Ik heb vanavond met Emmy Hammer gesproken.'

Haar vader zweeg, dus ging ze verder: 'Ik probeer contact te krijgen met Berit Adamsen, en morgen heb ik een afspraak met Norma Winther, die predikant was in Gaustad. Kun je je haar nog herinneren?'

'Jawel.'

Ze zag haar vader weer voor zich; zijn ongekamde haar en zijn dwaze, afwezige blik. 'Als je het dagboek hebt gelezen, begrijp je alles, vader. Leg het daarna weer terug onder de vloer. Oké? Goed, vader?'

Hij mompelde iets.

'Ik doe mijn mobiel nu uit, vader. Ik ben moe. Ik spreek je morgen.'

De hond volgde haar toen ze een fles rode wijn openmaakte, een groot glas volschonk en het leegdronk. Ze ging op de bank liggen, trok een deken over haar voeten en staarde naar het hoge plafond. *Doe gewoon wat je van plan bent, schrijf het artikel, dan kun je daarna instorten.* Ze sloot haar ogen. Ze was terug in Gaustad; de lange gangen met de goudkleurige verf, de stilte achter de gesloten deuren, het servies in de eetzaal, wit porselein. Veel te dik, zodat het niet kon breken – de gehaktballen met bruine saus en gebonden kool. Al na het eerste bezoek wist ze dat ze nooit meer dezelfde zou zijn. Alsof de plek een eindstation vormde; zelfs als het zomer was, en de hemel blauw. Zelfs als ze veilig in haar bed lag te slapen, later, bij haar moeder thuis, wist ze dat de aarde was vergaan; iets moest in de doofpot gestopt en verloochend. Keer op keer ging ze terug om haar vader te bezoeken. Zo leerde ze de andere kinderen kennen. Ze zag ze nu voor zich, ze zweefden voor haar uit in het bruine licht in de kelder, Emmy en Maike. Ze kon op elk moment de lucht van koude steen en de vage geur van schimmel van de muren in de ondergrondse gangen weer oproepen. Het tunnelstelsel liep in alle richtingen onder de gebouwen door. Water sijpelde door de leidingen langs de muren, het klonk alsof er een beekje stroomde, maar het was geen beek. En de stemmen van de jongens: het hoge geluid van Jan en het zachte van Piet. Ze ging rechtop zitten. Haar geest voelde als een vergrootglas waarin alle zonnestralen uit haar jeugd bij elkaar kwamen, waardoor een wereldkaart vlam vatte. Toen Emmy vanavond het Theatercafé uit liep, had ze nagedacht over het verdriet en de zekerheid dat er een draad liep van het ene universum naar het andere. Het verhaal dat ze zou vertellen was gitzwart en gevaarlijk, met een initiator die gedwongen voor het voetlicht zou moeten treden om een beetje te *sterven*.

In het huisje ging John Johnsen op de houten bank aan de oude keukentafel zitten. Hij had het bleekroze schrift van Aud onder de laatste losse plank bij de tuindeur gevonden, precies zoals ze had gezegd. De volkstuin lag achter een hoge omheining van gaas, met een afgesloten hek, alsof het een concentratiekamp was. Het duurde nog lang voordat het weer zomer zou worden, tot de zon zich weer door de mazen in de omheining zou persen en vierkanten van licht op de grond zou afdrukken. Eerst kwam de winter. Maandenlang zou de verstikkende duisternis heersen. De heteluchtkachel loeide. In de vitrinekast stonden niet alleen glazen, maar ook boeken; een aantal ervan hoorde thuis in diverse bibliotheken. Er waren zelfs een paar van heel vroeger, uit de bibliotheekbus, die met allerlei pareltjes naar Gaustad kwam. *De Kleine Prins* zat erbij, en een van Sylvia Plaths sombere gedichtenbundels. *Silent Witness* lag eronder. De laagste plank was gereserveerd voor prullaria: een porseleinen schaaltje en een paar houten figuurtjes. Hij legde het dagboek van zijn dochter voor zich neer en haalde zijn hand door zijn dunne grijze haar. Iemand had een keer gezegd dat hij leek op een slak. Hij was het nooit vergeten. De bril was te groot voor zijn smalle gezicht. Hij zette hem af en poetste de glazen met het tafelkleed. Zorgvuldig, hij nam er de tijd voor. Door het raam met de kleine ruitjes zag hij in het schijnsel van de buitenlamp een oudere vrouw lopen. Hij wist wie ze was, de vrouw met de haviksneus. Het blauwe huisje bij de vuilnisbakken was van haar. Ze had een fakkel buiten gezet. Waarschijnlijk om te benadrukken dat het Allerheiligenavond was. Van oktober tot maart was er verder niemand hier. Het hele terrein stond vol huisjes. De stilte werd slechts doorbroken door het geluid van het verkeer op de Sognsveien. Hij hield van rust. Elke dag liep hij van de Vøyensvingen naar de volkstuinen, maar hij bleef er nooit slapen. 's Avonds ging hij terug naar zijn flat. Hij had een mager en veerkrachtig lijf, hij zou dagenlang kunnen lopen. De meeste psychoten waren gemakkelijk te herkennen; mensen zoals hij, die op zonnige dagen rubberlaarzen en een lange jas droegen, die oppasten dat ze niet op de witte strepen van een zebrapad stapten of die op de hoek van de straat predikten over de ondergang van de wereld. Hij predikte niet meer. Vroeger werden mensen zoals hij gedwongen opgenomen en verstopt, maar nu niet meer. Zijn dochter hield er niet van dat hij hier was, en toch liet ze de sleutel buiten liggen, boven op de deurpost. Ze hadden een stilzwijgende overeenkomst; hij ruimde zijn rommel op en liet zich in het weekend niet zien, en Aud kocht koffie, koekjes en kerstbrood, dat ze in de broodtrommel legde. Hij zag haar voor zich; haar koolzwarte blik. Hij zorgde ervoor dat hij zijn pillen slikte, wist dat hij zou ontsporen als hij dat niet deed. Niemand begreep hem. Zo was het altijd geweest en zo zou het altijd zijn. Heel af en toe zag hij zijn dochter, maar hij merkte dat er een soort onrust in haar bovenkwam als ze samen waren. Hij voelde zich dan zelf ook opgejaagd. Ze leken te veel op elkaar. Hij was nooit in staat geweest normaal met anderen om te gaan, met niemand.

Nu las hij het dagboek. *Vandaag zijn we op de zolder geweest, helemaal tot in de toren. Met Berit. Het is er vies en eng. Later zijn we stiekem naar de kelder gegaan. Daar staat een archief met papieren in plastic mappen en er liggen herfstbladeren in de hoeken. Die zijn door het kelderraam naar binnen gewaaid. Maikes broers, Jan en Piet, gingen eerst. Daarna wij, de drie meisjes. We liepen een donkere, stoffige kamer binnen. Het was een soort martelkamer, zei Jan. Met banken en riemen. Jan zei dat het vroeger een kamer was waar elektrische schokken werden gegeven. Ik weet niet goed wat hij bedoelde. We liepen door de tunnels. De schimmel aan het plafond rook vies en aan beide kanten van de muren waren grote buizen. Het was er krap en pikdonker. Je kunt er verdwalen en nooit het licht terugvinden. Maar toen kwam Berit, die riep dat we weg moesten wezen.*

Ze schreef over de dominee, Norma Winther. *Ze is aardig.* En over de jonge medicijnenstudent. *In het witte gebouw aan de Kastanjebakken snijden ze iets uit de hersens van mensen. Dat zegt Ole Porat. Hij werkt op de afdeling. Hij lijkt op Bjørn Borg, de tennisser. Hij maakt gekheid en zegt dat hij met ons gaat trouwen. Maar Norma zegt dat we niet naar hem moeten luisteren. Ze wil dat we net als zij vinden dat Jezus de aardigste man is die ooit op aarde heeft geleefd.*

John Johnsen keek naar het kinderlijke handschrift. Ze was voorbestemd om journalist te worden. Aud had twee kanten, meestal was ze vrolijk en energiek, maar ze kon ook zwartgallig zijn. Er hing een krachtveld om haar heen. Ze woonde waarschijnlijk alleen, schreef en ging eropuit met de hond. Er moest een reden zijn waarom ze hem vroeg het dagboek te lezen, dus hij ging verder.

Berit Adamsen is secretaresse, en heel erg aardig. Ze tikt op de typmachine. En de vader van Emmy is dokter en hij zal ervoor zorgen dat vader later weer gezond wordt. En misschien de vader van Maike ook. Arme Maike, het is jammer voor haar, maar Emmy en ik mogen haar niet zo. Maar haar broers vinden we leuk, Jan en Piet. Er is iets fout in het hoofd van mijn vader, maar hij heeft niet iets vreselijks gedaan, niet zoals de vader van Maike. Werner Hagg heeft een kamer alleen. Want hij heeft zijn vrouw vermoord met een bijl.

Werner Hagg stond in de schuur te schaven aan de zijkant van een kist. Er hing een frisse geur van hout en kou. Eerder op de dag had de mist laag boven de zwart-gele velden langs het karrenpad gehangen, maar nu was het donker, met een heldere sterrenhemel. De mensen in de buurt noemden hem de kistenmaker. De jongeren in de omgeving vonden het leuk om bij hem te spioneren en als ze onderweg naar en van school de korte weg over zijn land namen, bonkten ze op de buitenwanden van de schuur. Maar ze kwamen ook bij het vallen van de duisternis. Ze noemden hem de reus, net als toen hij was opgenomen. Hij had zijn hoofd kaalgeschoren, hij had een haviksneus en grote oren. Zijn bovenarmen waren gespierd en voor een man van drieënzestig was hij goed getraind. De afgelopen tien jaar had hij op een kleine boerderij vlak bij Ski gewoond. Niemand hier wist dat hij een moordenaar was en in een psychiatrische inrichting had gezeten. Als het buiten donker was en de jongeren kwamen, kroop hij soms in elkaar in het schijnsel van de kleine staande lamp bij de werkbank. Hij had het raam beplakt met grauw pakpapier, maar er zaten kieren in de houten wanden, dus als ze het licht zagen, wisten ze dat hij er was.

Zijn gereedschap hing aan de wand. Hij was er heel precies mee. Hij droeg zijn oude, versleten stofjas. Terwijl hij aan het werk was, luisterde hij naar het radionieuws van half negen. De stem op de radio ging onverdroten door over de vorming van de nieuwe regering en de nieuwe ministers. Zouden zij Noorwegen kunnen veranderen zoals ze hadden beloofd? Vandaag was de dag van de doden, maar voor hem was het dat het hele jaar. Zijn zoon dreef samen met zijn vrouw Ingrid de uitvaartonderneming Vita. Werner dacht vaak dat je een beetje gek in je hoofd moest zijn om een dergelijk bedrijf te runnen. Of op zijn minst zonderling. Hij maakte kisten voor hen, exclusieve kisten, van dennen- of sparrenhout. Het patroon in het oppervlak van het hout toonde zich telkens weer anders. Dat vond hij het mooist, om te zien hoe het patroon van jaarringen tijdens het schaven en bewerken van het materiaal tot leven kwam.

Hij duwde met het gewicht van zijn grote bovenlijf op het gereedschap en schaafde verder.

Na een tijdje legde hij de schaaf aan de kant, richtte zich op, wreef even met zijn handen over de oliekachel en nam een slok uit de grijs uitgeslagen koffiemok. Zijn mobiel ging. Hij zette de mok op de werkbank en nam op.

Het was zijn zoon, Jan. Op de achtergrond klonk geroezemoes van stemmen.

'Vader?'

'Ja. Waar ben je?'

'Ik ben in de sportschool. Ik heb niet veel tijd, dus ik zal er niet omheen draaien. Als je in de schuur bent, moet je misschien even gaan zitten.'

'Ik ben in de schuur.' Hij nam plaats op de scheve keukenstoel.

'Het gaat over de tijd in Gaustad. Ik heb net een telefoontje gehad van Emmy Hammer. Ze belde vanuit een bar in Oslo. Herinner je je haar nog, de dochter van de psychiater? Als wij bij je op bezoek waren, speelde ze met Maike.'

'Ja?'

'Ze had een afspraak met Aud Johnsen. Haar vader zat op dezelfde afdeling als jij. John Johnsen. Hij met die engelen.'

'Ja?'

'Ik vind het moeilijk om dit te zeggen, vader, want het is echt de grootste onzin, maar Aud Johnsen insinueert dat ze heeft ontdekt dat jij moeder toen niet hebt vermoord.' Werner Hagg hoorde hoe uitdrukkingsloos en klein het klonk als zijn zoon het zo zei, *moeder*. Een zacht en afwezig wezen aan wie hij niet herinnerd wilde worden.

Hij voelde zijn bloeddruk stijgen.

'Aud Johnsen is journalist en ze zegt dat ze kan bewijzen dat ik het heb gedaan en dat Piet daarna het huis in brand heeft gestoken. Ze wil schrijven dat jij niet de moordenaar bent. Dat je de schuld op je hebt genomen om ons te beschermen.'

De woorden van zijn zoon ketsten door zijn hoofd. 'Ik weet niet waar je het over hebt, Jan. Jullie waren tien en twaalf. Ik heb jullie moeder vermoord.'

'Ja. Wij waren kinderen. Maar er is nog meer, vader. Aud Johnsen zegt dat Maikes dood geen ongeluk was, maar dat ik haar op de stenen heb geduwd of haar op een andere manier het hoofdletsel heb bezorgd. Omdat ze wilde klikken.'

Werner Hagg slikte. Hij strekte zijn arm uit en draaide het geluid van de radio zachter.

'Ze gaat morgen naar de politie om alles te vertellen, vader. De verjaringstermijn verloopt over drie weken. En ze schrijft een artikel voor de krant. Stel je voor! Het is te gek voor woorden!'

'Bij welke krant werkt Johnsen?'

'De *Osloavisen*.'

'Ik zoek uit waar ze woont en ik stap meteen in de auto.'

'Nee vader, niet doen. Ik heb geprobeerd haar te bellen, maar haar telefoon staat uit. Het is niet gezond als iemand succes probeert te krijgen met verzinsels.'

'Wie is er nog meer op de hoogte van die idiote leugen?'

'Alleen Emmy. Tot nu toe.'

John Johnsen pakte zijn jas van de haak bij de deur en stopte het bleekroze schrift weer onder de vloerplank. Hij had nu alles gelezen, ook het verschrikkelijke. Hij begreep dat Aud hem wilde waarschuwen. Eerder vandaag had hij lijsters gezien, ze zaten met scheve kopjes voor de bladloze haag te luisteren naar stemmen. Hij nam met een houten liniaal de maten van de glazen deur naar het kleine terras. Daarna schoof hij de ladekast van de tegenoverliggende wand dwars door de kamer totdat hij boven de vloerplank stond waaronder het dagboek lag. Het zag er een beetje vreemd uit, de kast stond volkomen misplaatst voor de tuindeur. Buiten lagen rode en gele bladeren, bij elkaar geblazen door de wind. In het voorjaar zou hij het hek met het houtsnijwerk schilderen. De vrouw in het blauwe huisje had de fakkel mee naar binnen genomen. Hij pakte een paar boeken uit de vitrinekast en legde ze op de ladekast. Het waren *De Kleine Prins* en de bijbel. Bij de drempel was de specie weg. Dat zou hij later repareren. Hij zou het dagboek voor altijd inmetselen, maar nu nog niet. Zodra hij in de gelegenheid was, ging hij op bezoek bij de enige vriend die hij had, Werner Hagg. Hij woonde ergens op een kleine boerderij aan de Mosseveien.

Niet dat ze elkaar vaak zagen. Ze zagen elkaar nooit. Hij had Werner niet meer gezien sinds 2003, toen ze allebei de forensische afdeling moesten verlaten, omdat iedereen weg moest. Hoewel, ze hadden elkaar sindsdien één keer gezien. Werner had hem bezocht aan de Vøyensvingen.

Beneden op de ringweg hoorde hij het verkeer langssuizen. Het was goed dat hij geld had en gespaarde middelen in natura. Hij had nu alles helder voor ogen. Hoe hij het moest doen. Hij haalde het nylonnet van de haak, sloeg de deur achter zich dicht en liep de poort uit. De auto's zoefden langs hem heen. Het was frisser geworden. De kou kroop langs zijn rug omhoog, zijn jas was te wijd. Eerst hinkte hij een beetje, maar toen kwam hij op gang. De laarzen waren zwaar, maar het was een gewicht dat hem beviel. Hij was boos. Een gevoel dat hem deed denken aan hoe hij vroeger was geweest. Hij moest oppassen. Het laatste wat Aud had geschreven dateerde uit november 1988: *Het kwaad is als een ster. Je ziet het niet steeds, maar je weet dat het er altijd is.*

*

Emmy Hammer belde Aud. Haar mobiel stond uit. *De telefoon is uitgeschakeld of bevindt zich in...* Piet Haggs mobiele nummer was niet te vinden. Misschien had hij een geheim nummer of woonde hij in het buitenland, of misschien was hij niet meer in leven. Piet had destijds al iets triests over zich gehad. Ze zocht het nummer op van Ole Porat. Hij antwoordde met een diepe stem.

'Misschien kun je je mij nog herinneren?' begon ze. 'Sorry voor het lawaai, maar ik ben in Burns. Je spreekt met Emmy, de dochter van Carl Hammer. Tijdens je studie werkte je op zijn afdeling in psychiatrisch ziekenhuis Gaustad.'

'Ik moet even nadenken,' zei Ole Porat. Zijn stem klonk aangenaam. 'Ik heb het druk, maar natuurlijk weet ik nog wie je bent, de dochter van de psychiater, een van de kinderen die steeds in mijn buurt rondhingen.' Hij lachte zachtjes.

'Ik zal er niet omheen draaien.' Emmy Hammer wikkelde een pluk haar om haar wijsvinger. 'Ik moet je serieus iets vragen. Je herinnert je waarschijnlijk Aud, de dochter van John Johnsen, ook nog wel. Ik heb haar vanavond ontmoet. Ze zei dat jij op de hoogte bent van de geheimen uit de tijd van Gaustad, dat jij informatie hebt dat Werner Hagg niet degene was die destijds zijn vrouw met een bijl heeft vermoord, maar dat hun zoon Jan dat heeft gedaan. Klopt dat?'

Er viel een stilte. Op de achtergrond was een geluid te horen, een stalen kruiwagen of iets dergelijks.

'Je herinnert je Werner Hagg toch nog wel?' Ze beet op haar knokkels.

'Sorry, maar dit is gewoon onzin. Ik ben in de bergen en ik begrijp niet wat je van me wilt.'

'Aud is journalist bij de *Osloavisen*. Ze wil er een artikel over schrijven.'

Hij hing op.

Werner Hagg reed in zijn oude Volvo 240 snel het erf af. Er lag een dun laagje ijs op de motorkap. Het was 20.57 uur. Zijn hart ging als een sparrende bokser in zijn borstkas tekeer. Verdomme! Hij sloeg met zijn hand op het stuur. Híj had Elsa vermoord, niet Jan, niet Piet. Een afschuwelijk gevoel vulde zijn hele lichaam. Hij had een oude, versleten regenjas over zijn stofjas aangetrokken. De lucht was aan het betrekken, maar ineens kwam de volle maan even door de wolken tevoorschijn. Hij reed over het hobbelige karrenpad. In het kille maanlicht zag hij de stoppels van het gemaaide koren, die als de stekels van een egel boven de zwarte velden uitstaken.

Hij draaide de weg op, gaf gas en berekende dat hij binnen een half uur in Oslo zou zijn. Hij begreep niet wat er met John Johnsens dochter aan de hand was. Wat bezielde haar? Ineens voelde hij een snijdende hoofdpijn opkomen. De pijn schoot van de ene kant van zijn hoofd naar de andere en stak met scherpe naalden in zijn voorhoofd. Waarom zou Aud na zo veel tijd zo veel ellende willen veroorzaken? Hij werd nu als ongevaarlijk beschouwd. De moord op zijn vrouw was natuurlijk niet niks, maar het was in een vlaag van verstandsverbijstering gebeurd. En het was bijna dertig jaar geleden. Hij had de kinderen hun moeder ontnomen, hij had een bijl in Elsa's hoofd en hals geslagen en daarna de bank aangestoken. Dat was in 1984. Jan was twaalf, Piet tien en Maike acht. Hij zat een tijd in de gevangenis, toen werd hij overgeplaatst naar Gaustad. Dat was ook een gevangenis. Hij herinnerde zich de tralies voor het raam en de lucht in de kamer, de geur van stenen muren. Vier jaar later stierf Maike, tijdens een bezoek. *Lelijke val*, zei de politie. Hij had altijd het gevoel gehad dat er iets niet klopte, maar Jan kon er onmogelijk iets mee te maken hebben. Hij dacht niet vaak aan Maike. Hij kon het niet verdragen. Het was een schande om je kind los te laten, maar het was te veel. Hij dacht ook niet aan Piet. Hij wist niet wat er van zijn jongste zoon geworden was. Hij huurde de boerderij. Maakte kisten voor Jan. De tijd verstreek, regen, zon, sneeuw en bloemen die in het voorjaar aan de bodem van het bos ontsproten. Leverbloempjes, Maike was er dol op geweest. Dit jaar was hij direct na de winter naar de bloemen op zoek gegaan. Hij had gehuild. Voor de eerste keer.

Hij gaf gas en reed langs Kolbotn, achter een trailer voegde hij in op de snelweg. Het oranje schijnsel van de stad lag als een taartversiering over de boomtoppen in het oosten.

Hij hield niet van de stad; alleen al een bezoek aan de zagerij voor het halen van planken was een bezoeking. Thuis was hij veilig. Nog erger was het als hij naar een bespreking moest bij de uitvaartonderneming. Hij was mensenschuw. Jan en Ingrid waren de enige mensen met wie hij kon omgaan. Jan en hij waren de enigen die nog over waren van de familie. Hij wilde rust. En nu gebeurde dit.

Berit Adamsen gooide de dweil in de emmer en pakte het deurkozijn vast om zich op te trekken. In de provisiekamer hing een muffe lucht, als in een afgesloten kist. Op het tafelzeil op de keukentafel lag haar mobiel op stil. Ze draaide de dop weer op de fles bleekmiddel en veegde haar handen af aan haar schort. Ze had nog een gemiste oproep, zag ze nu. Om 19.52 uur had iemand haar opnieuw gebeld. Het was hetzelfde onbekende nummer als een paar dagen geleden. Wie probeerde contact met haar op te nemen? Haar pleegzoon had gezegd dat ze nooit moest antwoorden als er vreemden belden. Maar er belde nooit iemand. Haar pleegzoon had een pak gehakt geopend en het op de onderste plank laten staan. Ze moest die bruine beestjes zien kwijt te raken die door een kier in de achtermuur langs de plint in de provisiekamer kropen en op het gehakt aanvielen. Ze waren klein en het waren er veel, van het soort dat geen geluid maakte en zich onophoudelijk vermenigvuldigde. Ze legde de telefoon neer, rekte zich uit en sloot het keukenraam met het in vierkante facetten geslepen glas in de hoeken. De echo van jongensstemmen en het geluid van een stuiterende bal irriteerden. Onder de poort naar de binnenplaats had iemand een oude autoband in brand gestoken, misschien omdat het Halloween was. De dichte rook verspreidde een giftige geur.

In de woonkamer belde ze Inlichtingen. 'Ik zou graag willen weten van wie dit nummer is,' zei ze en ze noemde het nummer op. De consolespiegel hing scheef, dus ze duwde hem recht terwijl ze wachtte op antwoord. De zilverlaag op de spiegel was grijsgespikkeld van ouderdom. *Dit is het telefoonnummer van Aud Johnsen*, zei de stem aan de telefoon na een tijdje. Ze verbrak de verbinding, sloot even haar ogen en zag Aud voor zich als twaalfjarige, het zwarte haar, haar bruine ogen en blanke huid. Lang geleden had ze in de psychiatrie gewerkt. Ze had gedacht dat ze een verschil kon maken, maar was daarin niet geslaagd. Maike stierf in de winter van 1988. Daarna was ze arbeidsongeschikt geworden. Nu deden de herinneringen uit de tijd in Gaustad op de forensische afdeling voor mannen de angst oplaaien. Ze rukte haar schort af en stuurde haar pleegzoon een sms: *Aud Johnsen heeft geprobeerd contact met me op te nemen. Ik heb niet opgenomen.*

Ze keek in de spiegel, naar haar gezicht met de bleke, iets bolle wangen en de felle turkooisgrijze ogen. Haar mooie trekken verdwenen geleidelijk helemaal en haar haar, dat ze in een losse knot in haar nek droeg, vertoonde grijze strepen. Ze was al oud, achtenzestig jaar. Achter haar, in de spiegel, drong de kamer zich op. De zware meubelstukken stonden samengeperst in de donkere woonkamer; het bruine kabinet en de hoge ladekast, de vleugelstoel bij de boekenkast, de grijze bank met het geborduurde schilderij erboven en de kleine ovale tafel. Een foto, genomen op de trap van gebouw G, hing naast de spiegel. Ze tilde haar hand op en veegde het stof van de lijst. In het gedempte licht leken de mensen net witte ratten. De vier medewerkers stonden op de bovenste rij: Norma Winther en zijzelf, psychiater Carl Hammer en Ole Porat met zijn blonde pony. Beide mannen droegen witte doktersjassen. Carl had aangedrongen op een witte jas, hoewel artsen eigenlijk geen witte jassen meer droegen. De twee patiënten zaten een tree lager, Werner Hagg en John Johnson, in beige shirts. Daaronder zaten de kinderen: Hammers dochter Emmy met haar blonde krullen en Aud Johnsen met haar kortgeknipte zwarte haar. Werner Haggs zoons Jan en Piet hadden ernstige gezichten. Jan was een mooie jongen, Piet staarde recht voor zich uit. De doorgetrokken wenkbrauwen gaven zijn blik toen al een speciale uitstraling. Maike zat tussen de sparrentakken naast de trap, verscholen tussen het groen. Berit Adamsen herinnerde zich hoe ze haar hoofd tussen de takken had gewurmd, alsof ze zich wilde verbergen; alleen haar korte, dikke benen waren zichtbaar, de rode punten van haar schoenen wezen naar binnen.

In de hal doorzocht ze de onderste la van de ladekast. De functie die ze had gehad, vereiste professionaliteit. Maar het was haar niet gelukt om eerlijk te zijn. Ze was er niet in geslaagd om Maike te redden. Ze vond de brief onder een stapel oude tijdschriften. Waarom had ze hem eigenlijk bewaard? Haar ogen gleden over de bovenste regels.

Lieve Berit,
Wat er een week geleden gebeurd is, is verschrikkelijk. Dat Maike Hagg maar twaalf jaar is geworden, is gruwelijk. De politie is hier geweest en heeft me verhoord en ik weet dat ze

ook bij jou thuis zijn geweest. Maar wat had dat meisje in de archiefkelder te zoeken? De Kinderdagen zijn bij dezen afgeschaft. Hoe verstandig was het om te denken dat kinderen van psychiatrische patiënten behoefte hebben aan contact met lotgenoten?

Ze vouwde de brief dubbel en legde hem terug in de la. Het was koud in de kelder toen Maike stierf. Het was november. Ze had destijds een verklaring afgelegd bij de politie. Maike lag in een grote plas bloed op de stenen vloer van de archiefkelder. Van een huishoudtrap gevallen, luidde de conclusie na het onderzoek. Plotseling herinnerde ze zich de geur van schimmel. Ze had jeneverbestakken geplukt in Krokskogen en ze in vazen bij de ingang van de onderaardse gangen gezet, want jeneverbessen hadden de bijzondere eigenschap dat ze de lucht zuiverden en vieze geuren verdreven. En de ratten bleven uit de buurt.

Ze duwde de la met een klap dicht, plofte neer op het krukje en trok haar laarzen aan. Snel liep ze naar de keuken, nam een draagtas en pakte wat etenswaren uit de koelkast: een pakje schapenvlees en een kool. Haar pleegzoon was er dol op. Ze deed het licht uit. De emmer water liet ze staan. Vlug keek ze op de klok. Het was bijna half tien. Eigenlijk was het te laat om nog naar Krokskogen te rijden, het was buiten veel te donker. Ze trok haar bruine mantel aan, pakte de autosleutels van de ladekast, bukte zich, gooide de grote joggingschoenen van haar pleegzoon in de kast en kwam weer overeind. Daarna liep ze naar de voordeur met het geribbelde matglas, verliet haar woning en nam de trap naar beneden. Haar kleine rode Micra stond buiten in de straat geparkeerd. Ze moest maken dat ze wegkwam, ze kon niet het risico lopen dat Aud Johnsen op de stoep zou staan.

Het soepele materiaal van het duivelsmasker had een doordringende geur en plakte tegen het gezicht. Het was één graad onder nul, maar met een jas aan voelde het toch klam. Zweet parelde tevoorschijn. De wegwerphandschoenen zaten als gegoten. In de tas een pakje vochtige schoonmaakdoekjes en de kleine sikkel. Voor de ingang van de sportschool in Myrens Verksted stonden een paar pompoenen. Ze straalden oranje licht uit en leken op doodshoofden, met tanden, ogen en een uitgesneden driehoek als neus.

De deur in de hoge omheiningsmuur naar Sandakerveien 22 G was afgesloten. Na een korte verkenning achter het voormalige fabrieksgebouw bleek dat je via de helling langs het wandelpad de appartementen op de begane grond kon bereiken. Verwelkt gras hing langs de oever naar beneden, tot aan het water van de snelstromende Akerselva. Een krant met een foto van de nieuwe minister-president, Erna Solberg, lag op een verlaten bankje te wapperen in de wind. Het was goed dat de sociaaldemocraten hadden verloren. Stelletje idioten.

Mensen werden gewaarschuwd om hier 's avonds niet te komen. De bewoners van de oude houten huizen aan de andere kant van de rivier deden hun deuren vroeg op slot. Kinderen staakten hun spel en renden naar binnen als de duisternis viel. En natuurlijk had iedereen een inbraakalarm, want langs de rivier zat allerlei uitschot: bedelaars, zwervers en junks.

De lage coniferen stonden als verliefde stelletjes dicht tegen elkaar om inkijk te voorkomen, maar in het licht van een buitenlamp kon je de muur van het fabrieksgebouw onderscheiden.

Het was modderig en glad op de helling. De woekerende planten kwamen tot het middel. De jas was ongemakkelijk en de rubberlaarzen waren zwaar. Een hand raakte een melkwit, morsig spinnenweb, dat bleef kleven aan de naakte huid tussen handschoen en mouw. Op het gazon lag een dun laagje rijp. Door de vorst bleven er duidelijke voetstappen achter op de grasmat. Grote verlichte ramen leken een lange rij filmdoeken. Het glinsterde op het gele gras. Een plotselinge sirene van een uitrukkende politieauto gaf een snijdend gevoel van shock. Maar er was nog niets gebeurd en de sirene verdween. Onder aan de helling bruiste de rivier als een wereldzee.

*

Aud Johnsen had haar mobiel uitgezet en op de laptop gezocht naar *dissociatieve amnesie*. Het was alsof ze op het scherm een kaart volgde, een rood pad door een zompig moeras. De eerste tijd na de dood van Maike had ze het gevoel gehad dat ze in een koelruimte met een temperatuur rond het vriespunt bivakkeerde. De eenzaamheid hield haar hele jeugd aan en duurde voort tot ze volwassen was. Maikes dood verdween na verloop van tijd naar de achtergrond maar bleef sluimerend aanwezig en stimuleerde haar onnodige en domme dingen te doen, zoals vanaf haar zestiende vreemde mannen bij haar thuis uitnodigen. Ze dacht aan Emmy. Ze leken op elkaar. Om zichzelf te beschermen, hadden ze zich geïsoleerd, maar ieder op haar eigen manier. De hond legde zijn kop op haar voeten. Ze nam een slok rode wijn. Ze was nog niet begonnen met het schrijven van het artikel, maar wist dat het vlot zou gaan als ze eenmaal van start ging. De redactie wist dat ze iets in petto had, maar niet wat het was. Ze had al besloten hoe de kop zou luiden. *Wat is er met Maike gebeurd?* Ze wist dat alles ook gevolgen zou hebben voor onschuldigen, daarom wilde ze iedereen om wie ze gaf waarschuwen: haar vader en Emmy. Ze vond dat ze dat Emmy schuldig was, maar morgen zou ze naar het huisje op de volkstuin gaan, haar dagboek halen en het meenemen naar de politie. Het was vandaag 31 oktober, drie weken voor de verjaringstermijn. Na 20 november zou de dader vrijuit gaan. Dan was het vijfentwintig jaar na Maikes dood.

*

Het raam was net een filmdoek. Ze zat met een opengeslagen laptop op schoot. De flikkering van het scherm gleed over haar gezicht en vulde haar ogen met licht, wit als in een operatiekamer. Haar mobiel lag op tafel. Die zou straks in de rivier verdwijnen. Domme Aud Johnsen. Nu stond ze op. Ze had iets houterigs en onechts over zich; de mosterdgele jurk, zo typisch Aud, een beetje huisvlijt en een beetje hoer. Met haar zwarte bloempotkapsel had ze wat weg van een ster uit een stomme film, en nu bewoog ze zich ook nog zo: achter het glas liep ze heen en weer met snelle, nerveuze bewegingen. Ze was zevenendertig, maar zag er ouder uit.

Na elektroshocktherapie trok een helderheid door je lijf, net als nu, een gevoel van rust en kracht. Mensen waren uitgerust met drie stel hersenen, drie parallelle functies die moesten samenwerken om een maximaal rendement te behalen. Neem het gereedschap. De kleine sikkel ligt gewikkeld in een draagtas. Maak je klaar, alsof je naakt in de wind staat. IJskoude schouders. Focus. Breng je taak tot uitvoer. Het woord *parese* komt naar boven, het onvolkomen, duistere gevoel van verlamming. Nu de juiste volgorde: loop om het fabrieksgebouw heen en bel aan. In de poort naar de binnenplaats is de bakstenen muur bedekt met twee rijen versleten groene brievenbussen. Haar naam staat op een ervan.

*

Aud Johnsen betrapte zichzelf erop dat ze aan een bijl zat te denken. Het werktuig waarmee Maike Haggs moeder was gedood. Berit Adamsen had een keer naar Maike gekeken en gezegd: 'Je moet iedereen die zijn best doet, vergeven.' Maar toen stierf Maike zelf. Berit Adamsen had niet teruggebeld, maar morgen had ze om twaalf uur wel een afspraak met Norma Winther in het parochiehuis. Het was een kwart eeuw geleden dat ze elkaar hadden gezien. Ze herinnerde zich de predikant als vriendelijk, goed en stevig van postuur.

*

Er werd aangebeld. Een schel geluid. Aud Johnsen stond op en liep de kamer door. Haar jas lag nog steeds op een hoop op de stoel. Ze keek naar de mand in de hoek. Haar vader had hem gevlochten toen hij in Gaustad zat. De hond stoof langs haar heen. De hondenpoten maakten een kil klikkend geluid op het parket. Het tikken van de staande klok markeerde dat de tijd nog niet stilstond. Het was elf minuten over half tien. Ze liep naar de deur, proefde een koperachtige smaak van angst in haar keel. De zigeuners die verderop in het Iladal hun kamp hadden opgeslagen kwamen nooit op de binnenplaats. Ze wisten dat de bewoners langs de rivier bij de minste of geringste aanleiding de politie zouden bellen. Maar het was Halloween. De hond was al in de hal en blafte een paar keer voor de gesloten deur. Kwispelend en vol verwachting. Ze schopte de laarzen aan de kant die op de vloer lagen, legde haar hand op de deurklink en draaide de sleutel in het slot om. Iemand duwde van buitenaf tegen de deur. Ze voelde een harde ruk aan haar pols, voelde de pijn door haar arm trekken. Haar hele leven had ze geweten dat er íéts zou gebeuren. Nu gebeurde het. Buiten stond de duivel met de sikkel.

Het licht brandde achter de ramen van het politiebureau. Het betonnen gebouw met lange rijen ramen lag direct naast de kerk van Grønland. Het wandelpad naar de hoofdingang met het grote atrium was verlicht door lage lampen. Op de kale gazons stond hier en daar een boom. Van buiten zag je de silhouetten van rechercheurs die heen en weer liepen achter de ramen.

Op de afdeling Geweldsdelicten op de vierde verdieping legde hoofdinspecteur Cato Isaksen documenten op een stapel op de metalen kast. De tl-lampen aan het plafond maakten een knetterend geluid. Het was 21.42 uur, tijd om naar huis, naar zijn studio, te gaan. Hij had de eenkamerflat gehuurd van een bekende die de wintermaanden in Thailand doorbracht. Er waren dingen gebeurd in de herfst, een moeilijke periode tussen hem en zijn vrouw Bente eindigde in een grote ruzie, waarna hij verhuisde. Hij had de laatste tijd het gevoel alsof hij enkel en alleen maar bestond, niet lééfde, maar hij dwong zich in te zien dat alleen-zijn zo slecht niet was en dat het een voordeel was voor zijn werk. Hij had contact met alle drie zijn zoons. De jongste was vijftien geworden, in de lente zou hij belijdenis doen.

De dagen in deze tijd van het jaar waren één lange reis van duisternis naar duisternis. Het kantoormeubilair werd weerspiegeld in de ramen, net als zijn gezicht. Eventjes vond hij dat hij leek op een doodshoofdkunstwerk van Damien Hirst; witte schedel, zwarte gaten bij wijze van ogen en mond. Hij was nu dichter bij de zestig dan bij de vijftig, zijn haar was dun geworden en zijn gezicht stond vermoeid. De lijnen onder zijn ogen waren duidelijk te zien, maar zijn lichaam was goed getraind. Tegen een prijs. Hij werkte al meer dan dertig jaar bij de afdeling Geweldsdelicten en vaak was het al donker voordat hij van kantoor nummer 508 naar zijn studio ging. Toch was één zaak vandaag opgelost, een oude vrouw die door haar zoon was vermoord. Roger Høibakk had het bewijs gevonden. De volgende zaak wachtte al, een moord op een arme sloeber van de straat. Een nieuw team werkte aan die zaak; vijf rechercheurs zaten op een kantoor verderop en liepen alle informatie door. Door de ramen naar de gang zag hij dat de secretaresse met het lichtgrijze haar en de blauwe jurk, Irmelin Quist, op hoge hakken van en naar de automaat vloog om hen van koffie te voorzien. Irmelin was ongelooflijk. Haar werkdag was allang voorbij, maar haar werk was haar leven.

Hij stond op, greep zijn leren jas van de rugleuning, trok hem aan, pakte zijn autosleutels uit zijn zak en liep zijn kantoor uit. 'Ga toch naar huis, Irmelin,' zei hij en hij liep naar de lift. Ze glimlachte en keek hem wat bezorgd aan, iets wat hij niet kon verdragen. Thuis in zijn studio lag nog een halfopgegeten pizza in de koelkast, er stonden een tv en een versleten leren stoel.

Hij stak zijn hoofd om de deur bij zijn collega's. Randi Johansen deed een elastiekje om haar blonde haar. Asle Tengs had nog meer grijze stoppels gekregen en leek op een egel, zag hij nu. 'Jullie moeten er straks ook een punt achter zetten. Ik ga naar huis.'

De donkerharige Roger Høibakk, met wie hij het vaakst samenwerkte, keek hem aan. 'Wij stoppen ook.' Marians stoel was leeg. De politiecultuur was hard, de organisatie was hiërarchisch opgebouwd en mensen vochten om hogerop te komen. Er waren veel sterke persoonlijkheden. Marian Dahle was een van de mensen met wie hij niet meer hoefde te strijden. Dat was een opluchting. Ze was intelligent, ambitieus en kende geen grenzen. Hij had vaak gewenst dat ze weg zou gaan, hij had zijn best gedaan om dat voor elkaar te krijgen. Het afdelingshoofd wilde het niet, maar toen er een reorganisatie kwam, was ze overgeplaatst naar een speciale eenheid. De naam van de eenheid was B-52, wat hij nogal overdreven vond, een vernoeming naar een bommenwerper die na 1955 in gebruik was genomen en ook was ingezet tijdens de Golfoorlog in 1991. Maar hoe dan ook, hij was van haar af, en van haar hond, die ze altijd meenam naar haar werk.

Afdelingschef Ingeborg Myklebust was kort van stof geweest toen hij haar had uitgehoord over de groep. Hij wist dat ze zich specialiseerden in terreurnetwerken in Noorwegen. Dat ze probeerden contacten in het milieu op te bouwen en dat ze samenwerkten met de Veiligheidsdienst. Vooral nu, voor de verkiezingen in september, hadden ze het druk gehad. Hij had geen recht op informatie, maar een tijdje terug had hij Marian en haar tijgerachtige boxer in de lift ontmoet toen hij op weg was naar de garage. De deuren schoven open en daar stond ze, in drievoud, vanwege de spiegels, maar niet alleen. De chef van de afdeling Georganiseerde Criminaliteit was er ook, Erik Haade. Zijn hand stevig op Marians schouder. Hij was eind veertig en een meter negentig lang. Zijn stevige nek was aan één kant getatoeëerd. Hij had het bendeproject van de politie van Oslo geleid en had gewerkt aan zaken tegen de meest doorgewinterde criminelen in Noorwegen. Nu stond hij aan het hoofd van de B-52-groep. Cato Isaksen groette nietszeggend en gaf als afleiding de hond een aai. Iets had zich in hem vastgezet. Nu dacht hij aan Marian. Toen hij het portier van de civiele politieauto opende, rook hij zijn eigen straffe geur. Een geur van angst en eenzaamheid. Onbehagen en verdriet. Verdomme, hij moest zich herpakken. Hij reed de helling op, de automatische poort ging open en hij draaide de straat in.

*

Aud Johnsen was dood. Op de grond. In een plas donker bloed. Alles zou nu naar normaal worden teruggedraaid. De uitvoering was goed gegaan. De film begon; doordrenkt van een duisternis die dezelfde werking had als regen. Terugspoelen. Dingen die gebeurd waren, waren niet gebeurd. Alles was zoals eerst. Het gevoel van razernij suisde door de buik en door de hals omhoog, maar in de hersenen werd het gevoel onthaald met signalen van zelfbeheersing. Ademen. Rustig. In en uit. Gebruik de techniek. Luister aan de deur. Niemand. Ga gewoon naar buiten. Wees een soldaat met camouflagegebladerte op de helm. De grote klok die leek op een vrouw met brede heupen wees kwart voor tien aan. De bloedige jas werd opgerold en onder in een tas geduwd, samen met de wegwerphandschoenen, de muts, het duivelsmasker en de sikkel. De hond was onrustig en vluchtte geschrokken de hoek van de woonkamer in, helemaal bij het raam. Nu gewoon weggaan, haar mobiel pakken en weggaan zoals een gewoon mens, naar de rivier. De deur in de muur naar het plein voor de sportschool kon van binnenuit worden opengemaakt. Langs de muur lopen, niet daar waar je vanuit de sportschool kon worden gezien. De gedachten maalden, leugens, patiënten, predikanten, secretaresses, tunnels, verdriet. En morgen. Straks zou de beveiliger zijn ronde bij het Ketelhuis lopen. Daar was niets speciaals vanavond. Geen vuur in de oven. Geen zwak licht in de glas-in-loodramen. Het Ketelhuis was al jaren afgesloten. Het kleine huis had alles: rust, stilte, duisternis. Het was daar niet nodig bij je persoonlijke problemen stil te staan. Weer door de steeg. Niemand te zien. Doodstil. De rivier zwartgrijs en schuimend. Aud Johnsens mobiel. In de Akerselva. Het plonzende geluid, hard en fel; een geluid dat kringen achterlaat in het zenuwstelsel.

Toen ze Sandvika voorbijreed, moest Berit Adamsen ineens aan het bedorven gehakt denken. Een gevoel van afgrijzen deed haar maag samenknijpen. Ze gaf gas en probeerde zo goed mogelijk om de weg in het donker te zien. Er zat veel ruimte tussen de lantaarns. Toen ze Sollihøgda naderde, bleef ze achter de bus naar Hønefoss hangen. Ze zou een half uur voor middernacht bij het huisje aankomen. Eigenlijk was het gekkenwerk, maar zwarte angst dreef haar weg uit de stad. Haar pleegzoon zou boos worden. Hij hield er niet van dat ze zomaar kwam. Maar ze kwam nu toch. Hij had een paar jaar in een garage gewerkt, hij was goed met zijn handen, had het altijd leuk gevonden om met gereedschap bezig te zijn. Maar het ging toch niet zo goed, want hij kon niet met mensen omgaan. Ze waakte over het kleine sprankje licht dat in hem over was, zou vast wel iets voor hem vinden, ooit.

Ze zag ertegen op om het laatste stuk van de parkeerplaats door het donkere bos te lopen, maar het moest maar. Waarom had Aud geprobeerd haar te bereiken? Ze had de meisjes al meer dan twintig jaar niet gesproken. Ze hield van de kinderen van de patiënten en de artsen, van allemaal. Aud met de donkere ogen en Emmy met de lichte. Maar ze herinnerde zich de spanning onder in haar rug, haar buik die verkrampte als ze in haar kantoor zat te eten. De patiënten waren mensen, maar het waren er zo veel. Soms moest ze terugschreeuwen. Maar ze wilde geen heerszuchtige, ongevoelige persoon worden; dingen moesten niet aan haar blijven kleven. Ze moest zich beschermen tegen haar eigen gevoeligheid. Soms werkte ze 's nachts. Vooral in de winter kon ze in een soort psychoseachtige toestand glijden, gedeprimeerd door de duisternis buiten. En om de week verschoonde ze alle bedden. Ze deed altijd alles op dezelfde manier, bijna als een ritueel: het beddengoed van het bed en in een kluwen op de grond, vlak naast de deur, dan een nieuw laken en een nieuwe kussensloop en als laatste het dekbedovertrek. Eén keer moest ze een patiënt ophalen die verdwaald was in de kelder. Iedereen dacht dat ze een simpele geest was. De waarheid was anders. Ze was niet de vrouw die ze dachten te zien. Ze droeg geheimen met zich mee. Dingen die ze niet kon zeggen.

*

Het was 21.59 uur toen Werner Hagg direct na het Ullevålstadion afsloeg in de richting van Vinderen. Hij kwam van de Sandakerveien. Aud Johnsen woonde op een merkwaardige plek: een voormalige fabriek. Alles moest tegenwoordig zo modern zijn. Hij had in Gaustad een eenpersoonskamer gehad, met blauwe, donkere gordijnen en een raam met dunne spijlen en uitzicht op het park. De kamer was smal en lang, met een laag bed. Het bed was te kort voor hem; hij moest met gebogen knieën liggen. Hij dacht aan alle afgesloten deuren. Het geluid als ze dichtgingen en op slot werden gedraaid. Zijn posttraumatische stress werd verminderd door de blootstellingstherapie die hij voorgeschreven had gekregen. Hij moest niet te veel energie verspillen aan herinneringen, maar hij moest actie ondernemen. Dat was wat hij in Gaustad had geleerd, zichzelf beschermen, grenzen stellen en daarbinnen blijven. Maar hij moest ook naar plekken die slechte herinneringen bij hem opriepen, om de irrationele angst te verminderen. Hij reed er met enige regelmaat naartoe. Zijn laatste therapeut had een techniek toegepast die hij *video replay* noemde: mentaal een film in je hoofd afspelen, alles wat gebeurd was steeds opnieuw doorlopen. Hij had de situatie nu onder controle. Nu waren alleen Jan en hij over. Zijn schoondochter Ingrid vond het niet fijn dat hij te veel tijd doorbracht met zijn kleinkinderen. Dat begreep hij best, maar de vreugde die hij voelde als hij een enkele keer de kleine meisjes mocht zien, overtrof alles. Tilde en Thea noemden hem niet opa, maar gewoon Werner. Misschien wisten ze niet eens dat hij de vader van hun vader was. Dat accepteerde hij. Hij was een *darkbird*. Maar hij had nu een goed leven. Hij maakte kisten, verder niets. De rust was goed voor hem, totdat Jan zo-even had gebeld. En dan had je nog de schooljeugd die hem lastigviel.

Hij sloeg rechts af de Trosterudveien op, reed achteruit een inrit in, keerde en reed terug. De koplampen weerspiegelden kort in de lak van de auto voor hem, voordat hij de wagen passeerde, naar de kant reed en parkeerde. Het was 22.07 uur. Hij stelde de achteruitkijkspiegel bij en bekeek zijn gezicht voor hij het portier opende en uit de Volvo stapte. Emmy woonde op nummer 14. Er stonden twee huizen aan die kant. Lang geleden was hij hier eens geweest. De psychiater woonde in het grote huis. Hij had hem al meer dan tien jaar niet gezien. De pijn klopte in hem. Een smalle weg met keitjes liep naar de woningen, aan weerszijden stonden herfstbruine sierheesters dicht op elkaar. Hij kon vaag de kleine, witgeverfde portierswoning onder aan de helling onderscheiden. Hij deinsde terug toen hij, diep in gedachten verzonken, uit de auto stapte en er plotseling iemand met een jachthond op hem afkwam. Even dacht hij dat het Emmy Hammer was, maar het bleek een joggende man te zijn. Hij verdween over de stoep.

*

Hoofdinspecteur Cato Isaksen parkeerde de auto voor een schoenenwinkel. Hij had het naar zijn zin in de stad. De lucht was doordrenkt van uitlaatgassen. Twee jongens fietsten op de weg. Hun overslaande stemmen volgden hem toen hij de trappen op liep. Hij draaide de deur van het slot en ging naar binnen. Hij herinnerde zich de droom die hij vannacht had gehad. De droom, die hij al vaker had gedroomd, ging over zijn leven. Hij lag op de smalle bedbank en dacht aan Bente, miste haar, maar zag Marian voor zich. Toen hij haar had voorgedragen voor de nieuw opgerichte speciale eenheid, was Erik Haade natuurlijk op de hoogte geweest van haar forse persoonlijke problemen. Ze dronk te veel en was psychisch labiel. Dat had hij natuurlijk al gemerkt. Maar wie was hij eigenlijk zelf, dacht hij daarop. Cato Isaksen met alle goede eigenschappen: beminnelijkheid, vrijgevigheid en warmte. Zo keken mensen niet naar hem. Hij wist zelf ook niet meer wie hij was. Hij wist dat hij andere mensen nodig had, maar wilde het liefst alleen zijn. Hij moest nu oppassen dat hij niet in duisternis zou wegzakken. Hij moest het wegduwen, zo min mogelijk voelen. Hij trainde zo vaak hij maar tijd had, in de fitnessruimte op het politiebureau. Tilde gewichten en liep op de loopband. Ze praatten wel over hem de laatste tijd; Ellen, Randi, Asle en Roger waren bezorgd om hem. Hij haatte die gedachte, maar hoefde in elk geval niet om te gaan met Marian.

Hij gooide zijn jas op het bed, dat onopgemaakt tegen de wand stond. Deed het licht aan. Een geel rond peertje keek van onder een grote, smakeloze lampenkap de kamer in. Hij mocht hier wonen totdat dingen opgelost waren. Het bed fungeerde als bank. Een kleine tafel ervoor en een flatscreen op de ladekast tegen de andere wand.

Hij pakte de afstandsbediening en zette de tv aan. Jongeren zongen een lied op een podium met een paars decor.

In de kleine koelkast in de keukenhoek wachtten de halfopgegeten pizza en een pak appelsap. Hij was blij dat de zomer voorbij was; het waren eindeloze gesprekken geweest, klaagzangen dat hij te veel werkte, iets wat ook zeker waar was. Lichte avonden waarop alle buren precies wisten wat de andere buren deden. Hij dacht aan de jongens, zijn eigen vlees en bloed. De twee volwassen jongens woonden voor studie in Trondheim en voor werk in Stavanger. Het lukte hem niet genoeg contact met ze te hebben. Als hij toe zou geven aan zijn slechte geweten, zou het hem eronder krijgen. Maar continu energie gebruiken om gedachten weg te drukken was ook vermoeiend. Bente woonde in het rijtjeshuis in Asker. Ze hadden met elkaar op de bank kunnen zitten. Hij dacht aan die keer dat ze samen hadden gewandeld in het bos. Hij had ineens heel veel zin gehad om met haar te vrijen en had haar lachend in de greppel geduwd, tussen het gras en de varens. Hij zou nu naar haar toe kunnen rijden en de rust terugvinden die hij was kwijtgeraakt. Bente was de enige die hem kon redden van wie hij was geworden. Hij liep naar zijn jas op het bed, maar bedacht dat ze nachtdienst had in het verpleeghuis. Iemand begon in een muur te boren. Toen werd het stil. Hij luisterde. Het snijdende geluid kwam terug. Toen werd het weer stil, een hele tijd. De stilte drukte op zijn trommelvliezen.

De metro kwam uit de donkere tunnel en gleed het station bij het Nationaal Theater binnen. Het geluid van staal op staal deed pijn aan haar oren. Emmy Hammer stapte in en nam plaats in de achterste wagon. Het licht in de coupé was fel en wit. Het was half elf. Ze had te veel gedronken, voelde zich plotseling onwel, verborg haar gezicht tegen het raam, haar nek licht gebogen. Ze huilde zachtjes. Het gehuil werd niet opgemerkt. *Fijn dat je bent gekomen. Ik wil al een hele tijd met je praten. Heb je contact gehad met Berit? Ik heb geprobeerd haar te bereiken. Morgen heb ik een afspraak met Norma, de predikant. De verjaringstermijn voor moord is vijfentwintig jaar. In de Maike-zaak is dat over drie weken.* Emmy Hammer trok de panden van de witte jas naar elkaar toe. Ze droogde haar ogen met haar hand, ging rechtop zitten, pakte haar mobiel uit haar tas en stuurde een berichtje naar Aud met de vraag haar te bellen. Bij station Majorstua stapte een groep jongeren in. Twee blondines met enge geschminkte gezichten lachten hysterisch en scherp. Een jonge jongen droeg een pompoen. Hij staarde naar haar. Emmy voelde hoe de angst haar bij de keel greep. Een voorgevoel, een signaal, een gevoel dat zich hechtte aan haar zenuwstelsel. Ze haalde een hand door haar haar en keek in het raam, dat een zwarte spiegel was. Voortdurend gleden flashbacks door haar hoofd; de onderaardse gangen waar het vocht schitterde op de muren, schimmel en verrotting in het schaarse licht. Rennen door de krappe duisternis die nergens eindigde, al waren er nog zo veel wegen; Maike met haar domme lach en Aud met de donkere ogen.

Alles voelde absurd op deze avond. Ze hoorde Jan Haggs opgewonden, boze stem in zich. Jan, op wie ze zo verliefd was geweest. Dit is pure inbeelding, had hij gezegd. Emmy had hem verzekerd dat zíj er niets mee zou doen. Maar over Aud had ze geen controle.

Ze stapte uit bij station Riis. Ze stond een tijdje op het perron om zich te herpakken. De jongen met de pompoen stapte ook uit. De dronkenschap lag als een dempende deken in haar hoofd. De jongen verdween gehaast over het perron in zijn laaghangende broek. De metro met de verlichte ramen reed verder. Donkere herfstavonden gaven haar altijd het gevoel dat geluiden werden versterkt. Het duurde zeven ijskoude minuten om thuis te komen. Ze trok weer haar jas dicht, voelde de kou tegen haar handen. Ze pakte de riem van haar tas stevig vast en stak de straat over bij het transformatorhuisje, dat een laag zoemend geluid maakte. Haar vader had het niet leuk gevonden dat ze deel uitmaakte van de kindergroep, hij had het haar eerst verboden, *met zulke mensen gaan we niet om, Emmy,* maar Berit had voor haar gepleit. Haar vader was nu zevenenzeventig jaar. Het was erg genoeg dat er niet echt iets van haar geworden was; arts of makelaar, of ten minste ingenieur. De dochter van de psychiater was kunstenares geworden, maar Philip studeerde voor arts. Haar zoon zette de traditie voort.

Ze liep over de Trosterudveien omhoog. De lucht betrok, wolken schoven voor de sterren. Er zat regen in de lucht. Er stonden grote villa's in de oude tuinen langs de weg. Een auto reed haar voorbij. *Kijk uit voor auto's die langzaam rijden.* Mama's stem. Emmy Hammer was misselijk. Het was allemaal de schuld van Berit Adamsen. Als zij haar werk had gedaan, had Maike nu misschien nog geleefd.

Een al wat oudere, zilverkleurige auto stond een stukje verderop op de helling geparkeerd. Draaiende motor, brandende koplampen. Het licht scheen mat door de mist, die plotseling kwam opzetten. Ze keek over haar schouder en stak over. Haar lichaam een fijn afgestemd instrument. Wie wachtte er in die auto?

Een windvlaag blies de bladeren over het trottoir. Ze schrok op toen een man met een jachthond voorbij kwam joggen. Tegelijkertijd doofden de autolichten, de motor werd afgezet en iemand in een lange jas stapte uit. Het was een man. Hij was groot. Nu kwam hij langzaam haar kant op. De angst kneep haar keel dicht. Er klopte iets niet. Ze bukte zich, kroop door een opening tussen de takken van de heg van de buren, rende over het gazon en snel de helling af. De bomen lieten zwarte strepen achter op haar witte jas. Er sloeg een tak tegen haar hoofd. Een stekende pijn. Ze hield zich vast aan de tak, gleed een stuk op haar hielen, maar belandde uiteindelijk op haar eigen oprit. Zo snel ze kon wankelde ze verder. Aan weerszijden van het pad stond de halfbevroren rozenhaag. Het warme bloed liep over haar gezicht. Ze draaide zich om en keek naar de weg. De man stond daar. De contouren van een hoofd, diffuus in het licht van de straatlantaarn, waren omringd met iets wat op een aureool leek. Ze rende de laatste meters naar de portierswoning, om haar Golf heen, de drie traptreden op. Met bevende handen draaide ze de blauwe deur van het slot. De scharnieren piepten toen ze hem opentrok en naar binnen ging. Ze sloot de deur weer af. In het tochtportaal bleef ze staan om uit te blazen, ze leunde met haar handen op de ladekast en boog haar hoofd voorover. Ze deed het licht niet aan, maar luisterde. Het bloed drupte op het witte kanten kleedje. Haar laarzen en jas trok ze uit, de jas viel op een hoopje op de vloer. In de donkere woonkamer bleef ze staan wachten. Door de ramen met de kleine ruitjes en de tuindeur keek ze naar het grote huis waar haar ouders woonden. Ze kon niet over het gazon rennen. Het was donker daar. Haar ouders gingen vroeg naar bed. De tuin was haar vaders trots, als een park, vol met bomen en sierheesters. Het vogelbadje leek op een sculptuur. De kussens op de witte meubels leken spoken. Midden in de kamer stond de schildersezel met het grote witte schilderij waar ze mee bezig was. De verf was in dikke klodders opgedroogd. Het hele huis was maar zeventig vierkante meter groot. De schildersezel stond midden in de kamer zodat haar ouders zouden zien dat ze werkte.

Er gebeurde niets. Emmy Hammer deed de witte gordijnen dicht. De wond op haar voorhoofd was opgezwollen en blauwpaars geworden. Het bloed was gestold en bij één oog bruin opgedroogd.

Ze dronk een glas water en liep naar de badkamer om te douchen. Het warme water voelde goed op haar gespannen rug. Ze droogde zich snel af, plakte een pleister op haar voorhoofd, deed haar nachtpon aan en ging naar bed. Het had maar tien minuten geduurd. Ze lag naar het plafond te staren. Het gesprek met Jan spookte door haar hoofd. *Aud gaat morgen naar de politie om alles te vertellen. De verjaringstermijn verloopt over drie weken. En ze schrijft een artikel voor de krant waar ze werkt.* Het besef kwam vlijmscherp binnen. Ze zou de politie moeten bellen en ze waarschuwen, maar wat moest ze zeggen? Een oude vriendin van me gelooft dat ze weet wie Maike Hagg heeft gedood in 1988? Ze gelooft dat Maikes broer de moordenaar is? Ik heb Jan Hagg gebeld en hem alles verteld, en ik heb met Ole Porat gesproken. Ik heb bovendien het gevoel dat ik word gevolgd. Iemand wachtte me op straat op. Ik weet niet wie. Maar nu is er niemand.

*

Op dat moment werd er aangebeld. Het geluid trok door de zenuwen in haar ruggengraat. De wekkerradio met de blauwe cijfers stond op 23.07 uur. Ze ging rechtop zitten en zette haar voeten op de vloer. Haar haar was nog steeds nat. Haar ouders kwamen 's avonds nooit hier, en kinderen liepen niet midden in de nacht Halloween te vieren. Het geluid had zich in haar oor vastgezet. Ze liep zachtjes een paar stappen de woonkamer in. Ze was op blote voeten en had het koud. Voorzichtig trok ze de gordijnen voor de tuindeur opzij. Het was gaan regenen, het water gleed geluidloos over het glas, maar plensde op de tegels van het terras. Ze rook vaag de geur van haar eigen angst. De stilte werd alleen doorbroken door het tikken van de radiator achter de bank. Ze liep het kleine tochtportaal in. Haar jas lag nog op de grond. Daar bleef ze heel even staan, voordat ze naar de keuken liep, op haar hurken ging zitten en onder de ouderwetse kanten gordijntjes door gluurde die haar moeder met alle geweld had willen ophangen. Bij de pilaren naast het hek naar de tuin van haar ouders zag ze hem, in het matte licht van de buitenlamp. De glanzende jas was op de rug doorweekt, van de schouders tot aan de zoom. Ze ging op handen en voeten zitten op de ijskoude houten vloer. Ze zat misschien een halve minuut zo toen er nog een keer werd aangebeld.

Vroeg in de ochtend van vrijdag 1 november kwam via de Centrale Post Ambulancevervoer een melding binnen op de meldkamer van het hoofdbureau van politie. 'Politie. Alarmcentrale.' De stem van de dienstdoende agent klonk zakelijk en neutraal. Het was 08.04 uur. De meldkamer was ondergebracht op de begane grond. Een verwarde bejaarde vrouw stamelde onsamenhangend over een hond die een bloedspoor had gemaakt in een appartement aan de Sandakerveien.

'Ik weet niet of het een Halloweengrap is. Ik kijk nu naar binnen en zie een paar benen in de woonkamer liggen en een hond staat als een gek bij het raam te blaffen. Op de vloer heeft hij overal bloedsporen achtergelaten. Ik zou de ramen lappen van een appartement verderop en kom net de hoek om lopen.'

'Kunt u me om te beginnen uw naam vertellen?' vroeg de agent van de meldkamer.

'Telly, ze noemen me gewoon Telly. De hond heeft bloed opgelikt. Zijn hele snuit zit onder het bloed.'

'En wie is er volgens u dood?'

'Ik weet niet of er iemand dood is, ik zie alleen een paar benen. Ik ben om het gebouw heen gelopen naar de ingang. Het is 22 G, de groene deur, en er staat Johnsen op het naambordje.'

'Oké, kunt u daar blijven? We zijn er over een paar minuten,' zei de professionele stem.

De melding werd onmiddellijk doorgeschakeld naar de afdeling spoedeisende hulp en de ambulancedienst.

Cato Isaksen ontving het bericht van het hoofd van de meldkamer al een halve minuut later. Hij was die ochtend veel te vroeg wakker geworden, had een douche genomen en snel een kop koffie gezet. Daarna was hij naar zijn werk gegaan en nu kon hij er meteen weer tegenaan. Door de glazen wand zag hij de mensen op de gang lopen. Hij pakte zijn leren jack en klampte zijn collega Roger Høibakk aan, die haastig langsliep met een stapel dossiers in zijn handen. 'Mogelijk een moord aan Sandakerveien 22 G,' zei hij kort.

Ze liepen naar beneden, naar de parkeergarage en de civiele politieauto. Voor hen vertrokken al geüniformeerde agenten in een auto met zwaailicht en sirene. Cato Isaksen reed, Roger Høibakk zat naast hem en zocht op de iPad in het bevolkingsregister. 'De enige Johnsen op dat adres is een zevenendertigjarige vrouw, Aud Johnsen.'

Met hoge snelheid staken ze de Alexander Kiellands plass over, ze negeerden de rode verkeerslichten. In de achteruitkijkspiegel zag Cato Isaksen het flikkerende zwaailicht van een politiewagen. Vlak daarachter reden waarschijnlijk de eerste journalisten.

De auto's zigzagden verder en stopten onder aan de heuvel bij de sportschool in de voormalige fabriek van Myrens Verksted. Cato Isaksen sprong uit de wagen. Een oudere, gedrongen vrouw met verward grijs haar hield de poort voor hen open. 'Ik ben Telly.'

De schoonmaakster droeg een schort over haar openhangende donsjas. 'Je hebt geen uniform, maar je bent toch wel van de politie?'

Cato Isaksen liet zijn legitimatie zien.

'Het is hier, maar ik heb geen sleutel.'

'We komen er wel in. Roger, kijk jij aan de andere kant van het gebouw of er ramen of deuren openstaan.'

'Ik ga met jullie mee,' hijgde de schoonmaakster. 'De derde deur. Die groene.'

De oudere vrouw rook penetrant naar zweet. 'Dat is niet nodig.' Cato Isaksen probeerde te glimlachen. Een emmer grauw zeepwater en een zwabber stonden midden op de binnenplaats.

Een agent was al bezig met het openmaken van de deur. Het ambulancepersoneel wachtte achter hem.

'Er staat Johnsen op het naambordje,' riep ze. 'Wedden dat ze dood is?'

De vrouw lag op haar zij, met één arm gebogen in een rechte hoek en haar hoofd nagenoeg gescheiden van haar lichaam. Ze lag in de hal. Er hing een sfeer van leegte rond het dode lichaam. Haar donkere ogen waren wijd opengesperd. De wond dwars over de keel gaapte hen rauw aan. Het rafelige tapijt was bruinrood gekleurd. Reepjes huid plakten aan de gelige jurk, die doorweekt was van bloed. Alleen de voeten lagen in de woonkamer.

De lichtbruine hond kwispelde slap en blafte zachtjes. Een agent nam hem mee naar buiten en bond hem aan een paal. De technische recherche moest naar hem kijken voordat hij een hondenpension kon bellen.

Cato Isaksen belde Ingeborg Myklebust en vroeg of zij contact op wilde nemen met de persvoorlichter. Hij bracht haar op de hoogte van de moord en vertelde dat ze nog niets wisten over de dader of een motief. Hij stond op de drempel en sprak zacht in de telefoon, terwijl hij naar het slachtoffer keek. 'Geen sporen van braak. Ze moet zelf de deur hebben geopend. Wacht nog even met het vrijgeven van het nieuws,' zei hij. Hij had pijn in zijn rug. De pijn zat vooral aan de rechterkant, een soort kramp. Hij rekte zich voorzichtig uit.

Een kwartier later waren de mensen van de technische recherche ter plaatse, gekleed in hun witte pakken. Technisch rechercheur Ellen Grue nam de leiding, ze trok plastic hoezen over haar schoenen en liep naar binnen. Een andere technisch rechercheur begon foto's te maken om de plaats delict vast te leggen. Buiten werden de binnenplaats en de stoep afgezet, net als het kleine tuintje aan de achterkant. De buren werden op de hoogte gebracht en nieuwsgierigen werden verzocht afstand te bewaren. Er waren al speurhonden opgeroepen.

Cato Isaksen probeerde zich de gebeurtenissen voor de geest te halen. Iemand had aangebeld. Ze had de deur geopend en was vermoord. Of ze had bezoek gehad van iemand die wilde vertrekken. Haar laarzen lagen op de vloer. De hond had een deel van het bloed opgelikt. Een dunne streep bloed liep helemaal door tot aan de deurmat, de vloer lag niet helemaal waterpas.

Ellen Grue keek op. 'Er heeft hier een worsteling plaatsgevonden, maar niet hevig. Haar keel is doorgesneden met een scherp voorwerp.'

Roger Høibakk googelde op de iPad de naam van het vermoedelijke slachtoffer. 'Ze is het. Er staan foto's op internet. Aud Johnsen werkte bij de *Osloavisen*, een gratis krantje dat om de veertien dagen verschijnt. Ze is de enige die op dit adres staat geregistreerd,' zei Roger Høibakk. 'Ik heb al geprobeerd haar mobiele telefoon te bellen. Geen geluid. De mobiel is niet hier in het huis. Ik neem contact op met de centrale en vraag of zij contact opnemen met de provider.' Op dat moment ging Roger Høibakks mobiel over. 'Chef,' zei hij, 'ik heb iemand van het journaal aan de lijn.'

Cato Isaksen maakte een afwerend gebaar. 'Verwijs ze maar naar de persvoorlichter. We hebben nog niets. Hoe minder je vertelt, hoe beter het is.'

Roger beëindigde het gesprek en beide rechercheurs trokken plastic hoezen over hun schoenen.

'Het kan zijn dat ze de dader kende.' Cato Isaksen liep het appartement binnen. De grote woonkamer had een enorm raam, dat uitkeek op de rivier. De kamer was minstens vijf meter hoog en de grof gestucte muren waren wit geschilderd. Het appartement was keurig opgeruimd, maar een jas was op een stoel gegooid. 'Waarschijnlijk was ze net thuisgekomen,' zei Cato Isaksen.

Aan de wanden hingen ingelijste, felgekleurde posters, maar geen familiefoto's. Op de salontafel stond een opengeslagen laptop. Ernaast stonden een bijna lege fles rode wijn en een glas. Een technisch rechercheur opende de glazen deur naast het grote raam. 'Buiten zijn duidelijke voetafdrukken te zien,' zei hij. Cato Isaksen keek naar de coniferenhaag; daarachter begon de helling naar het wandelpad langs de rivier. Het geluid van het water was nadrukkelijk aanwezig.

Roger kwam naar hem toe. 'Ze is zevenendertig, ongehuwd en heeft geen kinderen. Haar moeder is dood. Geen broers en zussen. Alleen een oude vader. Zijn naam is John Johnson. Hij woont aan de Vøyensvingen, dat is hier vlakbij. Na de autopsie moet hij haar identificeren.'

'Misschien heeft een of andere crimineel haar gevolgd? Misschien kwam ze laat thuis, alleen. Hij kan sieraden, geld of drugs hebben meegenomen. Hij kan haar minnaar zijn geweest. We moeten erachter zien te komen wie Aud Johnsen was en wat ze deed.'

'Wraak of jaloezie,' zei Roger Høibakk. 'Ze woonde alleen. Ik neem contact op met een predikant en zorg dat er iemand meegaat om de vader op de hoogte te brengen.'

Een technisch rechercheur trok een paar wegwerphandschoenen aan en drukte een toets op de laptop in. Het scherm kleurde blauw. 'Het laatste wat ze heeft gelezen gaat over dissociatieve amnesie,' zei hij. 'Weet iemand wat dat betekent?'

*

Onderweg naar de redactieruimte van de *Osloavisen* aan de Torggata zocht Roger op de iPad 'dissociatieve amnesie' op en tegelijk belde hij met zijn mobiel. 'De vader reageert niet, Cato.'

Cato Isaksen hield zijn ogen strak op de auto voor zich gericht. Hij wist precies wat dissociatieve amnesie betekende. Geheugenverlies met betrekking tot bepaalde, belangrijke gebeurtenissen. 'We moeten zo snel mogelijk alles over haar jeugd en familie checken.' Hij nam een slok uit een flesje water en knabbelde aan een droog kaneelbroodje dat al een paar dagen in een zak in de auto had gelegen.

'De moordenaar had de hond ook dood kunnen maken,' zei Roger Høibakk. 'Waarom heeft hij dat niet gedaan?'

'Het is niet echt een waakhond. Denk aan Marian en Birka.' Cato Isaksen lachte even, iets te luid. Op hetzelfde moment trok een koude rilling door hem heen. Sommige moordenaars hadden problemen met het doden van dieren. Hij was op talloze plaatsen delict geweest. Details hadden zich in hem vastgezet, futiliteiten: etensresten op een bord, de kleur van een servies, een lege koffiekop of een opengeslagen krant. En nu de lichtbruine hond.

Roger Høibakk haalde zijn hand door zijn korte, donkere haar. 'Hier staat dat dissociatieve amnesie het verlies is van de normale integratie tussen herinneringen uit het verleden, omdat ze angstaanjagend, bedreigend of confronterend zijn. In oudere terminologie ook wel "conversieneurosen" genoemd.'

*

In de lichte redactieruimte, op de eerste verdieping boven een buitenlandse kruidenier, werkten drie mensen. Er hing een geconcentreerde sfeer toen de rechercheurs het kleine kantoor betraden. Donkergele zonnestralen vielen tussen de wolken door en tekenden trieste herfststrepen op de muur van het woonblok aan de overkant. Twee vrouwen en een man in een rode trui zaten voor computerschermen. Een van de vrouwen had kort stekelhaar. Ze stond op en kwam naar hen toe. Cato Isaksen liet zijn legitimatie zien. 'Werkt Aud Johnsen hier?'

De vrouw knikte. 'Ze werkt hier. Ik ben de hoofdredacteur van deze krant.'

'Het spijt ons, maar we komen met een triest bericht.'

De twee anderen kwamen overeind. De hoofdredacteur hield haar handen voor haar gezicht.

'Ze is helaas dood gevonden.' Cato Isaksen keek haar aan.

De man met de rode trui sloeg zijn armen om de andere vrouw heen. Ze begon te huilen.

De hoofdredacteur haalde haar handen weer van haar gezicht en staarde manisch voor zich uit. 'Ik begrijp het niet. We vroegen ons al af waar ze bleef. We hebben morgen een deadline, en ze werkte aan een belangrijke zaak. Wat is er gebeurd?'

'Ze is in haar huis gevonden, dat is alles wat we kunnen zeggen.' Cato Isaksen bracht hen kort op de hoogte, maar vertelde ook dat ze nog niet officieel was geïdentificeerd. 'Wat weten jullie van haar privéleven? Had ze een vriend?'

'Ze woonde alleen. Ik heb er niet eerder over nagedacht, maar ze heeft nooit iets over iemand gezegd. We hebben er niets over gehoord. Of wel?' De hoofdredacteur keek naar de beide anderen. Die schudden hun hoofd.

'Haar vader,' zei Cato Isaksen.

'Ze sprak weinig over hem. Haar moeder is dood. Maar ze heeft een hond. Waar is haar hond?'

'Die wordt opgevangen in een hondenpension.'

'Kan ik hem ophalen? Bruff was alles voor haar.' De hoofdredacteur liep naar het bureau en pakte een stel autosleutels en een papieren zakdoekje. Ze snoot haar neus. 'Dat is het minste wat ik kan doen.'

'Wacht even. Met wat voor zaak was ze bezig?' Roger Høibakk keek de hoofdredacteur aan.

'Dat is haar bureau. Er ligt een dossier.' Ze liep erheen, pakte het dossier en gaf het aan Cato Isaksen. Hij nam het aan. *Wat is er met Maike gebeurd?* stond er met zwarte stift op geschreven.

'Wie is Maike?' Hij hoorde hoe vreemd de naam klonk. Het was geen Noorse naam, eerder Duits.

'Ze wilde er niets over zeggen. Maar ze had vandaag een afspraak met een predikant. Ze vertelde dat het iets groots was.'

'Iets groots? Een predikant? Welke kerk?'

'Ik weet het eerlijk gezegd niet.' Ze keek naar de andere twee. 'Weten jullie het?'

Ze schudden hun hoofd.

'Het artikel zou in de volgende editie verschijnen.'

'Ze vertelde mij dat wat ze zou schrijven, een aantal personen hard zou raken,' zei de andere vrouw. 'Ze heeft vaker artikelen geschreven die veel aandacht trokken. Andere kranten waren er jaloers op. Die zaak over dat terreurnetwerk in Oslo.'

'Zei ze "een aantal personen"? Is er een tip binnengekomen?'

'Nee, ik geloof het niet. Wij zijn niet de meest belangwekkende krant. Ze was dapper. Maar ze zou niet willen werken voor de grote kranten. Ze kwam regelmatig een paar dagen niet op het werk. Ze had een duistere kant.'

De hoofdredacteur keek op de klok. 'Over een half uur heeft ze die afspraak met die predikant. Misschien kunnen jullie een nummer op haar mobiele telefoon vinden?'

'Haar mobiel is verdwenen.' Cato Isaksen knikte naar het bureau. 'Kunnen we haar bureau doorzoeken? Hebben jullie er misschien iets weggehaald?'

Alle drie schudden ze hun hoofd. 'Ga uw gang,' zei de hoofdredacteur.

Cato Isaksen en Roger Høibakk doorzochten de laden maar vonden niets van betekenis. Ze spraken met de hoofdredacteur af dat ze de papieren en computerapparatuur konden meenemen. Ze brachten alles naar de auto en reden terug naar het politiebureau. Het was eigenlijk een taak voor de technische recherche, maar daar konden ze niet op wachten. Cato Isaksen had de journalisten van de *Osloavisen* gevraagd niet met de pers te praten. Hij stuurde een bericht naar Ellen Grue en kreeg antwoord. Ze waren al een eind gevorderd. *Het is een overzichtelijke locatie. Lever vanmiddag het DNA-materiaal af bij het Instituut voor Volksgezondheid.*

Hij zag de vermoorde vrouw voor zich. Het slachtoffer worstelde dus met persoonlijke problemen. Maar ze was dapper. Cato Isaksen keek recht vooruit. Zou iemand vermoed hebben dat ze iets over hem of haar zou schrijven?

Hij remde af voor de auto voor hen.

Roger Høibakk keek hem even aan. 'We moeten eerst die verdraaide predikant vinden.'

'Dat is een eerste prioriteit,' zei Cato Isaksen toen ze de parkeergarage onder het politiebureau in reden.

Norma Winther zat in het kantoor in de kerk van Fagerborg. Het was een prachtige kerk, midden in Oslo, neogotisch graniet met groene spitsen. De predikant werkte aan de preek voor zondag. Het kantoor was pas schoongemaakt en keurig opgeruimd, het rook naar groene zeep. Een radiator zorgde voor de verwarming en het gedrukte patroon op de gordijnen deed haar denken aan de gordijnen vroeger op school. Over een paar minuten, om twaalf uur, zou Aud Johnsen komen, om *ergens over te praten*. Ze had haar niet meer gezien sinds ze als jonge predikant had gewerkt in psychiatrisch ziekenhuis Gaustad. Hoe zou de dochter van John Johnsen eruitzien als volwassen vrouw? Zelf was ze inmiddels zesenvijftig. Ze stond op, ruimde het bord met de kruimels van haar boterhammen op en waggelde naar het toilet om haar haar te kammen. De dikke dame, hoorde ze afgelopen zondag tijdens de preek een klein kind zeggen. De grootmoeder had haar gemaand stil te zijn. Ze was kilo's aangekomen sinds de tijd in Gaustad en hoopte dat ze in de ogen van Aud geen minachting zou zien. Tegelijk wist ze dat haar grootste probleem was dat ze zichzelf verachtte. Norma Winther vond dat ze een groteske parodie was op een vrouw: een brede rug en dikke armen. Maar als ze haar lichaam verborg onder haar toga, kon niemand de grote platte borsten zien die bijna naadloos overgingen in haar ronde buik. Ze leek op een drankzuchtige monnik op een oud schilderij, maar in de beschutting van haar werk als predikant had ze een andere status dan ze anders zou hebben gehad.

In het kleine toilet in de rechtervleugel van de kerk haalde ze een kam door het korte haar en spoelde ze haar leesbril onder koud water. Ze dacht aan de kapel in Gaustad, ingeklemd tussen de andere gebouwen op het ziekenhuisterrein. Alles was zo lang geleden. Aud was de laatste keer dat ze haar zag een meisje van twaalf. Het groepje kinderen was zo hecht geweest, alsof ze leefden voor de bijeenkomsten die Berit en zij organiseerden. Eerst aten ze bolletjes en dronken ze limonade in de kantine van het Welzijnsgebouw en dan gingen ze spelen.

*

Rond het middaguur waren ze terug op het politiebureau. In de gangen hing een hectische sfeer met een hoog adrenalinegehalte. Cato Isaksen riep het team voor een spoedbespreking bij elkaar en algauw zaten de tactisch rechercheurs allemaal in de vergaderzaal. De zon scheen recht in de kamer en ze deden de gordijnen dicht. Roger trok een stoel onder de tafel vandaan. Asle Tengs, de oudste van de groep, en Randi Johansen hadden al plaatsgenomen.

Cato Isaksen bleef staan. 'Leg alle andere zaken aan de kant, we moeten deze zaak snel op de rails krijgen. De eerste fase is van doorslaggevende betekenis. De wijze waarop de moord is uitgevoerd duidt niet op voorbedachten rade. De technische recherche is nu met man en macht aan het werk op de plaats delict. Haar jas lag op een stoel. Ze was waarschijnlijk net thuisgekomen. We moeten nagaan of ze een minnaar, partner of vriend had. Misschien ook vrienden via internet.'

Afdelingschef Ingeborg Myklebust verscheen in de deuropening. Haar rode, getoupeerde haar stond als een halo uit rond haar gerimpelde gezicht. 'We hebben natuurlijk meer mensen tot onze beschikking,' zei Cato Isaksen en hij keek haar aan. Ze knikte, en Cato gaf een korte samenvatting. 'Het zag er bijna ritueel uit. De hals was vrijwel geheel doorgesneden. Haast professioneel.'

'Kom na afloop even bij mij!' zei Ingeborg Myklebust en ze verdween.

'Zestig procent van de moorden in Noorwegen wordt gepleegd met een mes.' Roger tikte met een pen tegen de tafelrand.

'Maar niet op deze manier,' zei Cato Isaksen. 'Niet met doorgesneden keel. Vlak bij de sportschool is een geldautomaat. Roger, controleer of iemand haar heeft gedwongen om geld op te nemen. Vanwege de korte bewaartijd voor dat soort elektronische gegevens kan belangrijk bewijsmateriaal verloren gaan.' Roger Høibakk knikte afwezig en bleef zoeken op de iPad.

Cato Isaksen haalde diep adem en keek naar zijn blonde collega. 'Randi, ga jij naar het Rijksarchief en zoek meer informatie over John Johnsen. En kijk naar de overige familierelaties. Zoek ook meer informatie over haar werk. Omdat het slachtoffer is gevonden in de hal, zegt Ellen dat het niet meer dan drie of vier uur duurt om alle sporen op en rond het lichaam te traceren.'

'Ik kan niets over de vader vinden,' zei Roger Høibakk. 'Ik heb bericht gekregen dat hij niet op zijn huisadres is aangetroffen. Hij woont al tien jaar aan de Vøyensvingen, maar ik kan niet ontdekken waar hij in de jaren daarvoor heeft gewoond. Tot 1986 heeft hij als trambestuurder gewerkt.'

Cato keek hem aan. 'De mobiel van het slachtoffer is nog niet gevonden. Neem jij contact op met de provider, Roger. Vraag gegevens op van telecommunicatiebedrijven en laat ze in kaart brengen met welke gsm-masten contact is geweest. We moeten Facebook, e-mail, bankrekeningen en mobiele telefoons controleren. Alle technische sporen. Ook John Johnsens mobiel.

Neem ook de bewakingscamera's voor je rekening. Ze moet hier en daar door camera's zijn opgevangen. Asle, check jij iedereen die we in het systeem hebben staan met betrekking tot gewelds- en zedendelicten. Ik probeer te achterhalen met welke predikant het slachtoffer een afspraak had. En dan is er nog die opvallende naam: Maike.' Hij hield het vel papier omhoog dat in de redactieruimte van de krant had gelegen en legde kort uit wat de hoofdredacteur met het stekelhaar had verklaard.

*

Het was 12.17 uur. Norma Winther pakte haar telefoon en toetste het nummer van Aud Johnsen in, maar de mobiel stond uit. Ze besefte dat Aud niet zou komen. Het deed pijn en ze voelde zich verraden. Ze ontmoette veel mensen die het moeilijk hadden en ze moest zich wapenen om andermans problemen niet tot de hare te maken. Maar niemand zag háár. Soms stond ze 's avonds alleen in het middenpad van de kerk, keek ze naar de lege kerkbanken en sprak ze met God. Eén keer had ze uitgeroepen dat ze zichzelf niet meer wilde voorliegen. God antwoordde natuurlijk niet, maar de hitte binnen in haar was een beetje gezakt. Gewoon door het hardop te zeggen. *Ik ben iemand anders dan degene die ik zou moeten zijn.* Ze was in de eerste plaats een mens. De rol van predikant was een baan. Ze moest zich herpakken. De kerkgemeenschap werd steeds kleiner, althans het actieve deel ervan, dat vooral bestond uit oudere dames. Als de kerk bijna leeg was, voelden de zondagse preken onbelangrijk. Vroeger had het predikantschap een status, tegenwoordig werd het bijna beschouwd als zwakheid.

Door het raam zag ze Lilly lopen. Ze kwam van de achterkant van de kerk, waar ze, voorlopig, woonde in een camper. Zelf woonde ze in de vervallen pastorie, die op een steenworp afstand van de kerk stond, in het Stenspark. Ze maakte goede maaltijden voor zichzelf. Dekte de lange tafel in de eetkamer en legde de heerlijkste gerechten op grote schalen. Alleen wonen had veel voordelen, zei ze tegen zichzelf. Geen chagrijnige echtgenoot als het eten niet precies om vijf uur op tafel stond, geen brutale kinderen om wie ze hun hele jeugd angst moest hebben. Ze had niemand van wie ze echt hield. Op die manier hoefde ze ook niet bang te zijn. Zo moest ze denken, want ze moest mensen begraven en bijzetten, ze troosten en opvrolijken, ze trouwen en dopen, er waren blijde momenten, maar het was een zware baan.

Nu kwam de nieuwe catecheet de stenen trap op en opende de deur. Lilly droeg een nieuwe herfstjas, donkerpaars. Hij stond prachtig bij het recht afgeknipte, blonde haar. De stevige benen staken in een paar groene rubberlaarzen.

*

Cato Isaksen zocht de kerkgemeenten in Oslo op. De eerste naam die voorbijkwam was de Jesus Church van de pinkstergemeente. Hij zocht verder, maar na de Netwerkkerk en de Adventskerk besefte hij dat hij urenlang aan de telefoon zou zitten. Irmelin Quist moest het maar overnemen, tenslotte was het haar taak om dit soort dingen te doen.

Cato Isaksen hoorde dat de vader van het slachtoffer nog steeds niet op de hoogte was gebracht. Het team was te klein, iedereen werkte op volle kracht. Hij gaf Irmelin Quist een volmacht en vroeg of ze een paar dossiers uit het Rijksarchief wilde halen. 'Randi gaat de vader van het slachtoffer en alles over Aud Johnsen na. Kijk of je iets kunt vinden met betrekking tot de naam Maike en of er een connectie is met Aud Johnsen. Daarna neem je contact op met alle kerkkantoren en probeer je de predikant te vinden die een afspraak had met het slachtoffer.'

Irmelin Quist veegde haar handen over haar blauwe jurk, haalde haar jas en autosleutels en nam de lift naar de parkeergarage. Ze voelde zich een deel van het team, ook al was ze facilitair dienstverlener. Vroeger heette het typiste, nu facilitair dienstverlener. De hele afdeling was in rep en roer na de moord op een vrouw. Ze had een zwak voor zowel Cato Isaksen als Roger Høibakk. Asle Tengs was ook aardig, en Randi Johansen. Voor Marian Dahle had ze echter nooit een voorliefde gehad, maar nu was ze gelukkig verhuisd naar de vijfde verdieping, naar een of andere speciale eenheid. Marian blies zich op als een korhoen, ze was te direct en intens. Irmelin werd nerveus van haar, net als Cato. De anderen pakten de signalen niet op. Er was een soort van *inside happening* tussen hen; kleine signalen, verwarde ontsporingen en duistere blikken, onderdrukte waakzaamheid en woede. Waarom moest ze daar nu ineens aan denken?

De vijfendertigjarige Marian Dahle zette de gehoorbescherming beter op haar hoofd, zakte door haar knieën en laadde het pistool door. Haar glanzende, zwarte haar benadrukte haar Aziatische uiterlijk. De rechercheur van de speciale eenheid had haar paardenstaart afgeknipt, ze had nu kort haar. Het maakte haar in elk geval niet vrouwelijker. De scheefstaande ogen werden overschaduwd door twee markante wenkbrauwen, het leken haast donkere vleugels. Haar leren jas was omhoog geschoven en ontblootte een streep blote huid. Ze had kippenvel van de kou. De Løvenskjoldbaan was de baan waar de politie schietoefeningen hield. Het geratel van salvo's, afgevuurd door haar collega's, kwam van alle kanten. Ze kneep haar ogen samen en concentreerde zich. Een paar weken geleden was ze door de psychiater als overgevoelig gediagnosticeerd. Hij had uitgelegd dat zij prikkels opnam die anderen volledig ontgingen. Ze deelde gebeurtenissen in op basis van fijnere onderscheidingen. Hij had gezegd dat ze misschien een ander beroep moest kiezen, dat politiewerk weleens te veel kon worden voor iemand als zij. Ze ging nooit meer naar hem terug. Ze was op driejarige leeftijd geadopteerd uit Korea en belandde bij instabiele adoptieouders in Oslo. Er was in haar leven te veel gebeurd. Ze moest oppassen, want haar baan bij de politie was alles voor haar. Als iemand op het bureau haar rapport in handen zou krijgen, zou dat het einde van haar carrière betekenen. Nu ze niet meer voor Cato Isaksen werkte, voelde ze zich veiliger. Het was goed dat hij haar had voorgedragen voor de speciale antiterreureenheid, hoewel ze doorhad dat dat alleen maar was om haar weg te krijgen van de afdeling Geweldsdelicten. Misschien was hij uiteindelijk toch haar redder geweest. Ze had zich tenslotte in haar werk onbehoorlijk gedragen. Maar hun vriendschap, als je het zo zou kunnen noemen, was gestoeld op marginale parallellen tussen hen beiden. Ze was aangenaam verrast geweest dat hij de afdelingschef niet had laten weten dat ze dronken was geweest toen ze alleen met een jonge moordenaar in een moerasgebied buiten Drammen belandde. Ze kon zich het moment nog herinneren dat ze ineens de samenhang begreep en de moordenaar doorzag. Dergelijke glasheldere momenten waren voor haar belangrijker dan de beste biofeedbacktechnieken die ze tijdens haar therapie had geleerd. Cato had haar gered toen de dader haar wilde neerschieten.

*

De tv stond aan. Een reportage over een hongersnood flitste over het scherm. Emmy Hammer veegde over het korstje van de schram dwars over haar voorhoofd en at met tegenzin het restant van een sneetje knäckebröd met tomaat. De gebeurtenis van de vorige avond liet haar niet los. Ze maakte warme chocolademelk, geen echte, maar zo'n kant-en-klaarpoeder dat ze mengde met kokend water. In de kleine gastenkamer lag een stapel schilderdoeken. Aan de wand hing het kinderjurkje dat ze had gevonden op de zolder in Gaustad en had ingelijst. Het was aangetast door vorst en vocht. Ze liep naar de badkamer, liet het bad vol warm water lopen en ging erin liggen. De warmte trok door haar lichaam. Ze droogde zich af en trok een joggingpak aan. Haar rusteloosheid dreef haar naar de woonkamer, waar ze verder kliederde op het witte doek. Ze moest haar creativiteit terugvinden. Ze was niet tevreden met haar expressie, maar als haar moeder of vader bij haar binnen zou komen, zou die niet kunnen zeggen dat ze niet werkte. Even draaide ze zich om en keek door het raam naar het huis van haar ouders en het bos erachter. Haar vader stond in de tuin. Bij de kleine vijver. Vader was een bleke, forse man. Hij was gekleed in een keurige broek en blazer en harkte wat herfstbladeren bij elkaar terwijl hij tevreden om zich heen keek. Hij hield van zijn tuin. Een stel kleine vogels zat op de rand van het vogelbad. Eentje fladderde boven zijn hoofd. Ze glimlachte automatisch, alsof ze haar gezichtsuitdrukking oefende. Ze legde haar penseel neer en zette de tv uit. Gedachten raceten door haar hoofd als een hamster in een tredmolen. Auds stem kwam en ging. Ze kon haar vader niet vertellen dat ze John Johnsens dochter had ontmoet. Hij vond het niet fijn als ze het over zijn voormalige patiënten had. Dan kreeg hij een waakzaamheid over zich. *Je hebt geen idee hoe diep de menselijke geest kan zijn. De kleur zwart is niet donker genoeg.* Hij vertelde zelf weleens over gebeurtenissen op de forensische afdeling, maar dan waren het analyses, zoals hij het noemde, of leuke voorvallen, waar ze om konden lachen. Zelf herinnerde ze zich John Johnsen in zijn tweepersoonskamer, gebogen over zijn zinken trommels, sommige met een afbeelding erop, half onder het bed geschoven. De achterkant van zijn slobberige broek was glad van slijtage. In de trommels zaten geld en allerlei kleine rommeltjes. Luciferdoosjes zonder lucifers, gedroogde roosjes van de struiken in het park, die hij meenam tijdens het luchten. Ze was een keer mee geweest op zo'n luchtronde, samen met Aud en een verpleegster. Ze mocht John Johnsen wel. Wanneer de bibliotheekbus buiten stopte, was hij de eerste die boeken ging halen. Maar Aud had verteld dat hij boos kon worden. Dat hij daarom was opgenomen. Emmy had geantwoord dat hij weer gezond zou worden. Haar vader zou hem genezen. Toen had Aud verteld dat haar vader altijd bang was wanneer Berit Adamsen naar zijn kamer kwam en zei dat de dokter met hem wilde praten.

Ze wilde nu niet aan Aud denken. Ze liep naar de tuindeur en opende hem. 'Wil je een kopje koffie, vader?'

Haar vader hief zijn bleke, ronde gezicht, zette de hark tegen een berkenstam en glimlachte naar haar. 'Graag, schat. De vogels worden steeds brutaler.'

'Ik zie het.'

'Hoe gaat het? Je ziet er goed uit. Heb je je voorhoofd bezeerd?' Hij liep de woonkamer in.

'Niets aan de hand, papa.' Emmy had de pleister er weer af gehaald. 'Ik ben tegen een tak aan gelopen.' Ze glimlachte. Misschien had hij gelijk wanneer hij er steeds op terugkwam dat zij als kind de gevaarlijke neiging had zichzelf voortdurend bloot te stellen aan dingen die haar pijn konden doen. Hij wist niet met wie ze nu uit was geweest. Plotseling zag ze hoe oud hij geworden was. Wanneer hij niet sprak, hingen zijn mondhoeken naar beneden, alsof hij op het punt stond in huilen uit te barsten. Haar lippen begonnen te trillen. Alles was niet meer als voorheen. De tijd verstreek. 'Ga zitten, dan maak ik koffie.'

Ze liep naar de keuken en op weg daarheen zag ze zichzelf in de spiegel in de gang, de pruilerige uitdrukking rond haar mond zat daar al generaties lang, haar zoon had die ook. Terwijl ze het koffiezetapparaat aanzette, dacht ze aan het schilderij van haar vader in het auditorium van het hoofdgebouw van het ziekenhuis. Ze was zo trots geweest op dat schilderij. Iedereen vond dat hij een fantastische rol had vervuld; het personeel, de patiënten en de kinderen van de patiënten. Ze had zichzelf een soort prinses gevoeld. Maar nu dacht ze aan Maike Hagg. Ze hadden er vrolijk op los geleefd. Geen kinderen van zieke mensen, maar gewone kinderen. Een keer, toen ze alle drie boven in de toren waren, zijzelf, Aud en Maike, had ze gevoeld dat zij de beste was. Het was een grijze, bewolkte dag. Door het torenraam keken ze naar het plein. Jan en Piet schopten een bal heen en weer. Vader kwam tussen de pilaren van het hek door. Een hond rende op hem af en beet hem in de broekspijp. Hoe durfde hij? Hij was geen gewone man. Aud en Maike hadden gelachen, en ze was boos geworden. Ze herinnerde zich het gevoel van verraad. Ze renden van haar weg. De trappen naar beneden, bruine traptreden. Treden die loslieten en vielen. Zo voelde het als je snel naar beneden rende. De afstand tussen alles. De gebeurtenissen van gisteren teisterden haar gedachten. Auds zwarte ogen, die glinsterden in haar bleke gezicht. Het was allemaal zo lang geleden.

Haar vader dronk koffie en keek naar haar op. 'Ga je niet zitten? Is er iets aan de hand?'

'Nee, niets.'

'Ik ga de tuin in om nog wat te werken.' Vader wankelde even toen hij opstond. 'Fijne dag nog.' Hij glimlachte even.

Zodra hij de deur uit was, pakte ze de telefoon en stuurde een nieuwe sms. *Ik wil graag met je praten, Aud. Ik heb gisteren Jan gebeld en Ole Porat. Bel je me zo snel je kunt?* Ze legde de telefoon op de salontafel. Ze schilderde nog een paar strepen. Acrylverf droogde snel en rook niet.

Marian Dahle laadde nog een keer door. Ze legde haar vinger om de trekker en nam haar tijd. Schoot en raakte de tweede ring. Haar collega aan de rechterkant knikte goedkeurend. Dezelfde procedure nog een keer. Midden in de roos. Ze vuurde opnieuw, en miste. Richtte weer, en nog een keer de tweede ring. In haar zak trilde haar mobiel geluidloos. Ze schoof haar schietbril op haar hoofd en nam op. Het was Erik Haade. 'Een journalist van de *Osloavisen* is vermoord, ene Aud Johnsen. Haar keel is doorgesneden. Ze is in haar huis gevonden, aan de Sandakerveien.'

Marian ademde diep de frisse herfstlucht in. 'Ja, en?'

Hij had een diepe stem. 'Isaksen behandelt de zaak. Maar Johnsen heeft een aantal artikelen geschreven over de controle op buitenlandse staatsburgers. Je kunt de moord nauwelijks een terreuraanslag noemen, voorlopig nog niet tenminste, maar wil jij zo snel mogelijk naar het Rijksarchief gaan?'

'Begrepen.' Ze keek naar de hemel. De donkergrijze wolken pakten samen.

'Zoek alle informatie over haar. Vooral over haar vader, John Johnsen. Er is wat met hem aan de hand geweest.'

Marian pakte vlug haar spullen bij elkaar, leverde het wapen in en liep snel naar de witte bestelauto. Het weerzien met de hond was overweldigend. Ze liet hem vlug even uit. De boxer maakte vreugdesprongen om haar heen. 'En weer naar binnen!' commandeerde ze. Ze aaide de hond over de kop. Ze ontving een sms. Hij was van Erik: *Lees eventuele documenten ter plekke door en lever ze weer in. Hou me op de hoogte.*

Ze had gisteren de hele dag met Erik Haade gewerkt. Haar nieuwe baas, de korpschef in eigen persoon. Ze hadden een verhouding, haar eerste relatie sinds haar zestiende. Ze rook de lucht van zijn oksel nog steeds in haar haar. Hij had haar toevertrouwd dat hij rapport uitbracht aan de Noorse Inlichtingendienst, maar dat hij aannam dat ze dat had begrepen. Dat had ze niet. En híj begreep haar manier van werken niet. Al na een week had ze, in strijd met alle voorschriften, een strikt vertrouwelijke pc mee naar huis genomen. Er stonden gesprekken op met politici en mensen met hoge maatschappelijke posities en het apparaat was uitgerust met de clouddienst Dropbox. Ze had een spiegelkopie op haar eigen pc gemaakt en hem weer teruggezet. Niemand had het gemerkt. Het ging er haar om dat ze iedereen voor wilde zijn, dat ze meer informatie had dan haar collega's. Ze was een keer door de speciale eenheid onder de loep genomen. De zaak werd geseponeerd. Het waren eigenlijk alleen wat kleine zaken, maar niemand wist precies wie ze was. Ze had eens een klein zilveren hartje gekregen van een moordenaar en een andere keer had ze thuis voor de spiegel een jurk van een slachtoffer gepast. Een dun, rood jurkje met een dubbel stiksel langs het voorpand dat nergens naar rook. De dunne rok was aan één kant gescheurd, van de zoom tot aan de taille. Kruimels bruin, verdroogd bloed van het slachtoffer waren op haar blote voeten gevallen. Cato Isaksen had aangebeld toen ze daar stond. Ze had de jurk razendsnel uitgetrokken en een badjas aangeschoten.

De gedachte aan Cato Isaksen bleef nu door haar hoofd spelen. Dit was zijn zaak. Ze moest voorzichtig te werk gaan. Ze waren net twee kemphanen die tegenover elkaar stonden. Hij verwarde haar. Zij verwarde hem. Hij had de koelbloedigheid van een reptiel, het ene moment koud, dan weer warm, het ene moment afwijzend, dan weer toeschietelijk. Ze had gehoord dat hij niet meer thuis bij zijn vrouw woonde. Nu eerst de dossiers. Gewoon doorlezen en weer inleveren, had Erik gezegd.

John Johnsen was naar de bibliotheek geweest en had boeken geleend over executiemethoden. Hij had er twee meegenomen. Hij legde ze boven op de ladekast. Hij stond al op de stoep toen de bibliotheek de deuren opende, daarna was hij thuis aan de Vøyensvingen geweest en had hij in de kelderbox gekeken naar gereedschap, maar hij had er niet veel bijzonders liggen. Daarentegen had hij wel stapels bankbiljetten in een metalen kist op de onderste plank, jarenlang gespaard van de kleine uitkering die hij kreeg. Nu kon hij een wapen kopen. En hulp. Alles kon je kopen voor geld. Alles!

John Johnsen legde de bruine zaden van de zonnebloem op de vensterbank. De bloem was verwelkt. Hij had het halfvergane touwtje doorgeknipt dat aan een spijker was vastgemaakt en dat de gifgroene verdorde steel tegen de buitenmuur hield. Voorzichtig, alsof het het hoofdje van een kind was, hield hij de bloem tegen zijn borst en bracht hem naar de keuken. Daar had hij hem in de gootsteen gelegd en ontleed. De gele bloemblaadjes waren plakkerig en verspreidden een doordringende geur. De zaden zou hij drogen op de vensterbank en volgend voorjaar weer zaaien. Als er nog een volgend voorjaar voor hem zou zijn. Hij wist het niet. Hij legde de rest van de stinkende bloemendrek in de gootsteen. Het rook alsof er vergif aan was toegevoegd.

Er was een bericht op zijn mobiele telefoon. Iemand die vertelde dat hij van de politie was en die hem vroeg om een telefoonnummer te bellen. Hij wilde niets met de politie te maken hebben. Hij had ze net nog gezien, toen hij op het punt stond om van de Vøyensvingen te vertrekken. De politie en een jonge mannelijke predikant. Hij was gemakkelijk te herkennen aan de witte, ronde kraag onder zijn doorgestikte jas.

Op de radio hadden ze gesproken over de dood van een zevenendertigjarige vrouw aan de Sandakerveien. Wat moest hij met een predikant? Het was zijn Aud, maar hij wilde niet huilen. Toen ze hem vroeg om het dagboek te lezen, had er angst doorgeklonken in haar stem. Hij realiseerde zich niet helemaal wat het verband was, maar hij was hier eerder geweest, aan de uiterste grens van wat hij kon verdragen. Hij was zo'n patiënt die zijn bed keurig opmaakte, beter dan de anderen. Hij dronk de warme melk die hij kreeg. Hij was coöperatief, hoefde na verloop van tijd geen elektroshocks meer. Hij deed wat Berit Adamsen zei. *Rustig aan, loop 's nachts niet rond.* Het had zijn vruchten afgeworpen. Carl Hammer had gezegd dat de riemen alleen waren om hem te helpen. Maar hij herinnerde zich niet alles uit die tijd, voelde dat hij die jaren kwijt was, net zo onherroepelijk als het verliezen van een steen in het hoge gras in een weiland. Als hij buiten aan het wandelen was, vond hij dingen, scherven glas van een groene fles, stukjes van stenen buizen en afval en papier en oude boodschappentassen. Soms nam hij een zwarte vuilniszak mee om alles op te ruimen. Dat had hij geleerd. Dat waren de regels op de afdeling, Berit Adamsen had hem laten zien hoe je de wc-borstel in het zeepwater doopte en rond de bovenrand haalde, hoe hij voldoende eten op zijn bord schepte. Het was niet toegestaan om in je eentje een bad te nemen, en dan alleen in niet meer dan twintig centimeter water. Maar de tijd verstreek en ze werden ontslagen, Werner en hij. Werner Hagg was toen hij jong was van Amsterdam naar Oslo verhuisd. Hij had zijn vrouw vermoord. De duivel Satan was eigenlijk een vermomde engel. Mensen begrepen het niet. Norma Winther was de enige predikant die hij kende. Nu zou hij naar de Trosterudveien gaan en daarna naar Oslo Centraal om een wapen te zoeken en een huurmoordenaar.

*

Het Rijksarchief lag aan de Sognsveien. De functionalistische betonnen kolos rees hoog op tussen de stammen van de hoge bomen en was een monument voor dossiers en geheimhouding. Toen ze naar de ingang liep, schudde een windvlaag de dennen heen en weer.

Marian wachtte aan de balie toen ze even verderop Irmelin Quist zag. Ze stond net op het punt om weg te lopen, toen hun blikken elkaar kruisten. Ze wisselden een paar nietszeggende opmerkingen en namen afscheid. Marian legde de dossiers op de passagiersstoel en reed huiswaarts. Erik had haar gevraagd om ze ter plekke te lezen, maar ze zou ze mee naar huis nemen en ze doornemen voordat ze naar het politiebureau ging. Ze zou ze later weer terugbrengen.

In de Valdresgata opende ze de deur van haar appartement op de begane grond. De hond snuffelde rond bij de vuilnisbakken. Ze was blij dat ze niet meer in de villa in Nordstrand woonde. Sinds ze het huis van Martin Egge had geërfd, had ze het appartement in Grünerløkka, dat ze had verkocht, gemist. De villa was nu verhuurd aan een gezin met kinderen. Ze moest proberen weer een normaal leven te leiden, hoewel dit maar een tijdelijke oplossing was. Voorlopig stonden er alleen een bed en een bureau in de kleine kamer, naast de kartonnen dozen met spullen die ze nog niet had uitgepakt. Ze zette haar schoudertas met de dossiers op de vloer en probeerde niet te letten op de lege ruimtes waar de elektrische apparaten van de vorige huurder hadden gestaan. Ze had geen fornuis, geen koelkast en geen wasmachine. In het gebouw was ook geen wasruimte voor algemeen gebruik. Op het linoleum stonden de strepen van andermans meubilair.

Marian legde de dossiers van het Rijksarchief op het bed en begon ze te sorteren. Ze pakte de inhoud uit het eerste dossier en verspreidde alles over het bureaublad. Het nummer van het dossier was 1028-1065. Ze bladerde snel door de documenten. Het waren krantenartikelen en verslagen van verhoren. Ze las dat Aud Johnsens vader, John Johnsen, zich schuldig had gemaakt aan verschillende kleine delicten, zoals gewelddadig optreden tegen passagiers toen hij werkte voor de trammaatschappij. Hij was jarenlang trambestuurder in Oslo geweest, maar op een bepaald moment was alles fout gegaan. Hij had zich dreigend gedragen en uiteindelijk werd hij ter observatie gedwongen opgenomen in Gaustad. Hij bleef er zeventien jaar, tot 2003. Johnsens beste vriend in Gaustad was een andere patiënt, met de naam Werner Hagg. In het verslag stond dat ze onafscheidelijk waren geweest. Tijdens een bezoek in oktober 1988 was Haggs dochter in de kelder van het ziekenhuis om het leven gekomen. Het resultaat van het rechercheonderzoek was dat er geen verdachte omstandigheden waren gevonden en het sterfgeval werd beschouwd als een ongeluk. Het meisje heette Maike Hagg en was twaalf jaar oud.

Marian kopieerde de documenten en borg ze op in een afgesloten kast. Daar lagen ook nog veel andere zaken. Marian zag de krantenkoppen al voor zich, de nieuwsbulletins op tv zouden elkaar overvleugelen. POLITIERECHERCHEUR NEEMT ONRECHTMATIG DOCUMENTEN MEE NAAR HUIS. EIGEN RESEARCH NAAST POLITIEONDERZOEK. Erik Haade zou woedend zijn. Ze zou op staande voet worden ontslagen.

Op het bureau stond de oude kopieermachine die ze had gekregen van Irmelin Quist, omdat hij zou worden weggegooid. Ernaast lagen stapels papieren en documenten. Ze zou een alarm moeten laten installeren.

Uitvaartonderneming Vita was ondergebracht in een oud woonblok aan de Welhavensgate. De gevel was onlangs gerenoveerd, evenals het trappenhuis. De ruimtes op de eerste verdieping waren helder en mooi, met een familiekamer, daarna een smalle gang met meer kamers en aan het eind de kamer met de kisten. Ingrid Hagg trok de plastic kap over het korte blonde haar en deed wegwerphandschoenen aan. Op de brede vensterbank viel een streep mosterdgele winterzon, maar later op de dag werd er regen voorspeld. Er was iets gebeurd, maar ze wist niet wat, ze kon de situatie niet volledig doorgronden, maar ze had het afschuwelijke gevoel dat er iets aan de hand was met Jan. Plotseling hoorde ze de diepe stem van haar man in de naastgelegen kamer. Hij had vanochtend een begrafenis gehad, dus er was nog geen gelegenheid geweest om met hem te praten. Hij moest gisteravond heel laat thuisgekomen zijn. Hij was gaan sporten en ze was in slaap gevallen. Toen ze vanmorgen met de meisjes was opgestaan, was hij afstandelijk en gestrest geweest.

Op de stalen tafel lag het gereedschap keurig naast elkaar. De formaldehyde moest worden opgelost in water. De hechtdraad lag half uit de zak. Een beginnende geur van ontbinding werd vermengd met de lucht van formaline. *Het is net als welke andere baan dan ook*, zei ze meestal. Het was vooral aan Jan te danken dat ze het zo voelde. Mensen hadden al snel het gevoel dat alles waarmee je met een uitvaartonderneming in aanraking kwam, afschuwelijk was. Het was een speciaal vak, maar iemand moest het doen. En zij deed het. Ze streek het penseel met de taaie lijm langs het jukbeen, onder de ogen vulde ze iets op en bracht ze eerst een beige primer aan, daarna een poeder in een frissere kleur. Ze kamde de lichtgrijze pruik die gebruikt zou worden. Voor de crematie zou die weer worden verwijderd. De familie zou het niet zien, zij zagen alleen dat de overledene mooi en vredig lag opgebaard. Ze streek met haar hand over het voorhoofd van de man. Zijn gezicht was ijskoud en hard als steen. De handen lagen gevouwen op het witte nachthemd. De jongens kwamen met de kist waarin de oude man zou liggen. De jongens waren twintig en eenentwintig jaar oud, de een was gestopt met zijn studie, de ander had al jaren geleden besloten dat hij wilde werken in de uitvaartbranche. Tijdens bijzettingen en begrafenissen droegen ze donkere pakken en was hun haar keurig gekamd. Ze tilden de dode man van de tafel en in de kist, zodat zij verder kon gaan met de verzorging van de overledene.

Ze desinfecteerde haar handen. De geur uit de dispenser aan de wand was doordringend.

Plotseling stond Jan in de deuropening. Hij zag er moe uit.

'Wat is er met jou aan de hand vandaag?'

'Niets,' zei hij. Hij had een zenuwslopende manier om haar blik te vangen. Hij was bijna twee meter lang en leek sprekend op zijn vader, Werner, maar had nog wel haar. Een donkere, dichte bos haar.

'Hoelang ben je gisteren in de sportschool geweest?'

'Je sliep toen ik thuiskwam. Ik kom straks bij je. Ik heb nu een bespreking.'

De wanden waren dun en de deuren stonden open, ze kreeg alles mee. Tussen het smartelijk huilen van de weduwe door hoorde ze haar verdrietig verzuchten: 'Hij was zo lief, stond altijd voor ons klaar.' De oudere kinderen vielen haar bij.

Jan wist hoe hij met familieleden moest omgaan. Ingrid hoorde dat hij de brochure op het bureau legde, dat ze hem doorbladerden terwijl hij uitleg gaf. 'Is er veel verschil in prijs?' Een mannenstem, waarschijnlijk de zoon.

'U moet beslissen wat er in de rouwadvertentie komt te staan,' zei Jan Hagg.

'Er moet *bedankt voor alles* boven staan,' zei de weduwe.

'Ik laat u de catalogus met kisten zien,' zei Jan. Ze hoorde dat hij zijn stoel naar achteren schoof, opstond en de catalogus pakte. 'Maar ik kan ook een op maat gemaakte kist regelen. In sparren of dennen, precies in de lengte van de overledene.'

*

Cato Isaksen stond in het kantoor van Irmelin Quist. Ze was niet op haar plek. Door de droge winterlucht had hij last van zijn ogen. Ze had toch haast terug moeten zijn? Een zeurende hoofdpijn had zich achter zijn voorhoofd genesteld. Hij was maar voor één ding bang: om te falen. Maar hij had al gefaald. Hij was een slechte echtgenoot, een waardeloze vader. Misschien ook wel een slechte rechercheur. Plotseling stond de afdelingschef voor hem. Ingeborg Myklebust was van middelbare leeftijd, de blauwe jurk gaf haar koperrode haar extra diepte. De jurk zat strak over haar borsten. 'Alles goed, Cato?' Ze keek hem aan met een open, onderzoekende blik.

Overal vrouwen, dacht hij. Het rapport dat stelde dat de politie een organisatie was voor mannen, door mannen, klopte voor geen meter. Heel even speelde Cato Isaksen met de gedachte iets stoms te zeggen, maar hij liet het gaan. 'Ik heb meer mensen nodig.' Hij hoorde de beschuldigende toon in zijn stem en wist dat hij zich moest vermannen.

'Het onderzoek bevindt zich nog steeds in de beginfase,' zei ze.

'Ja, en soms komt het ook niet verder.'

Op het moment dat hij zijn eigen kamer binnenliep, belde de persvoorlichter van de politie weer. 'Kun je niet gewoon contact houden met de onderzoeksleider? Dat is Ingeborg Myklebust,' zei hij geërgerd. 'Het slachtoffer is nog niet eens geïdentificeerd. We krijgen de vader niet te pakken. We nemen contact op met buren, kennissen en vrienden, maar er waren blijkbaar niet veel mensen met wie ze omging. Breng maar naar buiten dat we de moord op een vrouw onderzoeken. Geef haar adres en het tijdstip van de moord, waarschijnlijk gisteravond, maar zeg dat we meer tijd nodig hebben voordat we nadere details kunnen verstrekken. Zeg dat we de hulp van het publiek kunnen gebruiken. Probeer de journalisten aan het lijntje te houden. Noem nog geen naam.' Hij keek uit het raam, naar de auto's die langzaam over de Åkerbergveien reden en om de kerk van Grønland heen. Zijn jongste zoon wilde een caleidoscoop voor kerst. Dat was al over ruim zeven weken. Hoe zou het gaan dit jaar? Wie zou het samen met wie vieren? Als hij nu zijn ogen sloot, zou hij omvallen.

*

Irmelin Quist gaf Randi Johansen een dik dossier met documenten over John Johnsen. Randi nam het mee naar haar kantoor. Het tweede dossier is uitgeleend, had Irmelin gezegd. Het dossier over Aud Johnsen en haar activiteiten als journalist. En met meer informatie over de familie. Het was vreemd. Irmelin had te horen gekregen dat het dossier net door de politie was gehaald, maar wie was 'de politie'? Irmelin had gezegd dat ze Marian Dahle bij het Rijksarchief had gezien, maar Marian had niets met deze zaak te maken.

Randi opende het dossier over John Johnsen en spreidde de papieren uit op haar bureau. Ze waren genummerd zodat het gemakkelijk was ze straks weer op volgorde op te bergen. Johnson was jarenlang patiënt geweest in psychiatrisch ziekenhuis Gaustad. Het eerste wat ze las was een gerechtelijk verslag met daarin het deskundigencommentaar van een psychiater met de naam Carl Hammer. *De rechtbank is hier na de schriftelijke verklaring al van op de hoogte, maar voor de jury is dit nieuw, dus ik zal het uitleggen. John Johnsen had lange afstanden afgelegd, door de stad, van het Jernbanetorget naar Veitvet. Hij verklaart dat hij dagenlang niet had gegeten of gedronken, waardoor zijn toerekeningsvatbaarheid aanzienlijk was verminderd. Hij zegt dat hij de man op de parkeerplaats met een ijzeren staaf heeft aangevallen omdat hij zijn kind, dat in een wandelwagen zat, een oorveeg gaf. John Johnsen is zelf vader van een dochter. Hij heeft nog nooit zijn vrouw of zijn kind geslagen. Omdat hij twee dagen niet had gegeten of gedronken, kan hij voor de aanval op de man als ontoerekeningsvatbaar worden beschouwd. Hij zegt dat hij handelde vanuit zijn morele overtuiging, maar wanneer dit zich niet herhaalt, zie ik geen noodzaak om hem te straffen.*

Randi Johansen bladerde verder, maar ze werd afgeleid door de gedachte aan haar zoon, die ze van het kinderdagverblijf moest halen. John Johnsen werkte als trambestuurder, maar verloor in 1985 zijn baan. Zijn aanvallen op willekeurige vreemden herhaalden zich. Hij sloeg en schopte een vrouw en legde haar in een wurggreep op de grond. Om dezelfde reden: de vrouw had de bal van een kind gepakt dat in het park aan het spelen was. De jongen was zes jaar oud. De volgende keer dat Johnsen werd gearresteerd sprong hij in de bres voor een oude vrouw die geen geld had om de tram te betalen en eruit werd gezet. John Johnson speelde de moraalridder, maar nadat hij voor de vijfde keer iemand had aangevallen, werd hij in 1986 verplicht een psychiatrische behandeling te ondergaan. Medicatie en therapie stonden tot in detail beschreven. Hij werd eerst behandeld op een ambulante afdeling. *De patiënt is niet erg communicatief, en zwijgzaam tijdens gesprekken. Hij werkt niet mee en klaagt voortdurend. De* ECT*-behandelingen hebben een goed effect, maar de duur varieert.* Later werd hij voor langdurige behandeling opgenomen op een afdeling van psychiatrisch ziekenhuis Gaustad. In 2003 werd hij ontslagen, maar met verplichte medicatie en wekelijkse gesprekstherapie. Hij kreeg de diagnose schizofrenie, maar werd bovendien gediagnosticeerd als paranoïde ruziemaker en godsdienstwaanzinnige.

*

Cato Isaksen zat in zijn kantoor. Er hing een warme, benauwde lucht. Hij maakte zich zorgen over zichzelf en hoe alles moest gaan. Het deed pijn in zijn maag, alsof een zuur dwars door zijn buikvlies brandde. De wereld ging niet de goede kant op. Althans niet wat ruwheid en verdorvenheid betrof. Op het prikbord hing het briefje dat Irmelin er vorige week had opgehangen: *Het leven wordt gemeten naar hoe je leeft ten opzichte van de eeuwigheid.* In het Rijksarchief ontbrak een dossier over John Johnsen, had Randi gezegd. Dat moesten ze uitzoeken. Ze had hem laten weten dat Johnsen een psychiatrisch patiënt was, schizofreen en bovendien gediagnosticeerd als een ruziemaker met religieuze fantasieën. Hij zou snel een gedegen rapport krijgen. Af en toe voelde hij zich zelf een psychiatrisch patiënt. Wie was die John Johnsen? Sommige patiënten waren charmante, ongeremde excentriekelingen. Hij werkte met moordenaars. Het was nu de eerste prioriteit om deze man te vinden. En hij moest Bente bellen en een afspraak maken. Roger Høibakk stak zijn hoofd om de deur om hem de laatste informatie door te geven over de telecommunicatiegegevens. 'Ze werken keihard om informatie boven tafel te krijgen, chef.' Hij zweette en trok de trui over zijn hoofd.

'Trek je trui maar weer aan, Roger. We gaan naar de Vøyensvingen. De vader van het slachtoffer is jarenlang in Gaustad opgenomen geweest. Hij werd als gevaarlijk beschouwd. Hij woont sinds zijn ontslag in een sociale huurwoning.' Cato Isaksen trok de opengeslagen laptop naar zich toe en ging naar Wikipedia. In het zoekveld typte hij 'psychiatrisch ziekenhuis Gaustad'. Er doken onmiddellijk foto's op van de oude, voorname bakstenen gebouwen met en zonder torens. Het geheel deed denken aan een vorstelijk kasteel met parken en wandelpaden. Roger Høibakk boog zich over hem heen.

Psychiatrisch ziekenhuis Gaustad werd in 1855 geopend als het eerste staatsziekenhuis in Noorwegen voor de behandeling van mensen met ernstige psychische stoornissen (psychosen, aanduiding in 1855: 'krankzinnig' of 'gek').

Hij scrolde naar beneden.

Psychiatrisch ziekenhuis Gaustad heeft in Noorwegen het voortouw genomen op het gebied van de behandeling van ernstige psychische ziekten. De instelling heeft indruk gemaakt door de ontwikkeling van nieuwe psychologische methoden. Een van de meest bekritiseerde aspecten van het instituut was het gebruik van lobotomie. Deze ingreep werd regelmatig uitgevoerd in de periode 1941 tot 1974. Ook de elektroshockbehandelingen waren onderwerp van discussie. In de jaren veertig en vijftig overleden meerdere patiënten als gevolg van cardiazoltherapie en insulineshocks. Psychiatrisch ziekenhuis Gaustad is nu grotendeels verlaten. Het is eigendom van de gemeente Oslo en onderdeel van het Aker Universiteitsziekenhuis, afdeling Psychiatrie met dagbehandeling/ambulante zorg voor alcohol- en drugsgebruikers, anorexiapatienten en een paar jonge schizofrenen.

Cato Isaksen klapte de laptop weer dicht. 'Kom! We moeten die vader zien te vinden.'

Toen ze wegliepen trok Roger de trui weer over zijn hoofd. 'Dingen veranderen op dat gebied, Cato. Vroeger heette het "manisch depressief", tegenwoordig een "bipolaire stoornis". Wat is er nog meer veranderd, bijvoorbeeld bij schizofrenie?' Hij trok ook zijn leren jas aan. 'Hoe wordt dat momenteel behandeld? Kan iemand volledig herstellen?' Hij drukte op de liftknop. Cato Isaksen ging eerst naar binnen. 'Zo'n diagnose heb je voor je hele leven.'

'Aud Johnsen heeft trouwens de afgelopen dagen geen geld van haar bankrekening gehaald.' Roger keek in de spiegel en haalde zijn hand door zijn haar. 'Moeten we contact opnemen met de psychiater die John Johnson behandelde? Carl Hammer, zo heette hij toch?'

De lift stopte in de parkeergarage en ze liepen eruit. Cato Isaksen stak zijn hand in zijn zak en pakte de autosleutel. 'Rij jij maar. Randi heeft telefonisch met die psychiater gesproken. Hij is al eind zeventig.'

Roger Høibakk deed het portier open. Cato Isaksen vertelde verder. 'De psychiater zei dat hij zich John Johnsen herinnerde, maar hij wist geen details. Hij heeft honderden patiënten behandeld.' Hij ging op de passagiersstoel zitten. 'We hebben nog niets over die naam ontdekt, Maike.' Roger startte de auto, zette hem in de achteruit en keek om.

'Irmelin heeft niets gevonden, Roger. Maar nu zoeken we eerst John Johnsen. We kunnen de naam van het slachtoffer niet vrijgeven voordat hij op de hoogte is gebracht. Randi heeft met de behandelend arts van Johnsen gesproken. Het lijkt erop dat de wekelijkse gesprekken die zijn voorgeschreven, volledig gestopt zijn. Noorwegen en psychiatrie!'

Hij vervolgde: 'Ik heb het gevoel dat we nu al te veel in één richting denken. Terug in de tijd. Denk aan de sterren aan de hemel. Veel zijn er al lang uitgedoofd, ze zijn dood, maar het licht ervan schijnt nog jaren door. Het perspectief van afwezigheid en nabijheid is niet per se zoals het eruitziet.'

Roger keek hem aan en reed snel de oprit omhoog. 'Je lijkt wel een dichter, Cato. Dus je denkt dat we moeten zoeken naar iets wat er niet is?'

'Kerstcadeaus,' zuchtte hij. 'Georg wil een caleidoscoop. Hij wordt vijftien, maar wil een caleidoscoop. Kinderachtig, toch? Ik heb alleen een vreemd gevoel in mijn onderbuik. En ik ben, om helemaal eerlijk te zijn, niet tiptop in orde. Die hele toestand met Bente.' Op hetzelfde moment had hij spijt dat hij het had gezegd.

Zijn scheef afgesleten laarzen waren vies en iets te groot. John Johnsen liep langs de drukke weg. In deze tijd van het jaar waren ze ook koud. Hij liep in gedachten verzonken, maar eigenlijk was hij uiterst alert, hoewel hij niet op de trailers lette die langs hem heen denderden. Hij was volledig geconcentreerd op het geluid van zijn eigen stappen op het grind langs het asfalt en op de gedachten aan wat hij moest doen. Hier en daar stonden nog plukjes geel gras. Vandaag had hij geen aandacht voor afval en papier langs de weg. In één hand droeg hij een bruine nylon boodschappentas. Zijn jas had donkere vlekken op de schouders. Het regende en zijn brillenglazen waren beslagen en nat. Hij keek eroverheen om te zien waar hij liep. Het wrede plan moest worden uitgevoerd. Dit was geen fantasie en verbeelding, maar werkelijkheid. Hij zou niet in paniek raken. Zijn lippen trilden nu. Aud was doodgegaan. Aud was dood. En het was geen ongeluk.

*

Het was onmogelijk om bij het smalle woonblok uit de jaren vijftig een parkeerplaats te vinden. Cato Isaksen stapte uit, terwijl Roger Høibakk een plek zocht om de auto neer te zetten. Het regende. Hij hoorde geroep van het kinderdagverblijf op de begane grond. Een paar kinderen in regenkleding, met frisse gezichtjes en scheve mutsen, klommen op het hek. Hij keek ernaar alsof hij nog nooit kinderen had gezien, en dacht aan zijn eigen kinderen, aan de jongens. Wat hij nu nodig had gehad, was samen met hen vakantie vieren.

Roger kwam haastig aanlopen over de stoep met zijn jas open. Ze gingen het gebouw binnen en liepen de trap op. In het oude trappenhuis hing een geur van gekookte vis en koolrabi. Op de tweede verdieping stond Johnsens naam op een koperen plaatje. De bel werkte het niet. Ze klopten aan, maar niemand deed open. Cato Isaksen keek naar Roger. Privé waren ze geen vrienden, ze waren eigenlijk nooit vertrouwelijk met elkaar omgegaan. Het was een stap in de goede richting dat hij aan zijn zoons had gedacht en dat hij aan Roger had toegegeven dat de situatie met Bente moeilijk was.

Toen ze de trap weer afliepen, belde Ellen Grue vanuit het Gerechtelijk Laboratorium. Hij bleef staan. Roger liep naar buiten. 'We hebben het slachtoffer al hier, Cato. Ik sta hier nu met professor Wangen. Hij zegt dat er geen directe sporen van een seksueel misdrijf zijn. Aud Johnsen is niet verkracht, ze is gewoon afgeslacht.'

Cato Isaksen tuurde door het vuile glas in de deur naar Roger. 'Gewoon afgeslacht,' herhaalde hij. De woorden weerklonken in het trappenhuis.

'Kom je hierheen?' ging Ellen Grue verder. 'Wangen wil met je praten. Ik wacht op je en ga daarna terug naar de plaats delict. We hebben buiten het fabrieksgebouw een paar sigarettenpeuken gevonden, op het grasveld. We kunnen gemakkelijk een DNA-onderzoek doen, en als ze niet afkomstig zijn van het slachtoffer, dan hebben we misschien een spoor.'

*

Vijftien minuten later, om 14.57 uur, zaten Cato Isaksen en Randi Johansen in de auto op weg naar het Gerechtelijk Laboratorium. De ruitenwissers stonden aan. De avondspits kwam al voorzichtig op gang, maar ruim een kwartier later waren ze ter plekke. Randi bracht hem op de hoogte van de laatste informatie uit het dossier. 'John Johnsen heeft dus vreemde, willekeurige mensen aangevallen. Irmelin heeft verder nog niets kunnen vinden over de naam Maike. Er zijn in Noorwegen maar twee mensen met die naam, allebei oudere vrouwen die elders in het land wonen. Geen van beiden heeft ooit iets te maken gehad met Aud Johnsen. Ik hoop dat dit geen eeuwen gaat duren. Ik moet mijn zoon ophalen van het kinderdagverblijf.'

Cato Isaksen reageerde niet.

Randi Johansen ging verder: 'Ze had alleen haar vader. En een hond, heb ik begrepen. En verder is er geen naaste familie. Triest geval. Hoeveel komen er naar haar begrafenis, denk je?'

'Voor dat soort discussies is het nog een beetje te vroeg. De hoofdredacteur heeft de hond opgehaald. Misschien wil haar vader hem wel hebben. Als hij niet de moordenaar is,' voegde hij eraan toe.

'Morgen zoek ik uit wat er met dat dossier is gebeurd. Kort gezegd ontbreekt er informatie over Aud Johnsen en wat ze heeft gedaan. Die informatie kan belangrijk zijn.'

'Er is inderdaad haast bij.'

'Ik weet het. Maar het Rijksarchief is straks al gesloten. Laten we een opsporingsbericht uitgaan voor John Johnsen?'

'Nog even niet.'

*

John Johnsen liep met gebogen hoofd heen en weer door de aankomsthal van Oslo Centraal. Hij klemde de boodschappentas tegen zich aan. Overal hoorde hij scherpe geluiden, een kakofonie die pijn deed in zijn hele lijf. Zijn jas was versleten, maar hij hoopte dat hij zo een wereldwijze indruk maakte. Want hij moest iemand vinden. Hij had in de krant gelezen dat Oost-Europeanen voor niet al te hoge bedragen criminele opdrachten uitvoerden, maar de mensen die hij had gesproken, hadden zich teruggetrokken. Ze waren alweer verdwenen voordat hij het geld kon laten zien. Hij had de bundel biljetten met een bruin touwtje samengebonden en in een lege beker van McDonald's gepropt, die hij had gevonden in een vuilnisbak. *Money talks*. Geld praat. Als hij maar iemand kon vinden die wanhopig genoeg was. Een vieze man met wollen wanten en kromme knieën hield hem tegen. 'Ik heb geld nodig om wat te eten.' John Johnsen keek hem minachtend aan en ging verder. Op de afdeling was hij de financiële man geweest. Toen hij nog was opgenomen. Het gerucht ging dat hij snoep en chocolade voor alle medepatiënten betaalde. Hij was er trots op, maar het was niet waar. Hij had wel altijd lolly's voor zijn dochter en haar vrienden in de trommel onder het bed, hij moest tenslotte iets bijdragen aan de opvoeding. Hij had iets voor haar in zijn zakken. Een beeld van haar in de zomer kwam hem voor de geest. Ze was een jaar of twaalf en was aan het spelen met de andere kinderen, maar er moest iets gebeurd zijn. Ze was anders toen ze de helling op kwam naar het tbc-huisje. Af en toe kreeg hij toestemming om in een van de tbc-huisjes achter het Lobotomiegebouw in de zon te zitten. Hij had een keer een paar zonnebloemen gezaaid langs de buitenwand van een huisje. De bloemen groeiden tot aan het dak en hadden veel te zware, bruine ogen. Bloemen en boeken, die hielden hem op de been. En de bezoeken van zijn dochter. Het abrikooskleurige huisje was gebouwd van hele boomstammen, die op palen van ongeveer een meter hoog rustten. Het huisje was dus helemaal vrij van de grond, net als een botenhuis dat ook bij vloed droog moest blijven. Hij had altijd het gevoel dat de houten vloer golfde als hij daar zat met een nauwgezette verpleger. Berit Adamsen was niet zo nauwgezet. Ze sprak altijd vriendelijk tegen hem, op een lichte toon. Alsof hij een normaal mens was. Maar nu vertelde zijn dochter dat Berit boos op haar was. Dat stond hem niet aan. Ze had ook snoep voor de anderen gekregen, en was het park in gelopen naar de dochter van Hammer. Op dat moment voelde hij zich trots. Hammer had hem manieren geleerd, had hem gezegd dat hij het gedrag van zijn medepatiënten niet kon veranderen, maar wel zijn eigen gedrag. Hij en Werner Hagg hadden zich het best gered. Zíjn kinderen waren nergens te bekennen, zijn zoons niet en zijn dochter niet.

Hij zigzagde door de menigte. Mensen stonden met koffers en tassen te kijken naar het informatiebord bij het begin van de perrons. Een jonge vrouw raakte hem met een kinderwagen. Hij duwde zijn handen diep in zijn zakken en liep naar perron 9. Oslo veranderde in een mini-New York. Een snijdende wind veegde over het perron. Lege regenwolken joegen hoog langs de hemel. Een trein kwam aanrijden en stopte. De remmen van het grote ijzeren gevaarte maakten een hoog, snijdend geluid. Hordes mensen stroomden naar buiten. Een groepje van vier allochtone jongens trok zijn aandacht. Ze liepen vlak langs hem. Hij draaide zich om en volgde hen. Liep dicht achter hen. Ze droegen smalle broeken die laag op de heupen hingen. Tussen twee van hen hing een agressief sfeertje. De een greep de leren jas van de ander vast. 'Pas op wat je zegt, want ik maak je dood, *motherfucker*.'

'Hou je bek, watje!' De tweede duwde de eerste van zich af, en de beide anderen probeerden de gemoederen tot bedaren te brengen. 'Je bent niet normaal, je bent helemaal knettergek.' Ze verdwenen over de loopband, en het moment was voorbij. Ze waren sowieso te jong, en met te veel. Hij moest er één vinden.

Terug in de grote stationshal kwam hij midden in een groep keurige dames terecht. Een beveiliger draaide zich om en keek hem na. Hij nam de roltrap naar het café op de eerste verdieping, kocht een kopje koffie, betaalde met een van de biljetten uit de bundel en bleef om zich heen staan kijken naar een tafel. Er waren veel lege tafels. Hij nam plaats aan een tafeltje naast dat van een Oost-Europeaan. Hij zag er in elk geval zo uit – slecht gekleed, rossig haar, een baard, bleke huid en grote handen. Hij droeg een veel te kort donsjack en een veelkleurige joggingbroek. Naast hem op de vloer stond een grote zak. Misschien wilde híj wel iemand vermoorden voor geld.

*

Cato Isaksen remde en parkeerde vlak voor de moderne betonnen kolos waarin het Rijkshospitaal was ondergebracht. In de loop van de dag had de regen het asfalt schoongespoeld. Hij legde de politiekaart goed zichtbaar op het dashboard. Ze liepen snel naar de hoofdingang. Er zaten nog steeds rode bladeren aan de struiken in de bloembedden bij de ingang. Het Gerechtelijk Laboratorium lag op de benedenverdieping. Cato Isaksen had eigenlijk een afkeer van de plek. Van de geur, het gevoel en alles bij elkaar.

Ze meldden zich bij de receptie, namen de lift naar beneden en kleedden zich vlug om in de garderobe. Randi stopte haar blonde haar onder het papieren kapje en trok een jas aan. De tegels in de garderobe waren glanzend schoon geboend, langs de randen waren nog wat restjes schuurmiddel achtergebleven. Cato Isaksen trok plastic hoezen over zijn schoenen en liep binnen bij professor Wangen, die met een jas, papieren kap en handschoenen aan op hen stond te wachten. De weeïg zoete geur van de dood hing in de ruimte. Het licht van de tl-buizen aan het plafond scheen op de witte tegels aan de wand. De dode vrouw lag op de stalen werktafel. De wond in de hals was schoongemaakt. Het was een gapend gat van rauw vlees. Cato Isaksen kneep zijn ogen half dicht. Divers DNA-materiaal van de plaats delict was een verdieping hoger, bij het Instituut voor Volksgezondheid, afgeleverd, had Ellen Grue gezegd.

'Na de autopsie maak ik het lichaam klaar voor identificatie,' zei professor Wangen. 'Wie identificeert haar?'

'We hebben haar vader nog niet te pakken gekregen.' Cato Isaksens ogen versomberden. 'We moeten iemand anders zoeken. En het moordwapen? Is het een mes?'

'Niet per se,' zei professor Wangen. 'Het kan ook zijn dat het moordwapen iets onscherps is. De snede zit vlak bij de *sinus caroticus*, een kleine verwijding in de halsslagader, precies waar deze zich splitst in de inwendige en de uitwendige halsslagader. Daar lopen de meeste zenuwen.'

Cato Isaksen fronste zijn wenkbrauwen. 'Wat wil dat zeggen?'

'Niets, of misschien dat we met een moordenaar te maken hebben die kennis van zaken heeft. Ik denk gewoon hardop.'

'Kan het moordwapen een oud stuk gereedschap zijn?' Randi Johansen keek naar Cato.

Cato Isaksen boog zich over het lichaam.

*

De man uit Litouwen vertelde dat hij Vanja heette. Johnsen had zijn kopje en boodschappentas opgepakt en was aan zijn tafel gaan zitten. Hij leek een echte Litouwer, dacht John Johnsen, maar hij geloofde niet dat de man Vanja heette. Dat was een meisjesnaam. Maar hij had geld nodig, zei hij, hij had geen baan, hij had ontslag gekregen bij een soort pakhuis net buiten de stad, in de buurt van Kolbotn. Hij sprak een beetje Noors en een beetje Engels. Zijn gezicht was breed en zijn ogen puilden wat uit, net als bij een vis. Hij had een gouden tand. Johnsen sprak Noors. De boodschappentas lag in elkaar gepropt op zijn schoot. Was hij bereid om te doden voor geld? De Litouwer glimlachte even, schudde zijn hoofd en zei dat hij geen wapen had. Maar hij kon wel voor een wapen zorgen, dan kon Johnsen de moord zelf plegen. Hij had gewerkt als incasseerder, hij kon dus wel geld vangen, *if you need*?

John Johnsen roerde nerveus in zijn kopje koffie. Hij voelde zich somber en tuurde door de stationshal. Er hingen overal bewakingscamera's. Toch voelde hij zich veilig, omdat niemand deze ontmoeting in verband zou brengen met de aanstaande moord. Dan zou de politie helderziend moeten zijn, en dat was niet het geval. Een hele tijd hield hij zijn mond. Toen zei hij: 'Heb je kinderen?'

Vanja schudde zijn hoofd. 'Moeder,' zei hij. 'Moeder. Moet naar huis.'

'Dan heb je geld nodig.' Hij pakte de kartonnen beker en schoof hem langzaam over de tafel.

Vanja nam hem aan en stak hem in zijn zak, nam een slokje koffie en keek naar de stationshal. De hand die het kopje vasthield was enorm.

'Kun je me helpen?' Hij wist het antwoord al, hij zag een gloed van interesse op het gezicht van de man. Hij ging verzitten, schraapte zijn keel en keek opzij. Toen draaide hij zich weer naar Johnsen toe. 'Wie?'

'Je krijgt het verhaal te horen.'

'Ik heb geen verhaal nodig,' zei Vanja in gebroken Noors.

'Morgen krijg je meer geld. Voor een wapen. Je krijgt het morgen,' herhaalde hij. 'Ik moet je de plek laten zien.'

John Johnsen keek de man aan, legde zijn handen plat op de bruine tafel en zei: 'Morgen om tien uur zien we elkaar bij de Tyskerbrug tegenover het terrein van psychiatrisch ziekenhuis Gaustad. Weet je waar dat is?'

De man schudde zijn hoofd.

'Weet je waar het Rijkshospitaal is? Daar rijdt de tram naartoe. Vanaf hier.'

Vanja knikte. Hij had vorige maand een landgenoot bezocht in het Rijkshospitaal. Iemand die betrokken was geweest bij een steekpartij. De landgenoot was nu terug naar huis. Ze woonden in dezelfde stad. Hij zag het straatnaambord in de straat waar hij woonde voor zich. Het was aan een boom gespijkerd. *Gedimino garve*, stond erop, met dikke witte letters. Hij voelde een opgetogenheid die hij lange tijd niet had gevoeld. Hij had nog nooit iemand vermoord. Geen mensen. In Litouwen had hij wel op dieren in het bos gejaagd, maar dat was voor voedsel. Nu moest hij een wapen zien te krijgen. Hij ging naar huis. Hij zag zijn moeder voor zich, bij het grijze houten hek langs de tuin van de buurman, waar in het voorjaar rijen groenten en aardappelen werden gepoot, op het land met de gele graspollen. Hij zag haar voor zich, haar vuile handen, de doek om haar hoofd, haar dikke lichaam. Hij deed het allemaal voor haar. Hij hoopte dat ze het oude destilleerapparaat nog altijd in de kelder had staan, een u-vormige buis en een verzinkte ketel. Alle dronkenschap waarmee hij was opgegroeid gaf ook een gevoel van veiligheid. Wanneer de stoom de kelderramen deed beslaan en de scherpe geur van gist in zijn neus stak, was hij gelukkig. Zijn moeder was een mens van vlees en bloed. Vies en moe, maar wel een die het beste met hem voorhad. Ze klaagde nooit, was nooit ziek. Toen hij in de gevangenis zat, kwam er regelmatig een advocaat om met hem te praten. Hij vroeg naar zijn moeder en de familie en sprak over de emotionele trauma's, maar dat deerde die vent niet.

De magere man met de jas ging verder: 'Al die rode bakstenen gebouwen naast het Rijkshospitaal, voor de rotonde en dan rechts, dat is psychiatrisch ziekenhuis Gaustad.' Hij keek naar hem met zijn fletse ogen. 'Ik sta daar morgen. Om tien uur. Bij de brug.'

*

Professor Wangen ging verder. 'Ze kan vermoord zijn met willekeurig wat voor oud snijgereedschap. De kleine fragmenten in de randen van de wond kunnen roestdeeltjes zijn, maar het is nog te vroeg om dat met zekerheid te zeggen. Geef me nog een paar uur, dan krijgen jullie meer.'

'Mooi,' zei Cato Isaksen.

'Ik ben nog wel een tijdje aan het werk,' zei de professor en hij trok de papieren kap een stukje omhoog over zijn voorhoofd. 'Ze heeft ook blauwe plekken in de hals, op de armen en langs de haargrens. Iemand heeft haar geschopt, aan haar getrokken en haar stevig vastgehouden. Jullie krijgen zo snel mogelijk een voorlopig rapport.'

Cato Isaksens mobiel ging. 'Ja, Roger?'

'De hoofdredacteur van de *Osloavisen* is bereid om de overledene te identificeren.'

'Dat is goed,' zei Cato Isaksen. Hij staarde naar de witte tegels aan de wand. 'Randi en ik gaan nu terug naar het politiebureau. Randi moet haar zoontje halen bij het kinderdagverblijf,' zei hij glimlachend.

Toen ze terug in de garderobe waren belde Roger opnieuw. 'De hoofdredacteur is toch niet in staat om voor de hond te zorgen. Misschien wil Johnsen de hond van zijn dochter wel hebben.'

'Laat me erbuiten,' zei Cato Isaksen. 'Regel het gewoon.' Hij keek naar Randi Johansen, die zich met een aanstekelijke lach omdraaide.

*

Vanja schoof de caféstoel naar achteren zodat de stoelpoten veel te luid over de vloer schraapten. Hij hield ervan om hier te zitten, hij had een volledig overzicht over het grote informatiebord met de aankomst- en vertrektijden van de treinen en de plaatsen waar ze naartoe reden en vandaan kwamen. Hij hield van het gevoel om neer te kijken op de mensen die in de stationshal heen en weer zwermden. Door de luidspreker klonk een vrouwenstem, die de reizigers op de hoogte bracht van een vertraging. Was vandaag zijn geluksdag? Was dit zoiets als de Lotto winnen? Hij had tienduizend kronen gekregen voor niets en na de moord kreeg hij nog eens vijftigduizend, en bovendien nog geld om het wapen te kopen. Het was natuurlijk geen groot bedrag voor een huurmoordenaar, maar hij was ook geen huurmoordenaar. In zijn rugzak had hij een hamer en een breekijzer. En een oud Zwitsers legermes. Inbraak was zijn ding, moord niet.

Langzaam drong tot hem door dat de man in de jas krankzinnig was. Hij moest alleen maar aan het geld denken. Hij moest het doen. Hij ging naar huis. Naar alles. Moeder zou een deel krijgen. Alleen al die gedachte leidde ertoe dat hij zijn schouders ophaalde en optimisme de overhand liet krijgen. Hij had nog nooit iemand vermoord, hij had alleen maar in verschillende pakhuizen ingebroken. Hij zou niet weer in de gevangenis belanden. Hij ging naar huis. Nu voelde hij angst. Het zou hem niet lukken om te doden. Hij liep de trap af naar perron 10 en wachtte op de trein naar Kolbotn. Daar woonde een vriend bij wie hij kon overnachten, in een keet op een bouwplaats. Zijn vriend wist hem vast ook te vertellen wie hem een wapen kon verkopen.

Vanja stapte in de trein. Het kon uiteraard ook een val zijn, maar waarom zou iemand een val opzetten voor hem?

Vanja dacht aan de man met de lange jas. Hij wilde niet vertellen hoe hij heette, maar dat maakte hem niet veel uit. Ze hadden morgen om tien uur een afspraak. Het was een wit huis, dat was het enige wat hij had gezegd. Hij moest door een bos achter ziekenhuis Gaustad en daar zou het zijn, het witte huis.

*

Terug op het politiebureau was er eerst weer een spoedvergadering om alle feiten opnieuw op een rijtje te zetten. De rechercheurs kwamen in een van de vergaderruimtes bij elkaar. Randi wilde zo snel mogelijk weg, maar had nog een gesprek met de behandelend arts van John Johnsen gehad. De dokter was van mening dat de medicijnen hem stabiel hielden en dat het niet waarschijnlijk was dat Johnsen met zijn fysieke gesteldheid een moord had gepleegd die zo'n krachtsinspanning vereiste. Haar conclusie luidde dat dat vrijwel onmogelijk was.

'Als hij tenminste niet stiekem in training is geweest,' grijnsde Randi. 'Maar nu moet ik naar het kinderdagverblijf. Morgenochtend ben ik in alle vroegte weer hier. Tot ziens.'

Op dat moment ging Cato Isaksens mobiel. Het was Roger. Hij zette de iPhone op de luidspreker en hield hem voor zich. Rogers stem klonk door de kamer. 'Ik sta buiten bij het Rijkshospitaal. Het is nu officieel vastgesteld dat het slachtoffer Aud Johnsen is. De laatste die Aud Johnsen heeft gebeld, was haar vader, John Johnsen, om 20.02 uur. Ik breng de hoofdredacteur terug naar de redactieruimte van de *Osloavisen*. En daarna die verdomde hond naar het asiel.'

Iedereen in de vergaderruimte lachte.

Werner Hagg dacht dat hij door de wand van de schuur kinderstemmen hoorde. Hij legde het gereedschap aan de kant, richtte zich op en keek door de kier in het grauwe papier dat het smalle venster bedekte. Langs het kozijn bladderde de verf af. Het zicht op de kinderen, vijf stuks, riep een angst in hem op die hij maar al te goed kende. Hij trok zijn vingerhandschoenen uit en ging op zijn hurken zitten. Die rotkinderen waren onderweg van school naar huis en liepen alleen maar om om hem te pesten. Nu sloegen ze tegen de buitenkant van de schuur en riepen 'kale reus' en 'doodskistenmaker'. Hij moest zorgen dat hij hier wegkwam, dat hij veilig in het huis kwam. Hij had een achterdeur waar ze niets van wisten, via de berging tegen de korte muur. Het lukte hem om ongezien het erf over te steken en hij ging het huis binnen. Hij deed de deur achter zich op slot.

Het grijsgebloemde behang in de woonkamer was bobbelig en aan de randen scheef geplakt. Langs de plint onder de twee vensters zat een dun spinnenweb. Er zaten een paar dode vliegen in vast, die in de tocht van het raam zachtjes heen en weer wiegden. De bank, de tafel, de eettafel en de stoelen die half onder de tafel stonden lagen allemaal vol oude kranten en tijdschriften. Op de lange buffetkast stonden een paar vuile borden, een radio en wat snuisterijen, onder andere een porseleinen klomp. Het enige wat hij nog overhad na de fatale brand. Een buurman had het klompje schoongemaakt en bij hem gebracht toen hij in Gaustad was. Hij had het meegenomen toen hij in zijn jonge jaren van Amsterdam naar Oslo kwam. Maike was er dol op geweest. Hij had gezegd dat zij het mocht hebben als ze groot was. Hij wilde niet aan Maike denken of aan wat er gisteren was gebeurd. Hij had talloze keren gedroomd dat hij een ander soort vader was geweest. Hij had de beelden opgeroepen toen ze samen wandelden, hij en zijn drie kinderen: Jan, Piet en Maike. Zijn zoon Piet leek wel van de aardbodem verdwenen. Hij had de ogen van zijn moeder. Piet, een buitenkind. Hij had altijd een padvindersmes bij zich. De jongen met herinneringsvermogen en emoties, als een dier was hij weggeslopen.

In Gaustad werd Werners persoonlijkheid beschadigd. Impulsief was hij niet meer, maar gisteren had hij iets gedaan wat hij nooit deed. Hij was in de auto gestapt. De reis duurde minder dan een half uur. Eerst reed hij naar Emmy's huis aan de Trosterudveien. Hij was er een keer eerder geweest, maar dat wist niemand. Hij was naar de huizen aan het eind van de oprit gegaan. Haar naam stond op de blauwe deur. *Emmy Hammer* stond er, en *Philip*. Hij was naast de blauwe Golf blijven wachten. Toen ze niet opendeed, had hij Inlichtingen gebeld en Aud Johnsens adres gevraagd. Daarna reed hij naar de Sandakerveien. Hij had op de bel gedrukt bij de intercom aan de hoge muur in de poort, maar niemand antwoordde. Toen was hij teruggereden naar het huis van Emmy. Hij had gewacht. Een hele tijd.

Toen de kinderen weg waren, liep hij terug naar de schuur. Hij pakte de schuurmachine en bevestigde er een nieuw vel zandpapier op, hij zette de radio harder. De stem van de nieuwslezer stuurde het laatste nieuws de ether in. Hij stond op het punt het deksel van de kist te gaan schuren, toen de stem zei: *Aan de Sandakerveien 22 G in Oslo is vanmorgen een zevenendertigjarige vrouw dood gevonden.* Hij voelde de verandering door zijn lichaam trekken. Eerst langzaam. Toen snel. Een golf van angst greep hem, als een boze magiër die zijn knecht met een ketting aan een kist bindt. Hij zag de Dingen die ze dag in dag uit in Gaustad hadden gemaakt, de manden die ze hadden gevlochten; de placemats die ze hadden geweven. John Johnsen en zijn metalen blikken verschenen voor zijn innerlijk oog.

*

John Johnsen stond te kijken naar de twee witte huizen. Hij stond aan de rand van het bos, op het brede modderige pad achter het hoofdgebouw. De schemering veranderde het bos in een grote, bronskleurige wereld. Hij was klaar met de religieuze onzin waarin hij zich eerder had begraven. God en Jezus waren zwaar overschatte romanpersonages. Want de hemel was helemaal leeg. Wraak werd onderschat. Zo moest hij denken, zo had hij eigenlijk altijd gedacht. Zijn hart was nu zwart. Zijn dochter was ooit een keer op de afdeling gekomen waar hij verbleef. De zon, die in het westen stond, vulde de hele gang. De stralen werden versplinterd door de spijlen in de ramen van zijn kamer, als speren vielen ze over de vloer in de gang en over de wand naar boven. Hij wachtte op haar en toen kwamen ze alle drie. Eerst Emmy, toen Maike en zijn dochter als laatste. Nu leefde alleen Emmy nog. Hij keek naar beneden en zag dat er een strook modder langs de zoom van zijn jas zat.

Hij liep terug. Ergens langs de weg was een plek waar de varens dicht op elkaar stonden, ze reikten tot zijn middel. Ze waren verdord en plakkerig van het bruine slijm. Hij stak dwars over en kwam tussen de twee tbc-huisjes uit het bos tevoorschijn. Op het terrein van het ziekenhuis was alles stil en verlaten.

Hij liep de helling af. Er klonk een geluid uit wat er over was van het gebouw met de gehavende muur recht voor hem. Hij hoorde het zoemen van een ventilator, maar het geluid stond voor iets anders, stemmen, onderdrukte vijandigheid van ambtenaren. De slagers uit de ijstijd. Iets wat van afstand invloed uitoefende op zijn gedachten. De terugkeer van het onderdrukte, zoals Freud het noemde. Een donker zoemend geluid, een toon die alleen hij kon horen. Verderop, aan de rechterkant, lag gebouw G, dat jarenlang zijn thuis was geweest. Vanuit zijn raam had hij recht naar de berken met het ruige, zwarte baardmos gekeken. Hij woonde op de forensische afdeling, hij was een G-man. Zo werden ze genoemd. Verderop stak de schoorsteen van het Ketelhuis hoog boven alle daken uit. Hij ging naar links, weer terug naar de volkstuinen in Sogn. Door het bos was het maar een kort stukje. Zijn plekken vormden als het ware een driehoek: de Vøyensvingen, de volkstuinen en Gaustad. Want hier kwam hij steeds terug. Om tot rust te komen. Het was een lange dag geweest. Zelfs hij voelde zich nu moe. Terwijl hij toch altijd liep, van de ene plek naar de andere, altijd aan de wandel. Zonder mankeren. Terwijl hij ondertussen zijn eigen duisternis onderzocht, dat had hij gelezen in een boek. Net als een uil.

Het is donker geworden. Ik steek de roestige smeedijzeren sleutel in het slot. De deur van het Ketelhuis is zwaar. Het gebouw is een van de kleinste op het terrein, maar de deur is van eikenhout. Hij klemt een beetje. Steeds als ik het stenen huis betreed, voel ik rust. Hier word ik mezelf. Treed ik binnen in iets wat afgesloten is en volkomen veilig, alsof ik thuiskom. Ik duw de deur vlug weer dicht, zodat niemand me zal zien. Er zitten tralies voor de glas in loodramen, zodat niemand kan binnenkomen. Maar de angst vliegt me toch naar de keel, omdat ik moeite heb om de innerlijke film van haar doodsstrijd te stoppen. Haar gezicht, ogen en mond, een kloof van angst. En haar pijn. En de bruine hond die zelfs niet blafte. Ik heb hem gespaard. Maar nu voel ik een intense leegte. Want ze is dood. Ik heb haar gedood. Er is een reden waarom ik het moest doen. Daarom kies ik ervoor te denken dat het een vorm van opruimen was. Menselijke lichamen zijn alleen maar chemische verbindingen: water, cellen, vlees en bloed. Hersenactiviteit is een soort van motor, een drijfkracht voor empathie, liefde en haat. Het betekent niets. Misschien kan dit tot een soort van licht leiden. Op den duur.

Hier binnen is alles nog hetzelfde als toen de conciërge hier nog woonde. Zijn gereedschap hangt allemaal op een rij aan schroeven die zijn bevestigd aan de muur boven de werkbank: hamers, zagen, bijlen, schroevendraaiers, vijlen en oud tuingereedschap. En onder de werkbank staan zijn oude rubberlaarzen. Tegenover de werkbank, tegen de andere muur, staat de grote oven. Ik verplaats het statief, zoals ik het noem, een stukje, omdat het in de weg staat, zo midden in de ruimte. In de opening naar de achterkamer zit geen deur, dus ik kijk recht naar de paarse pluchen bank in empirestijl. Soms kruip ik 's nachts in foetushouding op die bank, om de onrustige nachtpijnen die door me heen schieten te onderdrukken. Maar een of twee uurtjes, net voordat ik weer naar huis ga. Maar als ik in slaap dreig te sukkelen, sper ik mijn ogen wijd open. Want er zit hier beweging in het plafond. Het spinnenweb in de hoek komt steeds terug, zelfs als ik het weghaal met de bezem. In de ruimte tussen de draden zit het beest met zijn zwarte leren lijf. Soms loopt hij langs het plafond en blijft net boven me zitten. Maar nu heb ik het koud, hoewel ik mijn jas nog aanheb, want de vloer en de muren hebben de vochtige kou van vandaag, en van de dagen en nachten hiervoor, opgezogen. Ik moet rusten, vijf minuutjes maar, in het bed boven. Ik loop langzaam de smalle trap op. Het bed staat onder de twee kleine ramen en markeert de rust hier binnen en het gevaar buiten. De glas-in-loodramen beschermmen tegen inkijk. Ik kruip onder het vuile dekbed met het lichtgroene bloemmotief. Het dekbedovertrek is al jaren niet verschoond. Want niemand doet het voor mij. Zo moet het zijn. De geur is veilig. Ik kruip eronder met al mijn kleren aan, maar ik kan deze keer niet lang blijven.

Voordat ik weer naar huis ga, moet ik naar het houten luik in de hoek van de kamer om het met mijn voet extra goed vast te drukken. Daaronder verdwijnen de ondergrondse gangen in alle richtingen. Wanneer ik naar de kamers in de kelder van het Torengebouw ga, laat ik me gewoon door het luik naar beneden zakken en blijf ik op mijn ellebogen steunend hangen totdat ik de kruk onder mijn voeten voel, dan stap ik er voorzichtig van af, zet mijn handen tegen de aarden muur, pak de zaklamp, draai me om en loop recht vooruit. In de donkere tunnel zijn nergens zijwegen. In de kelders loop ik de deur naar de archiefkelder voorbij en open een voor een de andere deuren. En steeds vind ik weer nieuwe dingen om mee te nemen.

Vlak voor de persconferentie van acht uur, kreeg Cato Isaksen een belangrijk telefoontje. Asle had met een buurman aan de Vøyensvingen gesproken, ene Moholt, die vertelde dat John Johnson de avond tevoren rond een uur of tien was thuisgekomen. De buurman had verteld dat hij het grootste deel van de dag van huis was, en dat hij meestal buiten was en door Oslo liep. Soms kwam hij laat thuis.

De persconferentie werd beneden in het atrium gehouden en rechtstreeks op alle nieuwszenders uitgezonden. Cato Isaksen had voor de gelegenheid een lichtblauw politieoverhemd aangetrokken. Hij begon met het opsommen van de feiten, maar wees er al snel op dat hij, om onderzoekstechnische redenen, niet meer kon vertellen dan dat wat hij nu in het kort zou zeggen. De verslaggevers noteerden en toetsten berichten in op hun mobiele telefoons. Fotografen tilden camera's omhoog en fotografeerden erop los. Ze waren natuurlijk op de hoogte van de identiteit van de overledene, het slachtoffer was tenslotte een journalist, een van hen, maar hij drong erop aan de naam van de vrouw niet naar buiten te brengen omdat de familie nog niet was geïnformeerd. Hij gaf een korte en feitelijke opsomming van hetgeen was aangetroffen op de plaats delict en wees de opmerking van een journalist van de hand dat het Halloween was geweest en dat dat misschien een aanwijzing zou kunnen zijn. Maar hij betreurde het onmiddellijk. Het zou belangrijk kunnen zijn om de hongerige journalisten iets te geven. 'Het is natuurlijk niet volledig uitgesloten,' gaf hij toe. 'Maar we hebben geen verdachten. Ook geen indicatie van wat de reden zou kunnen zijn. Maar we doen absoluut alles wat we kunnen om de zaak op te lossen.'

'Hoeveel rechercheurs zitten er op de zaak?' De vraag werd gesteld door een sjofele, bebrilde journalist van een van de dagbladen.

'Momenteel negen,' zei Cato Isaksen. 'Maar er zullen extra mensen en middelen worden ingezet.' Details over de moord en diepgaande vragen over wat de politie van de zaak vond, wees hij resoluut van de hand. 'Geef ons tijd en heb begrip voor het feit dat we op dit moment geen nadere details over de zaak kunnen geven.'

De journalist zette zijn ondervraging voort: 'Onderhield ze gevaarlijke contacten in het criminele milieu? Kunnen er meer vrouwen worden vermoord?'

Hij voelde een steek in zijn maag. 'Voor beide vragen geldt dat daar absoluut geen aanwijzingen voor zijn,' zei hij resoluut.

*

Toen de wolven hun portie hadden gehad, kwamen de rechercheurs in een van de kamers op de afdeling bij elkaar. Cato Isaksen overdacht even het feit dat de moordenaar op dit moment ergens was en zich misschien bezighield met doodgewone dingen, misschien een kind een schone luier gaf, een weg overstak, tv-keek of in een café zat met een biertje voor zijn neus. Hij trok het politieoverhemd uit en deed zijn trui weer aan. 'We zullen vanavond niet veel verder komen, denk ik. We stoppen ermee en komen morgenochtend vroeg terug.' Op het moment dat hij het had gezegd, verscheen Irmelin Quist in de deuropening. 'Aud Johnsen is eigenaar van een huisje op het volkstuinencomplex in Sogn,' zei ze.

Emmy Hammer draaide de deur van de portierswoning van het slot, maar verstijfde zodra ze het tochtportaal binnenstapte. De stilte sloeg haar tegemoet en ze bespeurde vaag een vreemde geur. Ze was even weg geweest en onderweg naar huis had ze boodschappen gedaan. Toen ze de helling afreed naar haar huis, danste een lichte motregen in het schijnsel van de straatlantaarns. De herfstbladeren dwarrelden uit de bomen tegen de voorruit. Het was aardedonker geworden toen ze de motor had uitgeschakeld. Ze zette de boodschappentassen op de vloer en liep langzaam naar de woonkamer. Toen ze wegging had ze het licht aan gelaten. Door de stilte hoorde ze een geluid dat steeds zwakker werd, hoe meer ze ernaar luisterde. Ze richtte haar ogen op een van de kleine schilderijen aan de wand boven de bank. Ze stond een paar seconden stil, voordat ze terugliep naar het tochtportaal en haar witte jas weghing. Vanochtend had ze een schuurspons moeten gebruiken om het vuil van gisteren eraf te boenen. Ze herkende dit gevoel van vroeger, het deed haar denken aan iets uit haar kindertijd. De vage geur die ze had waargenomen bracht iets van herkenning terug in haar geheugen; het kinderjurkje dat ze had gevonden op de zolder naast de torenkamer, achter de kapotte, witte lampen. De jurk was lichtblauw en aan de zoom zaten een paar grasprietjes. Hij was half vergaan van ouderdom en vocht. Toen ze de jurk vond, was ze zelf een klein meisje, en alleen op zolder. De jurk was oud. Misschien wel honderd jaar.

Emmy Hammer wierp een blik op de half openstaande deur van de slaapkamer, maar besloot dat haar fantasie met haar op de loop ging. Ze liep de gang in, nam de boodschappentassen mee naar de keuken en begon alles in de koelkast te pakken. Ze was een keer helemaal alleen naar de torenkamer gegaan. Het was zomer, en ze keek door het torenvenster naar buiten. Ze zag hoe de mussen die op de richel zaten werden omgetoverd tot kwaadaardige vogels met zwarte vlekken. Ze wist nog dat ze bang was. Want haar vader had de vorige dag tijdens het eten iets verteld. Een patiënt had een sluwe truc uitgehaald, hij had handdoeken uit de badkamer in zijn bed gestopt en ze in de vorm van een mens gelegd. Hij was verdwenen. Hij was ontsnapt en een privéwoning in de buurt binnengegaan. Het had niet mogen gebeuren. Er werd over geschreven in de kranten. De patient was gevaarlijk, maar hij was weer opgepakt. Haar vader had hem een dosis paraldehyde gegeven. Emmy Hammer wist niet waarom de herinnering nu bovenkwam, maar haar hart klopte snel. En onregelmatig. Ze sloot zachtjes de deur van de koelkast. Het paniekgevoel werd steeds groter, gejaagd, als de stilstand in de tijd tussen twee hartslagen. Ze bleef even staan, voor ze de gang in liep en de lamp boven de ladekast aandeed. Er zaten bloedvlekken op de rand van het witte kanten kleedje. Ze had ze zelf veroorzaakt, toen het bloed gisteren van haar voorhoofd drupte. Ze moest zich herpakken, zich niet bang laten maken door haar eigen fantasie. Wat Aud haar gisteren had toevertrouwd, was zo boosaardig. Ze had moeten bedenken dat alles al lang geleden was. Niets kon nu nog iets veranderen. Haar ogen stonden vol tranen, niet van verdriet, maar van woede. Ze wás bang. Het gevoel van afstand beschermde haar niet. De tijd ging niet verder, hij kwam. De angst had zich in haar maag vastgezet. Toen ze weer de woonkamer in liep, zag ze het. De twee pennen die ze kruislings over elkaar op de salontafel had gelegd, lagen nu naast elkaar. En de schildersezel met het witte schilderij was een heel klein stukje opzij geschoven.

*

Toen Cato Isaksen en Roger Høibakk bij de volkstuinen in Sogn aankwamen, was het al half tien. De bruine hond zat in de auto en keek hen na. Misschien herkende het dier de omgeving. Een lamp scheen wit licht over de parkeerplaats, de hemel was zwart zonder sterren. Het verkeer op de ringweg was hier goed te horen. De rechercheurs bleven besluiteloos voor het afgesloten hek staan. Het was meer dan drie meter hoog.

'Het lijkt de Berlijnse Muur wel.' Roger Høibakk schudde aan het hek. De huisjes op het terrein waren dicht op elkaar gebouwd. Slechts in twee ervan brandde licht.

Cato Isaksen keek naar de damp van zijn eigen ademhaling. 'Haar vader was de laatste met wie het slachtoffer heeft gebeld,' zei hij. 'We moeten het terrein op.' Terwijl ze zich stonden af te vragen of ze moesten gaan klimmen, deed iemand in een van de huisjes het licht uit. Ze hoorden een deur open- en dichtgaan. 'Hallo,' schreeuwde Cato Isaksen, maar niemand antwoordde.

Het kraakte in het bevroren grind. Op het terrein liep iemand in de richting van het hek. De man droeg een lange jas en liep met gebogen hoofd. Hij bleef staan.

'We zijn op zoek naar ene John Johnsen,' zei Cato Isaksen. 'We zijn van de politie.'

*

Hij stond doodstil te wachten, voelde zich een koning. Een duister, extatisch gevoel nam bezit van zijn lichaam. Haar nachtpon lag netjes opgevouwen op de lichtgrijze zijden sprei op het bed. Verscholen achter de half geopende deur van de slaapkamer zag hij haar door de smalle kier. Hij moest glimlachen om haar gezichtsuitdrukking en haar ongekamde lichtblonde haar. Ze was lief. Haar heldere ogen waren mooi. Ze keek nog een keer naar de pennen en daarna naar de schildersezel. Ze stond doodstil met haar armen recht naar beneden. Statisch, als een standbeeld. Straks zou ze naar de slaapkamer lopen en de deur helemaal openen om te kijken of er iemand was. Precies zoals hij had gehoopt. Hier had hij naar uitgekeken. Ze luisterde, draaide haar hoofd een klein stukje opzij. 'Hallo,' zei ze. Haar stem klonk als de kreet van een meeuw.

*

'Ik ben John Johnson,' zei de man met een zachte, bevende stem. De rechercheurs keken hem aan. De bebrilde man had een smal gezicht met een puntige neus. De bril was met tape aan elkaar geplakt en stond scheef. Zijn dunne haarlijn zat hoog.

'We zijn gekomen om over uw dochter te praten.' Cato Isaksen hoorde hoe hol het klonk. Hij toonde een kleine, vriendelijke glimlach, die paste bij de situatie.

John Johnsen deed het hek van het slot en Roger trok de poort open. Het gaf een jankend geluid.

'Ik was onderweg naar huis,' zei hij.

'Kunnen we teruggaan naar het huisje?' Cato Isaksen keek naar zijn jas. Hij was veel te lang, maar er zaten geen verdachte vlekken op.

Roger Høibakk stak zijn hand uit en probeerde te glimlachen, maar de glimlach werd niet beantwoord.

'Dat is dus wat op het nieuws was.' John Johnsen keek naar hen. 'Ze is dood.' Hij draaide zich om en liep voor hen uit naar het kleine huis.

'Het spijt ons zeer,' zei Cato Isaksen en hij keek naar de smalle rug van de man.

*

Emmy Hammer voelde hoe de paniek haar in zijn greep kreeg. Ze wierp een blik op de ramen. In het huis van haar ouders brandde licht. De kille, ijzige sensatie van gisteren trok als een elektrische schok door haar borst naar haar buik. De vage, vreemde geur was echt. Geritsel van kleding, iemand die zich bewoog, in haar slaapkamer. Er was iemand daar binnen. Ze wist dat ze zo snel mogelijk het huis uit moest, maar haar instinct vertelde haar dat hij daardoor alleen maar sneller zou handelen. Dus draaide ze zich langzaam om, als een kat in een bevroren pose, en liep ze een paar langzame stappen zijwaarts naar het tochtportaal. Vanuit haar ooghoek zag ze de slaapkamerdeur zachtjes dichtglijden, zodat iemand tevoorschijn kon komen. Haar hartslag deed pijn in haar borst. Ze voelde steken in haar hals. Een hand greep om de rand van de deur.

*

Cato Isaksen en Roger Høibakk liepen achter John Johnsen het kleine huis binnen, dat amper twintig vierkante meter groot was. Johnson schopte zijn laarzen uit, maar hield zijn jas aan. Het huisje was eenvoudig en licht ingericht en aan alles was te merken dat het van een vrouw was geweest. In de keuken stonden een bedbank, een tafel, een blauw geschilderde kast en een aanrecht met een wasbak en een tweepitskookplaat. In de vensterbank lagen wat bruine zaaddozen. In de gootsteen lagen slijmerige restanten van bloemen; er kwam een zware, zure geur vanaf. Een mooie boekenkast met gedraaide poten stond tegen de wand ertegenover. Een tweezitsbank met kleurrijke kussens, twee witte stoelen en een ovale eiken tafel vulden de woonkamer. Een ladekast stond op een beetje een vreemde plaats voor de glazen deur naar de veranda. Er lag een stapeltje boeken op; boven op *De Kleine Prins*. Ze namen plaats aan de keukentafel.

*

Haar hersenen namen hem waar zonder dat ze kon bepalen wie hij was. Haar zintuigen werden weer met elkaar verbonden, het was een vertragingsreactie, net als een pauze tussen twee hartslagen.

'Philip!' schreeuwde ze. 'Ben je gek geworden. Wat doe je hier?' Haar zoon kwam door de kamer naar haar toe, sloeg zijn armen om haar heen en omhelsde haar. 'Allemachtig, mam, ik dacht dat je blij zou zijn. Kun je niet tegen een geintje? Je bent toch wel wat gewend. Kom hier.' Hij spande zijn armspieren en tilde haar op.

Haar longen stegen en daalden. Haar hart pompte. Ze duwde zich van hem af. Hard. Hij zette haar weer op de grond.

'Wat is er met je aan de hand?' De jonge man met het blonde haar veranderde en haalde een pakje sigaretten uit zijn zak. 'Oma heeft eten voor je gemaakt,' zei hij. 'Ik kom je halen.'

'Wat doe je hier?' Emmy Hammer staarde naar haar zoon. Hij had een paar nieuwe puistjes om zijn mond. 'Je was toch in Polen?'

'Ik heb herfstvakantie. Ik wilde je verrassen. Ik moet roken.'

'Wanneer ben je aangekomen, en hoe?'

'Ik ben gisteren uit Krakau gekomen, toen jij in de stad was met een vriendin. Ik ben rechtstreeks hiernaartoe gegaan, maar je was niet thuis. Ik wilde je verrassen, dus ben ik naar oma en opa gelopen. Oma vertelde dat je weg was. Ik heb bij hen geslapen en met opa afgesproken dat ik je vanavond een beetje de schrik op het lijf zou jagen.' Hij opende de tuindeur en stak een sigaret op.

'Heb jij gisteravond laat nog aangebeld?'

'Nee, waarom zou ik? Ik heb een sleutel.' Hij nam een paar diepe trekken van zijn sigaret, en knipte hem weg, de duisternis in. 'Ik ben vroeg naar bed gegaan. Ik was moe.'

'Wanneer was je hier?' Ze ging erop door.

'Wat is er met je aan de hand, mam?'

De schrik zat in haar lijf. Over haar wang, vlak langs haar neus, liep een traan.

Philip ging naar de keuken en opende de deur van de koelkast.

Ze liep hem achterna. Nu begreep ze waarom haar vader vanmorgen na het koffiedrinken had geglimlacht toen hij haar een fijne dag wenste.

Philip trok een bekertje yoghurt open. 'Waarom zit er bloed op het kleedje op de ladekast? Wat is er gebeurd?' Hij keek naar haar voorhoofd.

'Niets,' zei ze en ze dwong zichzelf te glimlachen. 'Ik ben tegen een tak aan gelopen.' Ze was zo trots op hem en alles wat hij voor elkaar kreeg. Ze zweeg. Dacht aan het patroon, waar niets van klopte. 'Weet je zeker dat je niet gewoon arts wilt worden?' vroeg ze. 'Psychiatrie is zo heftig. Als ik aan mijn vader denk.'

'Mijn hemel! Wat is er met jou?' Hij trok een lade open en pakte een theelepel. Emmy Hammer dacht aan de tijd dat haar vader nog in Gaustad werkte. Hij had het zo vaak beschreven, alles: het geschreeuw, het gevloek, het bonken op de deuren, de mannen die gevaarlijk waren. Het werk had haar vader bijna zijn gezondheid gekost. En nu wilde Philip zich blootstellen aan hetzelfde.

Hij keek haar aan. 'Het is nu anders, mam. Er zijn nog maar weinig van dat soort afdelingen. Wat is er eigenlijk met je aan de hand?'

'Gisteren werd er 's avonds laat nog aangebeld. Herinner je je die vriendinnetjes nog, over wie ik je heb verteld, van toen ik klein was? Ik heb ze leren kennen in het psychiatrisch ziekenhuis, toen je opa daar chef-arts was. Hun vaders waren psychiatrische patiënten. Een van hen heb ik gisteren ontmoet. Vertel het maar niet aan mama en papa.'

'Wie belde er aan?'

'Ik heb de deur niet opengedaan. Ik verbeeldde me dat de dingen met elkaar te maken hebben.'

Hij at snel. 'Wat bedoel je?'

'Ik weet het niet, Philip. Maar de patiënten van vader zijn niet langer opgenomen in het ziekenhuis. Ik voel me erg moe. Ik wil er niet meer over praten. Hoe gaat het met jou?'

'Hard studeren. En weinig geld,' voegde hij eraan toe. Het onderwerp lag gevoelig. Diep vanbinnen voelde ze een lichte irritatie, hij gebruikte haar en zijn grootouders, maar toen glimlachte ze.

'Kan ik straks je auto lenen?' Hij gooide het yoghurtbekertje in de vuilnisemmer in het aanrechtkastje en legde het lepeltje in de gootsteen.

'Laat de auto staan,' zei ze. 'Hij heeft zomerbanden.'

'Je rijdt er zelf ook in,' zei hij.

John Johnsen besloot om over engelen te praten. Om het beeld van zichzelf en wie hij was in stand te houden. Ze waren natuurlijk op de hoogte van zijn diagnose, maar eigenlijk was het een code. Hij hoefde zichzelf niet meester te worden om rustig over te komen. Hij was gespecialiseerd in het verbergen van emoties, die trouwens onder invloed van de medicijnen waren verdwenen. Hij was lusteloos geworden. Maar nu zou hij een paar dagen geen pillen slikken, tot de wraak was volbracht. Ze moesten zijn plan niet doorzien. Hij moest nu de goede antwoorden geven.

De politieman met de naam Cato Isaksen nam hem op. 'Uw dochter belde gisteravond om twee minuten over acht. Het was haar laatste telefoontje. Wat wilde ze?'

'Ze wilde niets.' Hij gaf hem de telefoon en legde zijn magere, gebalde vuist op het tafelblad. De bloedvaten waren blauwe strepen over het gebeente in zijn hand. Misschien wilde de politie hem in een soort val lokken. Straks zou hij naar bed gaan, hij zou op de kleine bank gaan liggen, hij bleef hier in het huisje, hij zou zijn knieën optrekken en de bruine deken over zijn rug trekken. Misschien stonden ze buiten te wachten om hem te achtervolgen. Ze begrepen niet dat de duivel vermomd was als engel.

*

Na bijna dertig jaar bij de politie was Cato Isaksen getraind in het luisteren naar 'de andere stem', naar dat wat achter de woorden schuilging. Ervaring had hem geleerd om gezichten te interpreteren. Maar Johnsen paste niet in het patroon. Hij had zojuist een waakzame indruk gemaakt, maar nu was dat helemaal weg. Alsof hij opgelucht was dat hij was gevonden, dacht Cato Isaksen en hij wisselde een blik met Roger Høibakk. Toch was dat niet het geval. 'Die vrouw in dat andere huisje kan mij een alibi geven,' zei hij monotoon.

'We gaan straks even bij haar langs.' Cato Isaksen stopte Johnsens mobiel in zijn zak. 'U bent weduwnaar. Had u een hechte relatie met uw dochter?'

'Nee,' zei hij. 'Ik ben nog nooit in haar appartement in de Sandakerveien geweest.'

'Hoelang woonde ze daar al?'

'Een paar jaar.'

'Had ze vrienden? Een geliefde of een speciale vriend?'

'Ik geloof het niet. Ik weet het niet.'

'Vijanden dan? Kunt u iemand bedenken die een motief zou kunnen hebben? Weet u wat ze gisteren heeft gedaan?'

'Nee.' Hij schudde zijn hoofd. 'Het is onmogelijk de dood logisch te verklaren. Waar de doden zich bevinden, of de ongeboren kinderen. Waar je bent voordat je een fysieke gedaante wordt. Voor mij leeft Aud nog. Ze was een goede dochter.'

'Gecondoleerd,' zei Cato Isaksen. 'We weten dat u patiënt bent geweest in Gaustad. Uw dochter stond op het punt een artikel te schrijven. Zegt de naam Maike u iets?'

De bleke man schudde zijn hoofd. 'Ik kan me dingen niet zo goed herinneren,' loog hij. 'Niet uit de tijd dat ik was opgenomen. Ik weet niets over vriendinnen.'

'Wat doet u overdag?'

'Ik verzamel reclame uit brievenbussen en breng het terug naar de verschillende postkantoren. Veel mensen ergeren zich aan reclame. En ik leen boeken uit de bibliotheek en lees. En ik werk hier een beetje in de tuin. En ik wandel, om in conditie te blijven.'

'Waar was u gisteravond?'

'Hier. Daarna ben ik naar huis gegaan. Thuis in het trappenhuis trof ik Moholt.'

'Was u hier alleen?' Roger Høibakk stopte een stukje kauwgom in zijn mond. 'Hoe laat bent u hier vertrokken?'

'Als u op zoek bent naar mijn alibi, dan moet u de buurvrouw vragen, daar waar het licht brandt. Ik ben tot half tien hier geweest. Toen ben ik naar huis gegaan, aan de Vøyensvingen, en ik ben gaan slapen. Het is vijfenveertig minuten lopen. In het trappenhuis kwam ik de buurman tegen. Ik was goed tien uur thuis.'

Cato Isaksen en Roger Høibakk wisselden een blik. Wat hij vertelde leek ingestudeerd, maar klopte met wat de buurman had gezegd. Maar hij kon ook zijn dochter hebben vermoord.

Cato Isaksen vroeg verder: 'Wanneer hebt u uw dochter voor het laatst gezien?'

'Misschien een maand geleden,' loog hij en hij kneep zijn mond dicht. Hij kon het zich niet precies herinneren. Hij dacht aan het dagboek dat onder de vloerplank lag. Hij moest oppassen dat hij niet ging zitten staren naar de ladekast. Nu hoefde hij niet meer bang te zijn, want Aud kon niet nog een keer sterven, nu ze niet meer leefde. Hij wist waarom het was gebeurd, hoewel de chaos in zijn hoofd groter werd en hij zich niet kon herinneren, of gewoon niet wist, welke dominosteen het allerergste in gang had gezet.

'Ze had vandaag een afspraak met een predikant,' zei Roger Høibakk. 'Was ze gelovig?'

'Nee. Sommigen geloven dat engelen kerstversiering zijn.' Zijn stem klonk boos.

Roger Høibakk wisselde een blik met zijn chef. 'Rookt u?'

'Nee.' John Johnson sloeg zijn magere handen in elkaar. 'Sommigen geloven dat engelen onschuldig zijn. In de Bijbel zijn engelen de boodschappers van God en hebben ze een onmetelijke macht. De engel is een duivel.'

Cato Isaksen knikte. 'Onmetelijke macht,' herhaalde hij. 'Kunt u zich vinden in de diagnose die u jaren geleden hebt gekregen?'

'Er is niets met mij aan de hand.'

Cato Isaksen stond op. Roger Høibakk deed hetzelfde. John Johnsen bleef zitten.

'We moeten u nog officieel verhoren.' Cato Isaksen verplaatste zijn blik van het kleurloze gezicht naar zijn collega. 'We willen graag dat u zo snel mogelijk voor een gesprek op het politiebureau komt. Morgen?'

'Morgen is het zaterdag,' zei Johnsen.

'Hier is mijn kaartje. Wilt u vanavond hulp hebben? Hoe voelt u zich?'

'Ik wil geen hulp,' zei hij stijf en hij stond langzaam op.

'Wij bellen u nog om een tijd af te spreken. De hond van uw dochter zit bij ons in de auto. We hopen dat u hem wilt hebben. En we willen graag uw laarzen meenemen.'

*

'Een religieuze gek,' zei Cato Isaksen toen ze weer in de auto zaten. De zwaarlijvige vrouw in het aangrenzende huis had bevestigd dat Johnson om een uur of half tien was vertrokken. Maar hij woonde aan de Vøyensvingen, en dat was maar een paar honderd meter van het appartement van zijn dochter.

Dus moesten ze afwachten wat professor Wangen de volgende dag over het tijdstip van de moord vertellen kon. En wat de technische recherche over de schoenen ontdekte.

'John Johnsen nam het bericht over de dood van zijn dochter zeer rustig en onderkoeld op,' zei Roger en hij reed over de rotonde en daarna de ringweg op. 'Hij was niet verbaasd. Dat is interessant.'

'Of is het gewoon omdat hij niet over de meest elementaire sociale vaardigheden beschikt?' vroeg Cato Isaksen.

'Dat had Randi ook van zijn behandelend arts gehoord. Maar we zijn de hond in elk geval kwijt. Ik hoop dat hij beseft dat hij het beest ook te eten moet geven.'

'Hij was vooral bezorgd dat we zijn laarzen meenamen. Goed dat hij daar nog een paar schoenen had.'

'Het zou hem nooit lukken om een vrouw van zevenendertig te vermoorden. En zijn alibi wordt kennelijk door anderen bevestigd.'

'John Johnsen is net zo gevaarlijk als een schildpad, als je het mij vraagt,' antwoordde Roger toen het hek openging en ze de parkeergarage onder het politiebureau binnenreden. 'Het is al nacht. Ik kan niet meer helder denken.'

Op zaterdag 2 november waren alle rechercheurs al vroeg op het werk. Er hing een hectische sfeer met een hoog adrenalinegehalte op de vierde verdieping, waar de afdeling Geweldsdelicten was ondergebracht. Om negen uur zou het team bij elkaar komen om de laatste informatie uit te wisselen. Ze wachtten op het voorlopig sectierapport. Irmelin Quist was om een uur of acht gearriveerd, hoewel ze in het weekend eigenlijk vrij was. Alle kranten hadden de Halloweenmoord groot op de voorpagina staan. Natuurlijk hadden ze voor die benaming gekozen. De zaak vulde de ene na de andere kolom. Ook op internet en op alle televisiezenders en radiokanalen was de moord het gesprek van de dag. Een foto van de ingang van de sportschool met de beide pompoenlantaarns zonder lampje erin sierde de voorpagina van de VG. Het bleek dat de sportschool opnames had van de bewakingscamera bij de ingang. Alle materiaal was inmiddels overgedragen aan de technische recherche en de rechercheurs wachtten op de resultaten zodat de foto's konden worden afgedrukt. John Johnsens laarzen waren in een speciale zak voor in beslag genomen goederen afgeleverd bij de landelijke recherche in Bryn.

Cato Isaksen had ook afgelopen nacht nauwelijks geslapen. Op zijn iPhone zocht hij informatie over psychiatrische ziekenhuizen. *In de jaren veertig, vijftig en zestig kampten psychiatrische ziekenhuizen met een aanzienlijke overbezetting. De levensstandaard in de vervallen gebouwen was ver beneden de maat en te veel patiënten woonden samen in één ruimte. Van een goede behandelmethode was geen sprake. De krankzinnigengestichten, zoals ze toen werden genoemd, waren eerder een bewaarplek dan een plek voor behandeling. Vooral vrouwen waren vroeger erg kwetsbaar. Als een vrouw ook maar enigszins manziek leek te zijn, kon een vader of echtgenoot haar in het gesticht laten opnemen.*

Het was kwart voor negen toen afdelingschef Ingeborg Myklebust Cato Isaksen vroeg om mee te lopen naar haar kantoor. Ze ging hem met over elkaar geslagen armen voor de gang door. Hij keek naar haar rode haar en had een slecht voorgevoel over wat hem te wachten stond. Ingeborg Myklebust ging zitten. Hij bleef staan.

'We halen Marian Dahle tijdelijk terug,' zei ze. 'Ik heb al goedkeuring van de korpschef.'

'We?' vroeg Cato Isaksen. 'Onrust is wel het laatste waaraan we op dit moment behoefte hebben.'

'Erik Haade is van de zaak op de hoogte. Ik heb het met hem kortgesloten. Ga naar boven en praat met haar, Cato. Neem haar mee naar de bespreking.'

Cato Isaksen schudde zijn hoofd. 'Die is al over tien minuten.' Hij voelde zijn bloeddruk stijgen. 'We moeten rust hebben bij het werk. Geef me iemand anders.'

'Geef me iemand anders? Ze is de beste die je nu kunt krijgen, Cato, ze weet hoe ze een onderzoek aan moet pakken. Aud Johnsen heeft al de aandacht van de B-52-groep vanwege een aantal politieke artikelen die ze heeft geschreven. Ze hebben niets verdachts gevonden, maar ze heeft boven wel de aandacht getrokken, dus doen we nu een cross-over. Haal Marian Dahle!' zei Ingeborg Myklebust.

Haar gezichtsuitdrukking werkte aanstekelijk en Cato Isaksen bootste min of meer bewust haar zure trekken na, draaide zich om en beende de kamer uit. Verbeten liep hij door de gang naar zijn eigen kantoor. Hij zette het raam wijd open; het geluid van de stad dreunde het kantoor binnen.

*

Marian Dahle zat in haar kleine, rommelige kamer op de vijfde verdieping en bladerde door een paar artikelen die Aud Johnsen had geschreven. Ze had een kort gesprek gehad met korpschef Erik Haade, dus ze was voorbereid. Cato kon elk moment komen. Haar hart ging als een razende tekeer. Ze stond op, pakte vier vuile koffiemokken die zich op haar bureau hadden opgehoopt en zette ze achter de deur op de grond. Toen haalde ze de oude kranten die op de vloer onder het bureau lagen weg. Als het ging om een moord op een journalist werd er automatisch versterking gevraagd van andere afdelingen, en de B-52-groep was speciaal geïnteresseerd in de mediawereld. 'Tijdelijk uitgeleend,' had Erik het genoemd. Toen strekte hij zijn grote hand uit en legde die op haar schouder. Ze hield er niet van.

Ze had de dossiers gekopieerd. Ze ging weer zitten en keek vlug de twee artikelen door die Aud Johnsen had geschreven over jonge jihadisten die naar Syrië waren vertrokken om daar te strijden. Het was een nieuw fenomeen. Radicalisering, ongetwijfeld gestimuleerd in moskeeën, was het probleem van de toekomst. De B-52-groep zou de volgende dag een gesprek hebben met de Veiligheidsdienst. Daar kon ze nu dus niet bij zijn. Marian was verantwoordelijk voor een nieuw decoderingsprogramma dat interne datacommunicatie zichtbaar zou maken, vergelijkbaar met afgeschermde Facebook-accounts. Ze wist nu al zeker dat dit waarschijnlijk niets te maken had met de moord op Aud Johnsen.

Cato Isaksen stond ineens in de deuropening. Ze keek op en draaide haar stoel naar hem toe. Dwars door de kamer kon ze zijn woede voelen. Ze had gisteren aan het eind van de middag de dossiers weer teruggebracht naar het Rijksarchief. 'Ik heb ze teruggebracht,' flapte ze eruit.

'Je hebt wat?'

'Niets.' Ze friemelde wat aan het zilveren hartje dat ze om haar hals droeg. 'Sorry, ik zit midden in een zaak over gegevens op internet die beveiligd hadden moeten zijn en alleen toegankelijk voor justitie,' loog ze en ze schoof de papieren onder een paar andere documenten. 'Alles komt tegelijk hier. Hoe gaat het?'

Hij gaf geen antwoord, keek uit het raam achter haar. 'Waar is je hond?'

'Birka zit beneden in de auto.'

Hij richtte zijn ogen opnieuw op haar. 'Ik heb begrepen dat jullie onderzoek hebben gedaan in de zaak Aud Johnsen. Weet jij iets wat wij niet weten?'

Ze schudde automatisch haar hoofd. Het oude gevoel was terug. Ze hoefde niet beter te zijn dan hij. Het was een vorm van camouflage, om haar eigen kwetsbare kant te beschermen. 'Onze groep doet automatisch onderzoek wanneer er een journalist wordt vermoord. Vooral omdat ze artikelen heeft geschreven die direct te maken hebben met het werk dat wij doen, maar we hebben niets gevonden,' loog ze. 'Hoewel dat nog kan veranderen.'

'Jij kunt en weet altijd alles, je zou aan een quizprogramma mee moeten doen.'

Marian glimlachte. 'Ik had alles gewonnen.'

'Niet als er vragen over mannen worden gesteld.'

'Nee, maar wel als het over honden zou gaan. Je weet wel, van die beesten met vier poten en een vacht.'

Hij glimlachte. Hij voelde zich vanbinnen warm worden. 'Myklebust staat erop jou te betrekken bij het onderzoek door Geweldsdelicten. Ze heeft met de korpschef gesproken.'

'*I know.* Maar ik ben geen apparaat dat dan weer hier en dan weer daar kan worden ingezet.'

'Ja, toch wel. Kom naar beneden, naar de vierde. De bespreking is voor jou al een kwartier uitgesteld.' Hij probeerde zijn gezicht in de plooi te houden, maar dat lukte niet. Hij barstte in lachen uit.

Ze merkte de verandering, voelde een opluchting, die overging in een emotioneel neutrale staat. 'Dan ben ik er klaar voor,' zei ze. 'Je ziet er moe uit, Cato.'

'Ik ben moe.' Hij lachte niet meer. 'Ik woon niet meer thuis, bij Bente.'

'Ik weet het,' ontsnapte haar. Cato mocht niets weten over Erik. 'Ik moet alleen nog een paar e-mails beantwoorden, dan kom ik.'

'De vergadering begint zo. We wachten op je.' Hij draaide zich om en liep weg.

*

Er zaten negen mensen in vergaderruimte B3, maar Marian was niet gekomen. Hij voelde de irritatie prikken tot in zijn vingertoppen. Stoelpoten schraapten over de vloer toen iedereen ging zitten.

'We geven vanmiddag om één uur een persconferentie. Dan maken we ook de naam bekend.' Cato Isaksen schreef GAUSTAD bovenaan op het whiteboard. Met twee dikke strepen eronder. 'Aud Johnsens laptop stond opengeslagen op de salontafel. Ze had gegoogeld op "dissociatieve amnesie",' begon hij zijn verhaal. 'Geheugenverlies na heftige problemen en stress. Als kind. Dat zat ze te lezen toen ze werd vermoord. De moordenaar heeft niets meegenomen, geen zilveren bestek, geen sieraden, geen computerapparatuur. Alleen haar mobiel, zoals het nu lijkt.'

'Richten we ons in eerste instantie op de jeugdjaren van het slachtoffer?' Roger Høibakk nam een slok uit een flesje water.

De boxer Birka kwam kwispelend en proestend de kamer binnen. Vlak achter haar liep Marian Dahle. Ze knikte naar iedereen, pakte een stoel en ging zitten.

De hond liep rond en begroette iedereen. Cato Isaksen voelde de woede weer door zijn lijf stromen. Dit deed ze alleen om hem te ergeren. Iedereen glimlachte. Marian commandeerde de hond onder de tafel, en Cato Isaksen liep naar het raam. 'Marian Dahle zal ons in deze zaak helpen,' zei hij stijf. 'Als we niet snel vooruitgang boeken, komen er meer rechercheurs,' voegde hij eraan toe. 'Deze moord ziet eruit als een zuivere terechtstelling. Niets wijst op een ruzie of vechtpartij. We hebben enkel een dode vrouw. Randi, jij gaat verder met het verzamelen van informatie over haar privéleven. Hebben Irmelin en jij al meer ontdekt over die predikant met wie het slachtoffer een afspraak had?'

'Nee,' zei Randi Johansen. 'We hebben nog geen enkele predikant met haar in verband kunnen brengen. En ze lijkt ook geen minnaar of partner te hebben. Ik zoek verder.'

'Asle, jij gaat verder met iedereen die al in ons systeem staat.'

Hij knikte.

Technisch rechercheur Ellen Grue kwam de kamer binnen met in haar ene hand een draagtas en een vel papier in de andere. De hond kwam weer tevoorschijn en begon een nieuw begroetingsrondje. Iedereen keek vol spanning naar de technisch rechercheur, die de draagtas op de vloer zette. 'Ik heb hier het voorlopig sectierapport van professor Wangen,' zei ze. 'Het staat waarschijnlijk ook al op je Mac, Cato, maar ik heb een kopie meegenomen. Wangen gaat ervan uit dat de moord tussen negen en tien uur 's avonds is gepleegd. Het lijkt erop dat iemand haar in een wurggreep heeft genomen voordat haar keel werd doorgesneden. De halsslagaders worden dan dichtgedrukt en dat kan leiden tot een snelle dood,' zei Ellen Grue. 'In dit geval is de wurggreep gebruikt om het slachtoffer onschadelijk te maken voordat de keel werd doorgesneden.' Ze boog over de tafel naar voren. 'Professor Wangen benadrukt dat er geen gebruik is gemaakt van een gewoon mes. De incisie is te breed.'

Marian hoorde in haar hoofd de stem van haar zelfverdedigingsinstructeur. *Wees tijdens arrestaties voorzichtig met de wurggreep. Als je je arm strak om een hals klemt, worden de slagaders aan beide kanten van de hals dichtgedrukt en krijgen de hersenen te weinig zuurstof. De persoon kan binnen vijfentwintig seconden sterven.*

Ellen Grue ging verder: 'Buiten het appartement van Aud Johnsen hebben we voetsporen aangetroffen, ongeveer maat vijfenveertig. Waarschijnlijk niet van een gewone schoen of laars, maar van schoeisel met een uitermate gladde zool.'

'Wat wil dat zeggen?' Cato Isaksen kneep zijn ogen tot smalle spleetjes.

'Tja, zeg het maar. Het zou bijvoorbeeld kunnen dat er plastic hoezen overheen waren getrokken. Of het kunnen oude, versleten schoenen zijn, of rubberlaarzen. Waarschijnlijk dat laatste. De afdruk van John Johnsens laarzen komt niet overeen. Ik heb ze hier bij me.' Ze knikte naar de draagtas op de vloer. 'Ze mogen terug.'

'Het tijdstip van de moord wijst in de richting van Johnsen,' zei Roger Høibakk. 'De buurman vertelde dat hij om tien uur thuiskwam.'

Cato Isaksen keek hem aan. 'Zijn dochter heeft hem 's avonds om acht uur nog gebeld. Heb je verder nog iets gevonden op zijn mobiel, Roger?'

'Niets bijzonders, nee. Hij heeft naar een bibliotheek gebeld. En naar een reclamebureau. Ik heb met ze gesproken. Hij belde om ergens over te klagen.'

'Oké. We moeten zijn flat controleren. Nu meteen. En we moeten zoeken naar kleding. Wat hij gisteren aanhad, was smetteloos schoon. Hij heeft vast ook een kelderbox. We moeten zijn vingerafdrukken nemen. Roger, zorg jij ervoor dat hij hier komt. Marian en Ellen, neem wat mensen mee en controleer zijn huis.'

Ellen Grue ging nog even door. 'De meeste vingerafdrukken in het appartement zijn van het slachtoffer zelf. Maar de sigarettenpeuken die we hebben gevonden zijn niet van haar. We checken nu het DNA in de database, het ziet ernaar uit dat we te maken hebben met een dader die kennis van zaken heeft.'

Cato Isaksen legde het papier met de notitie over Maike midden op tafel. 'Dit komt van de redactie van de *Osloavisen*,' zei hij. 'Het is ons nog niet gelukt om meer over die naam te vinden.'

Marian voelde haar bloeddruk stijgen. Maike was het twaalfjarige meisje dat in 1988 in Gaustad was gestorven.

Marian stond op. 'Ik ben zo terug,' zei ze en ze liep de kamer uit met Birka op haar hielen. Ze moest door de zure appel heen bijten, naar de overkant van de gang lopen en vragen of Irmelin het dossier wilde halen.

Irmelin Quists gezicht verstrakte op het moment dat ze Marian en de hond zag, maar ze wist zich te vermannen en forceerde een glimlach.

'Hoewel het zaterdag is, moet je contact opnemen met degene die verantwoordelijk is voor het Rijksarchief, om meer informatie op te halen,' zei Marian. 'Ze gaan speciaal open.'

'Ik ben er gisteren geweest. Ik denk niet dat er nog meer van belang is.'

'Jawel. En er is haast bij. Je moet dossier 1028/65 halen, zo snel mogelijk.'

'Als je erop staat,' zei Irmelin Quist stijf.

'Inderdaad.' Marian glimlachte ontwapenend.

'Fijn dat je terug bent.'

Marian knikte. 'Het is maar voor een paar dagen.' Op dat moment ging haar mobiel. Het was Erik Haade. Marian nam niet op. Ze was nu hier. Ze liep terug naar de vergaderkamer, net op tijd om te zien dat Asle Tengs een laptop op tafel zette. 'Ik heb hier iets,' zei hij. Het zonlicht viel op het scherm en het beeld was moeilijk te zien. Roger liep naar het raam en trok het gordijn met een ruk dicht. 'Hier zien jullie de bewakingsbeelden van de sportschool. Er lopen continu mensen voorbij, maar omdat professor Wangen van mening is dat de moord voor tien uur is gepleegd, heb ik uit de twee uren die daaraan voorafgaan een paar opnames genomen. Hier rijdt een lichtgekleurde auto voorbij, een Volvo 240, het kenteken is niet duidelijk te zien, maar direct daarna komt een oudere man langslopen. Misschien is hij met die auto gekomen. Hij draagt een soort regenjas. Het is niet heel goed te zien. Dit is om 21.49 uur. Daarvoor is het een voortdurend komen en gaan van mensen. Een John Johnsen-look-alike hebben we niet kunnen vinden. We zullen wat verder terug in de tijd gaan om te zien of we Aud Johnsen in het oog krijgen. Daar wordt aan gewerkt. Het is Halloween. Hier komt een groepje verklede jongeren voorbij, maar hier, om 21.35 uur, zien we een figuur helemaal aan de rand van het beeld. We hebben geen ijkpunt, dus puur optisch is het onmogelijk om te zeggen hoe lang of groot de persoon is. Als ik echter inzoom, is duidelijk te zien dat de figuur een soort masker draagt. Een duivelsmasker. Rood en zwart.'

Vanja stond aan de andere kant van het ziekenhuisterrein, bij het laatste stenen gebouw, aan de rand van het gazon, waar het bos begon. Hij was veel te dun gekleed, hij droeg alleen een anorak, een versleten spijkerbroek en vieze sportschoenen. De magere man kwam naar hem toe. Hij droeg dezelfde jas, maar had schoenen in plaats van laarzen aan zijn voeten.

*

John Johnsen keek naar Vanja. Hij zei niets, het viel hem op dat de Oost-Europeaan korte, stevige benen had. Ze liepen de brug over, over de winterse beek, waar een paar tere zonnestralen dansten over de stenen. De stralen waren gedoopt in duisternis. Ze kwamen uit op het brede pad en liepen dieper het bos in. Tussen de bomen dook de achterwand van een van de tbc-huisjes op. 'Het tbc-huisje,' zei hij en hij knikte. Vanja knikte terug. Hij begreep waarschijnlijk niet dat het een codewoord was. Nog niet. Het was zaterdag, en mensen gingen wandelen. Op hetzelfde moment hoorden ze een zachte fluittoon. Het was een man met een jachthond. De rode setter bleef even staan snuiven, zigzagde een paar keer over het pad en liep toen verder. De eigenaar, die zijn gebreide muts tot diep over zijn voorhoofd had getrokken, liep door met de hondenriem in zijn hand en verdween uit het zicht. John Johnsen keek rond om te zien of er bewakingscamera's in de bomen hingen, maar zag niets. De naaldbomen stonden dicht op elkaar, maar hoe verder ze liepen, hoe meer loofbomen ze zagen. Smalle bundels winterzon vielen op de bodem van het bos en de zwarte boomstammen scheidden een doordringende geur af. De bladeren waren gevallen en lagen geel, rood en bruin op de grond, maar enkele bomen hadden nog een spaarzame groene kroon.

Ze liepen langs een paar mooie huizen met diepe tuinen. John Johnsen dacht aan de hond van zijn dochter. Hij was in het huisje op de volkstuin. Hij had hem op een bord een paar stukken brood gegeven. De vrouw met de haviksneus was net bij hem geweest. Hij had ertegen opgezien om haar te ontmoeten, maar wist dat het onvermijdelijk was. Ze stond net over de drempel. Verder kwam ze niet. Een moment voelde hij een soort verwantschap met haar, ze was ook alleen. In een klein huisje op de volkstuin. Haar winterjas rook fris, alsof de koude lucht was vastgevroren in de naden. Ze zei dat de politie met haar had gepraat, en dat ze een goed woordje voor hem had gedaan. Ze vroeg of hij later bij haar kwam eten – alsof dat de beloning was – maar hij zei nee.

Na tien minuten kwamen ze bij de tuin met de witte huizen. 'Hier is het,' zei hij, en de Litouwer moest hem wel even aankijken.

*

Vanja stak zijn koude handen in zijn zakken. De tuin was mooi, met een groot grasveld, bomen, groenblijvende sierheesters en een paar rozenbottelstruiken met zwarte, rotte vruchten. Er was ook een kleine vijver en een soort fontein, of een vogelbad. Het water had moeten worden weggepompt voordat het begon te vriezen. Het was grauw van kleur en lag vol slijmerige bladeren.

*

Twee vrouwen jogden langs hen heen. Johnson was op zijn hoede. Hij realiseerde zich dat ze een opvallend stel waren. Een oudere man in een lange jas en een vijfenveertigjarige roodharige Oost-Europeaan, een frequent bezoeker van sportscholen in zijn vaderland en in de volksbuurten van Oslo. Daar had hij in elk geval over lopen opscheppen, misschien om hem ervan te overtuigen dat hij fysiek en mentaal de kracht had om te doden. De voorbereidingen waren nog niet rond. Vanja had geen wapen, maar John Johnsen zag voor zich dat de moord over twee of drie dagen zou plaatsvinden. Vanochtend was hij aan de Vøyensvingen in de kelder geweest en had hij de rest van het geld gehaald. Nu was de ouderwetse blikken trommel met het rozenmotief leeg. 'Je moet snel een wapen zien te krijgen. Ik moet thuis zijn als het gebeurt, dan heb ik een alibi. Het geld krijg je als de opdracht is uitgevoerd. Ik denk erover na hóé je het geld in handen zult krijgen. Over een paar dagen,' zei John Johnsen. Je bent een onderkruipsel, dacht hij. Je moet een onderkruipsel uitroeien. Je hoeft het niet zo serieus te nemen. Hij had plotseling het gevoel dat hij zich in een grote volière bevond waarvan een aantal tralies waren weggehaald.

*

Na de vergadering stonden ze op de gang nog wat te praten. Cato Isaksen keek Marian aan en zei: 'Vroeger kreeg je me altijd zover dat ik reageerde als je je hond meenam naar vergaderingen. Maar het gaat zo niet langer. En nu snel naar de Vøyensvingen.'

'Oké,' zei ze verrast. 'Betekent dat dat Birka hier mag zijn?'

'Liever niet.'

'Ik laat haar even uit en breng haar naar de auto.'

'Je kunt bij Randi gaan zitten,' riep hij haar na. 'Jullie hebben al eerder een kantoor gedeeld.'

Marian ging met Birka de lift in. Ze kon alleen maar denken aan dossier 1028/65, waarin het verhaal stond over Werner Haggs dochter, het dode meisje. Werner Hagg had op dezelfde afdeling gezeten als John Johnsen. Het meisje was in 1988 van een huishoudtrap gevallen in de archiefkelder van psychiatrisch ziekenhuis Gaustad. Aud Johnsen stond op een lijst voor zogeheten Kinderdagen voor familieleden.

*

Roger kwam zijn kantoor binnen met twee prints van de bewakingscamera, een van het duivelsmasker en een van de Volvo. Cato Isaksen bevestigde ze aan de wand achter zijn bureau. 'Maar vergeet niet dat het Halloween was,' benadrukte hij, 'dus we moeten niet al te veel waarde hechten aan het masker.'

'Dus mevrouw Azijnpisser is ook weer terug,' zei Roger en hij kauwde intens op een stukje kauwgom. 'Nog steeds geen kat om zonder handschoenen aan te pakken.'

Cato Isaksen haalde diep adem. 'Hou op, Roger,' hoorde hij zichzelf zeggen. Het was de eerste keer dat het hem tegenstond om te luisteren naar gezeur over Marian. Het had iets te maken met de manier waarop ze nu was. Gehoorzamer.

'Ik heb nieuws, Cato,' ging Roger verder en hij zwaaide met een vel papier. 'Informatie over de telefoon.' Roger las hardop: 'Volgens de provider is de mobiel van Aud Johnsen niet meer actief geweest sinds 31 oktober, om 21.06 uur. De telefoon bevond zich op dat moment in de omgeving van de Sandakerveien, dus het is waarschijnlijk dat de moordenaar de mobiel heeft meegenomen. De laatste die door Aud Johnsen is gebeld, is haar vader, John Johnson, om 20.02 uur. Daarvoor belde ze ene Berit Adamsen, om 19.52 uur. Dat nummer heeft ze drie keer geprobeerd. Er zijn een paar sms'jes binnengekomen, ook gisteren overdag, maar het is niet te traceren van wie die afkomstig zijn. Een paar dagen daarvoor heeft ze gebeld met ene Ole Porat, maar haar oproep werd niet beantwoord. Ik heb in het bevolkingsregister gekeken. Berit Adamsen heeft sinds 1989 een arbeidsongeschiktheidsuitkering, maar ze is gediplomeerd verpleegkundige. Ze is alleenstaand en heeft geen kinderen. Ze woont in Majorstua, aan de Kirkeveien 71. Als we een paar dagen verder terug gaan, zien we dat het slachtoffer ook ene Norma Winther heeft gebeld. Ze is predikant. In de kerk van Fagerborg.'

De toren van de kerk van Fagerborg wees als een machtige, gifgroene speer naar de hemel. Het was al bijna half twaalf toen Cato Isaksen de auto op de lege parkeerplaats neerzette. De kerk stond midden in de stad, erachter lag het Stenspark. Hij opende de kerkdeur en ging naar binnen. Het verbaasde hem dat de deur open was. De kerk was leeg. Hij liep door het middenpad naar het altaar. Er brandde een eenzame kaars. Op de wand achter het altaar waren fresco's van de discipelen aangebracht. De glas-in-loodramen hadden heldere kleuren. De Heiland droeg een rood kleed. Op het altaardoek was met sierlijke letters geborduurd: *Hij bracht de storm tot zwijgen, de golven gingen liggen. Het verheugde hen dat de zee tot rust kwam, hij bracht hen naar een veilige haven.*

In de doopvont zat water. Hij keek om zich heen; om hier zomaar te staan voelde bijna als iets ongeoorloofds. Hij hoorde een geluid en draaide zich om. Een vrouw, zonder make-up, halverwege de twintig, stond achter hem. Ze had kort blond haar en was gekleed in een spijkerbroek, die extra de nadruk legde op haar stevige benen. Ze glimlachte. 'Ik ben Lilly Hausmann. De nieuwe catecheet. Wanneer u liever even alleen wilt zijn, is dat geen enkel probleem.'

Met een ontwapenende glimlach stak hij zijn handen in zijn zakken. 'Ik ben van de politie. Ik heb een paar vragen. Ik zou graag met Norma Winther willen praten. Is ze vandaag hier?'

'Ja, ze bereidt de zondagspreek voor. Loop maar door naar haar kantoor, achter de deur van de sacristie naar rechts.'

*

Ze keek op met haar hoofd een beetje scheef. De politieman kwam het kantoor binnen. Het donkere zonlicht, het laatste voordat de zon achter een grote eik zou verdwijnen, drong de hoek van de kamer binnen en kleurde een vierkant op de wand. Norma Winther keek

naar de legitimatie om zijn nek en stond op. De handdruk van de politieman voelde stevig aan.
'Cato Isaksen,' zei hij.

*

Cato Isaksen keek haar aan. Haar handdruk was misschien gemaakt passief. De predikant was gekleed in een te strakke tuniek met grote patronen die haar dikke, lillende bovenarmen accentueerden. Haar gezicht was rond als de maan, ze had recht afgeknipt grijs haar en enorme handen met stompe vingers en korte nagels.

'We hebben uw hulp nodig.' Ze wees naar een stoel en hij ging zitten. Op het bureau lagen allerlei papieren en een grote, opengeslagen bijbel met flinterdunne pagina's.

'Ik kom maar direct ter zake. Had u op 1 november een afspraak met Aud Johnsen?'

Haar gezicht versomberde. Door het raam zag ze de kruin van de catecheet om de hoek van de kerk uit het zicht verdwijnen.

'Ja,' zei ze. 'Om twaalf uur. Maar ze is niet gekomen.'

'De vrouw die is vermoord, waarschijnlijk hebt u het gehoord of gelezen, is Aud Johnsen.'

Haar ademhaling ging ineens snel en oppervlakkig. Haar ogen keken strak naar de wand boven zijn hoofd.

Cato Isaksen zag hoe ze opstond van haar stoel achter het grote bureau en naar een metalen ladekast liep. Het viel hem op dat ze ondanks haar omvang opvallend lichtvoetig leek.

'Ik heb hier een foto uit de tijd op Gaustad. Ik heb er een aantal jaren gewerkt.'

*

In een flits zag ze alle kinderen voor zich: Aud, Emmy en Maike. Jan en Piet. 'Ik heb Aud Johnsen gekend als kind, maar na haar twaalfde heb ik nooit meer iets van haar gehoord. Ze stuurde me onlangs een sms. Ik kan de foto niet vinden.'

Cato Isaksen staarde naar de mobiel op het bureau. 'Dus u was predikant in Gaustad. Waarom zou ze nu met u willen praten?'

'Ik weet het niet.'

'De naam van het slachtoffer wordt op de persconferentie, die over een uur wordt gehouden, vrijgegeven aan de media. Mag ik op uw mobiel kijken? Ze heeft u verschillende sms'jes gestuurd, maar wij kunnen ze niet lezen omdat haar mobiel is uitgezet en verdwenen.'

Norma Winther pakte haar mobiel. 'De sms'jes kunt u hier zien.' Ze drukte wat toetsen in en gaf de telefoon aan hem.

Hij las de sms'jes.

HALLO NORMA. LANG GELEDEN. IK MOET WAT BELANGRIJKE ZAKEN MET JE BESPREKEN UIT DE TIJD IN GAUSTAD. HERINNER JE JE MIJ NOG? AUD JOHNSEN

Zeker kan ik me je nog herinneren, Aud. Ik zal jullie nooit vergeten. Hoop dat alles goed met je is. Wil je naar mijn kantoor komen? Norma

JA, HEEL GRAAG. ER IS WAT HAAST BIJ.

Kom morgen. 12 uur? Kerk Fagerborg. Bij het Stenspark aan de Pilestredet 72.

DANKJEWEL.

Hij legde de mobiel voor zich op het bureaublad. 'Dit is verdomme belangrijk... neemt u me niet kwalijk, dit is geen plek om te vloeken. "Belangrijke zaken", zegt ze in haar sms. Kunt u me iets vertellen over Gaustad? Iets over het slachtoffer en haar vader? Herinnert u zich John Johnsen?'

Ze sloeg haar ogen neer en keek naar haar lege koffiekop. Ze legde haar handen eromheen. Ze had hem natuurlijk ook koffie moeten aanbieden. 'Natuurlijk. Johnsen dacht dat Jezus weer was teruggekeerd op aarde en in de Deichmanbibliotheek werkte. Hij was bezeten van boeken. Hij had daar een man uitgekozen en probeerde hem te vangen. Hij wilde bewijzen dat de man daadwerkelijk de Verlosser was. Johnsen dwaalt nog steeds door de straten van Oslo, naar ik heb begrepen.'

Cato Isaksen knikte en vertelde dat Aud Johnsen op internet gezocht had naar 'dissociatieve amnesie'. 'We hebben op dit moment nog niet alle gegevens van het technisch onderzoek binnen. En we weten niet naar wie we op zoek zijn. Kunt u iemand bedenken die hierachter kan zitten?'

Norma Winther bewoog onrustig. Ze schudde haar hoofd. 'Het was destijds voor kinderen van psychiatrische patiënten niet gemakkelijk.

Ook vandaag de dag is het dat nog niet. Aud hield van haar vader. De kerk in Gaustad is meer een kapel. Ze noemde me geen Norma, maar Normaal. Voor de gein. En we noemden Gaustad meestal het Gesticht. Je moet wel een beetje galgenhumor hebben. Berit Adamsen had de verantwoordelijkheid voor de kindergroep. Ik niet.'

'Op de redactie waar Aud werkte vonden we een papier met een naam. Maike. Zegt die naam u iets?'

De predikant sloot haar ogen. Toen opende ze ze weer en knikte langzaam. 'Ik heb de dienst tijdens Maikes begrafenis geleid.'

*

Terwijl ze wachtte tot Irmelin Quist terugkwam, liet Marian de hond uit op het grasveld tegenover het politiebureau. Daarna nam ze haar weer mee terug naar haar auto in de ondergrondse parkeergarage. Op de vierde verdieping wikkelde ze haar sjaal van haar nek en wachtte ze bij de lift. Ellen Grue zeurde dat ze mee moest komen naar de Vøyensvingen. *Dadelijk,* antwoordde ze per sms. Verdomme, Irmelin, waarom duurt het zo lang?

Irmelin Quist kwam via de hoofdingang binnen, liep door het atrium, haalde haar pasje door de sleuf en stapte in de lift. Op de vierde stond Marian vlak voor de liftdeur. Ze liet het dossier zien. Op de grijze kartonnen envelop stond het nummer 1028/65 gedrukt.

'Bedankt, Irmelin.' Marian pakte het dossier aan en liep naar Randi's kantoor.

*

Cato Isaksen voelde een steek in zijn maagstreek. Berit Adamsen en Norma Winther hadden allebei in Gaustad gewerkt. Ze moesten op het goede spoor zitten. Hij keek de predikant aan. 'Vertel me iets over Berit Adamsen. We hebben ontdekt dat Aud Johnsen haar de laatste dagen voordat ze werd vermoord meerdere malen probeerde te bellen.'

'Ze was secretaresse op de afdeling waar John Johnsen was opgenomen.'

'Hebt u tegenwoordig nog contact met Berit Adamsen?'

'Nee.'

*

De kinderen kwamen direct na schooltijd door de hoofdingang naar binnen, hun schooltassen half op hun rug hangend. Ze hadden honger en waren moe. Ze gingen een poosje op een groene bank zitten, die lange middagschaduwen op het gras maakte. Norma zag ze door het raam.

Het licht was zoals altijd in het begin van de zomer, het scheen warm en geel op de muren van de gebouwen, met een lichtgroen waas van het jonge blad aan de bomen. Het was warm in de stenen gebouwen. Overal stonden de ramen open. Hier en daar keek een patiënt naar buiten, naar de zomerse dag, die ze niet konden bereiken. Berit en zij hadden limonade en zoete bolletjes gemaakt, zoals altijd. Eerst kregen de kinderen eten, daarna gingen ze buiten spelen en toen op bezoek bij hun vaders. De kantine in het Welzijnsgebouw was niet bepaald gezellig. 'Kil' was een goede omschrijving. De tafeltjes met formicabladen stonden als schoolbanken op een rij. Er hing een muffe lucht. De stralen van de zon vielen door de ramen; door de bomen buiten werd het licht in messcherpe strepen gezeefd. Emmy's lichtblonde haar kleurde goud. Ze zat aan het eind van de tafel, alsof ze speciaal was. En dat was ze ook, ze was de dochter van de chef-arts. Aud zat naast haar aan het hoofd van de tafel. Ze had een mooie zomerjurk aan en zwaaide haar benen heen en weer. Ze droeg rode schoenen met zwarte veters. Maike, in een versleten broek en een groene trui, zat een stukje verderop tussen haar broers in. Jan leek zich altijd ongemakkelijk te voelen. Hij was lang en fors voor zijn leeftijd, hij leek een beetje op James Dean en droeg altijd mooie kleren. Zijn broer Piet was wat te klein, een beetje te dik, en met zijn kromme rug leek hij veel te oud voor zijn leeftijd. Hij was nog maar veertien.

Norma voelde die dag een speciale warmte, alsof de tijd die voor haar lag oneindig was en vervuld van mooie dingen, maar ze wist niet wat er ging komen. Tijdens het eten zong ze een psalm voor de kinderen. Berit had haar haar opgestoken en was mooi opgemaakt. Ze sloeg een vlieg weg. De blauwgeruite jurk stond haar prachtig. De kinderen giechelden wat maar luisterden daarna naar het lied. Norma wist dat ze een zuivere, heldere stem had, ze had veel geoefend tijdens kerkdiensten. Ze wist ook dat kinderen grapjes maakten over haar uiterlijk, want ze had een keer een tekening gevonden die Emmy had gemaakt, in een prullenbak. Ze was bespottelijk afgebeeld, groter en dikker dan ze was, maar de tekening was goed. Emmy kon goed tekenen.

Aud ontdekte de pop. Maike had een plastic pop met een gat in het hoofd in haar rugzak. Aud en Emmy haalden de pop eruit en begonnen te lachen. Meisjes van twaalf speelden niet met poppen. Jan stond op en greep de pop. Maike en Piet bleven op hun stoelen zitten. Verder gebeurde er niets meer. Toen niet. De pop werd weer in de rugzak gestopt, en de kinderen gingen naar buiten. Door het raam zag Norma dat Emmy en Aud bij het Ketelhuis met Ole stonden te praten. Hij had zijn shirt uitgetrokken en leunde tegen de muur. Een kat sloop naderbij. Norma rende de trap af. 'Je kunt hier niet met een bloot bovenlijf staan, ook al zit de werkdag erop,' zei ze streng. Ole Porat glimlachte zijn witte tanden bloot, liep naar binnen en haalde een T-shirt, dat hij langzaam over zijn hoofd met het halflange blonde haar trok.

Emmy en Aud kwamen door de open deur van het Ketelhuis naar buiten. Emmy had een fles in haar handen. Misschien een fles sap. Haar vingers leken op kleine, smalle klauwen. De watervlugge kinderen renden naar beneden, naar de onderdoorgang bij het hoofdgebouw. Maike slenterde achter hen aan. Jan en Piet schopten een zwarte bal tegen een muur. Het monotone geluid weerkaatste tussen de gebouwen.

Norma ging terug naar Berit en ze ruimden samen de kantine op. Daarna ging Berit naar buiten om naar de kinderen te kijken. Norma kreeg een akelig voorgevoel en liep naar het open raam. Buiten op het plein was het doodstil. De kinderen waren er niet. Berit liep vlug over het smalle pad. Even later volgde Norma haar. Een paar zwaluwen vlogen krijsend door de lucht. Alsof het een voorteken was. De deur naar het Ketelhuis was nu dicht. Ze ontdekte dat de lichtgroene houten deur naar de kelder van het hoofdgebouw openstond. Ze zag geen kinderen, en geen Berit. De boomtoppen bewogen zachtjes in de wind en de middaghemel was staalblauw.

In de kelder stonden Piet, Emmy en Aud bij de opening naar de onderaardse gangen. Norma liep naar binnen. De zonnestralen vielen als gele linten op de ruige keldervloer. De stofdeeltjes dansten in het licht. Aud stond met haar rug naar haar toe. De tengere schouderbladen leken dwars door de stof van haar jurk te steken. De kinderen waren stil en bewogen niet. Emmy hield de fles tegen haar borst gedrukt.

'Maike is naar binnen gelopen,' zei Piet met een schorre stem. 'Berit is gaan zoeken. Jan ook. Emmy heeft haar gedwongen om terpentijnolie te drinken. Maike heeft geen wormen.' Toen hij dat gezegd had, begon Aud te snikken, daarna rende ze naar buiten. Verdween als een kartonnen figuur in tegenlicht. Emmy stond met tranen op haar wangen en kneep haar vingers om de fles. Norma bukte en liep de smalle tunnel in. Ze hoorde het geluid. Maike huilde en Berit en Jan riepen naar haar. Het geluid werd sterker en ging over in een oorverdovend lawaai, dat ze sindsdien nooit meer had kunnen vergeten.

De civiele politieauto reed door oranje de kruising over. Cato Isaksen voelde het bloed in zijn halsslagader kloppen. Norma Winther had verteld dat de psalm *Niemand is zo veilig in gevaar* was gezongen tijdens de begrafenis van Maike Hagg. En dat haar broertjes samen met hun vader op de voorste bank hadden gezeten. En nu kreeg hij de melodie niet meer uit zijn hoofd. *Niemand is zo veilig in gevaar, als Gods kleine kinderschaar.* Hij had nog een half uur voordat de persconferentie begon. De persvoorlichter was deze keer verantwoordelijk voor de media, maar hij moest zelf wel aanwezig zijn.

*

Marian haalde een document uit het dossier. De papieren gingen over de dood van Maike Hagg. Ze stak de gang over en legde alles op het bureau van Cato. Op hetzelfde moment kwam hij snel door de gang aangelopen. Ze liep hem tegemoet. 'Ik heb informatie over de naam Maike gevonden, Cato. Het staat in de papieren op je bureau. Ze is maar twaalf jaar oud geworden,' zei Marian.

Hij keek haar aan met een gejaagde blik in zijn ogen 'Ben jij niet aan de Vøyensvingen? Maike Hagg was de dochter van een patiënt en stierf in 1988 in Gaustad. Haar vader was patiënt op dezelfde afdeling als John Johnsen. Hij had zijn vrouw vermoord met een bijl en daarna het huis in brand gestoken.'

Ze voelde een geïrriteerde rilling langs haar ruggengraat lopen. 'Maar dat is geweldig dat je dat allemaal hebt ontdekt, Cato,' zei ze glimlachend.

'Norma Winther heeft het me verteld. De predikant. Zij en die Berit Adamsen werkten allebei in Gaustad. Waar is Roger?'

'Hij haalt John Johnsen op.'

Cato Isaksen wurmde zich uit zijn jas. 'We richten ons nu volledig op meer informatie over Hagg, en of er een link is naar John Johnsen. Nu eerst de persconferentie en daarna meteen naar Berit Adamsen.'

Hij wierp een snelle blik op het bovenste vel papier: *Maike Haggs dood wordt niet als verdacht beschouwd. Er is niets te vinden wat duidt op seksueel misbruik. Het onderzoek is volgens de standaardprocedure uitgevoerd.*

*

Norma Winther liep langs de camper aan de achterkant van de kerk. Ze wist dat Lilly Hausmann binnen zat en haar met haar blik volgde. Ze liep het natte, gele gras op, tussen de bloembedden door, waar in de winter geen bloemen meer stonden. Ze was ermee gestopt de dag met al te hoge verwachtingen te beginnen. Ze had zichzelf gedwongen een hoge mate van zelfbeheersing te ontwikkelen. Wanneer je persoonlijkheid is veranderd, dacht ze toen ze de deur naar de pastorie opende, zal niemand zich nog voor kunnen stellen wie je bent geweest. Lilly was begonnen als catecheet, en nu stond een politieman op de stoep. Ze liep de eerste de beste kamer binnen en plofte neer op de veel te grote, met gebloemd cretonne overtrokken bank. Hij paste niet bij de rest van de stijl in het deftige huis. Ze pakte een handjevol kandijsuiker uit het schaaltje op tafel. Luid krakend kauwde ze erop. Tijdens de dienst op Maikes begrafenis hadden ze allemaal in de kleine kapel gezeten. Carl Hammer en zijn vrouw Solveig met Emmy tussen zich in. Het perfecte kleine gezin. Voor Hammer was wat er gebeurd was verschrikkelijk. Ze had hem nooit eerder zien huilen. Werner Hagg zat op de voorste rij met aan weerszijden zijn twee zoons. Rechte rug, maar met een van pijn vertrokken gezicht. John Johnsen en Aud zaten achter hen. Aud keek de hele tijd naar beneden. Berit en een paar verplegers zaten op de achterste banken. Ze moesten op Hagg en Johnson letten, het waren tenslotte mannen in hechtenis. Het was absurd hoe zonnige dagen elkaar als witte schapen op een rij konden volgen en dan plotseling veranderden in roofdieren.

*

Nog voordat ze op het lichtknopje in de kelder van het woonblok aan de Vøyensvingen had gedrukt, voelde Marian hoe krap en klein het er was. Ellen Grue was bij haar. Ze zagen een lange rij kleine, overvolle, met gaas van elkaar gescheiden kelderboxen. John Johnsens buurman, Magnus Moholt, een dikke, bleke man van in de zeventig, had de deur opengemaakt en wees Marian en technisch rechercheur Ellen Grue de box van Johnsen. Daarna bleef hij staan wachten, dus Marian moest hem vriendelijk verzoeken om te vertrekken. Toen hij weg was, opende ze de zware stalen deur van een schuilkelder. Het was een vieze, stoffige, lege ruimte, afgezien van een paar fietsen die tegen de muren stonden.

Na een kwartier was Marian erin geslaagd het slot van Johnsens kelderbox open te breken. Er stonden kratten met oude kleren en gereedschappen, een oude stepslee en op een paar planken wat lege jampotten. Een blikken trommel met rozenmotief stond naast een oude lamp. Ellen Grue trok handschoenen aan en tilde de kratten met gereedschap naar buiten. Toen opende ze de blikken trommel. Hij was leeg.

Emmy Hammer pakte haar iPad om het laatste nieuws op de site van de *VG* te lezen. Ze ging op de bank zitten. Boven aan de tekst stond de foto. Het was Aud. Haar ogen schoten over de pagina. AUD JOHNSEN OP BEESTACHTIGE WIJZE VERMOORD. *De politie geeft op dit moment niet veel informatie prijs, maar de VG heeft uit betrouwbare bron vernomen dat de dood van een kind in een kelder van psychiatrisch ziekenhuis Gaustad in 1988 aan de zaak kan worden gekoppeld. Het publiek wordt gevraagd om tips en informatie.*

'Philip!' schreeuwde ze. Ze stond op, rende naar de deur en opende die, maar ze was te laat. Ze zag alleen nog de achterlichten van de Golf toen hij linksaf de Trosterudveien op draaide. Haar ogen volgden de rij verwelkte rozenstruiken langs de oprit.

Ze googelde op andere media. Er was zojuist een persconferentie geweest. Overal stond dat Aud het slachtoffer was van de Halloweenmoord. Het knappe gezicht met de bruine ogen en het korte donkere haar staarde haar aan. Een gevoel van misselijkheid overviel haar. Alleen al dit te zien, de koppen te lezen, de artikelen. Een moment werd het haar zwart voor de ogen. Op een vraag van een journalist of de politie dacht dat er meer vrouwen in gevaar waren, volgde een ontkennend antwoord. Ze haalde diep adem. Streek met haar vinger over de wond op haar voorhoofd, hoorde binnen in haar Maikes stem. En haar eigen, en Auds lach. Haar hart ging tekeer. Wat zou Jan nu denken? En Piet en Werner? En Ole Porat? Wat dacht hij? Toen ze klein was, was ze doodsbang geweest voor psychopaten. Misschien omdat haar vader met zulke mensen werkte en haar had verteld wat dat betekende. Iemand die macht over anderen wilde hebben, had hij gezegd. Ze hoorde zijn rustige stem in haar hoofd. *Geraffineerd, leugenachtig en manipulatief. Weten uitstekend de kwetsbare punten van anderen te vinden en fouten en gebreken van anderen uit te vergroten.*

*

Cato Isaksen kreeg een sms van Roger. *John Johnsen is hier. Op gewone schoenen. Voor het officiële verhoor en vingerafdrukken. Hij wacht in je kantoor. Hij wil niet met mij praten. Heb zijn vingerafdrukken genomen. Kunnen hier wel een kennel beginnen. Hij heeft de hond bij zich.*

Cato Isaksen trilde van de honger toen hij uit de lift stapte. De *VG* had achterhaald dat Maike Hagg in 1988 in de archiefkelder was gestorven. Hoe hadden ze dat verdomme ontdekt?

Irmelin Quist kwam hem tegemoet. Hij wilde geen koffie hebben. 'Haal snel wat te eten voor mij, Irmelin. Alsjeblieft,' voegde hij eraan toe. 'Ik denk dat ik bezig ben een maagzweer te kweken. En doe ook maar wat water.' Hij staarde naar de broodmagere man die recht als een pilaar met zijn jas aan op de stoel achter de glazen wand zat.

Hij ging naar binnen.

'Goed dat u bent gekomen. Alstublieft, hier hebt u uw laarzen terug.' Hij gaf hem de draagtas die op de vloer stond.

De verslaggevers waren behoorlijk goed op de hoogte. Journalisten waren net ongedierte; kleine bruine kevers die binnenvielen en zich vermenigvuldigden. Ze hadden gesproken met de buren van het slachtoffer, zich verschanst in het trappenhuis in het gebouw waar de redactieruimte van de *Osloavisen* was ondergebracht en ze stonden voor de ingang van het woonblok aan de Vøyensvingen te wachten. Maar andere informatie over John Johnsen hadden ze duidelijk nog niet gevonden.

'We gaan naar een verhoorkamer, zodat ik het verhoor kan opnemen.' De hond lag plat op de vloer. John Johnsen stond op. De hond deed hetzelfde.

Een nieuw sms'je. Van Ellen Grue deze keer. *Ter info: voorlopig niets interessants gevonden in flat of kelder. Maar we nemen wat spullen in beslag. Marian is onderweg terug.*

Vijf minuten later was alles klaar voor verhoor. Cato Isaksen hing zijn jas over de stoel en keek naar de treurige, slimme man. Irmelin had water en een bord met wafels gebracht. Johnsen wilde niets hebben. Hij stond erop zijn jas aan te houden. De hond zat met zijn neus tegen de rand van de tafel. 'Heeft hij eten gehad?' vroeg Cato Isaksen en hij nam een grote hap van een wafel.

'De buurvrouw in de volkstuin heeft wat gekocht. In een grote zak.'

'En hoe gaat het, alles in aanmerking genomen?'

'Ja, het gaat.'

'Goed, dan gaan we beginnen.' Tijd, plaats en namen werden voorgelezen voor de recorder. 'We willen graag weten waar u zich bevond op de avond van 31 oktober en in de nacht daarna.'

'Mijn dochter hield er niet van dat ik daar 's avonds en in het weekend was, dus ik ben naar huis gegaan. Ik heb mijn dochter niet vermoord.'

'Nee. Maar wij moeten ook ons werk doen. U moet weten dat we uw flat en kelder hebben doorzocht.'

Johnsen reageerde niet.

'Wat weet u over Werner Hagg?'

'Ik weet niets over hem. We waren ooit vrienden, maar we zien elkaar nooit.'

'Zijn dochter, Maike, stierf in 1988.'

'In de kelder,' zei hij. 'Het is al lang geleden. Niemand denkt er nog aan.'

'Wat is er gebeurd?'

'Ik weet het niet.'

'Uw dochter belde u 's avonds om twee minuten over acht. Waarover wilde ze met u praten?'

'Ze zei dat er kerstbrood in de broodtrommel lag. Daarna ging ik naar huis. Daar trof ik Moholt.'

'En Berit Adamsen en Norma Winther?'

'Wat is er met hen? Ze werkten in Gaustad.'

'Aud had gisteren een afspraak met de predikant.'

'Daar weet ik niets van.'

'En de psychiater die u heeft behandeld, Carl Hammer?'

'Wat is er met hem?'

'U wilt toch ook dat we de dader vinden?'

John Johnsen schoof met een langzame beweging zijn bril hoger op zijn neus. 'Jullie moeten zoeken.'

Cato Isaksen keek hem aan. John Johnsen zat nog steeds met een rechte rug. 'Dit is alles wat ik te zeggen heb. Jullie moeten allemaal begrijpen dat de duivel verkleed is als een engel,' ging hij verder.

'Is dat een raadsel? Ik heb geen zin om hiernaar te luisteren.' Cato Isaksen kookte. 'Neem die hond mee en vertrek. Help ons dan maar niet om de moordenaar van uw dochter te vinden.' Hij zette de recorder uit, greep zijn jas en verliet de kamer.

*

John Johnsen bleef achter met zijn handen in zijn schoot. Hij staarde recht voor zich uit. Er zaten beelden in zijn hoofd die hij wilde vergeten. En zich wilde herinneren. Hij hief zijn gezicht een stukje op en keek uit het raam. Het was nu donker buiten.

*

Cato Isaksen zwaaide met zijn autosleutels. 'Nu moeten we naar Berit Adamsen, Roger. Ze woont aan de Kirkeveien. En we moeten vragen of de bestuurder van de Volvo op de bewakingsfilm zich wil melden. We houden het onderzoek zo breed mogelijk en moeten zorgen dat we ons niet in één ding vastbijten. Werner Hagg en Carl Hammer komen ook aan de beurt. Ik wil niet van tevoren waarschuwen dat we komen.'

Marian en Randi zaten achter de glazen wand, allebei geconcentreerd voor een computerscherm. 'De dames zijn druk,' zei Cato Isaksen en hij gaf Roger de autosleutels. 'Jij rijdt.'

*

Marian en Randi zaten aan weerszijden van het bureau voor een computerscherm en zochten alle informatie op over de moord die in 1984 was gepleegd door Werner Hagg. 'Goed te begrijpen dat hij niet in de gevangenis is beland,' zei Marian. 'Weet je waar ik zin in heb? Champagne. En chips met salsa!'

Randi lachte. 'Volgens mij moeten we ons goed realiseren dat we voor dit onderzoek ver terug in de tijd moeten gaan. Die Berit Adamsen was secretaresse bij psychiater Carl Hammer. De rechter was heel duidelijk over Werner Hagg.' Ze las hardop: 'Werner Hagg wordt veroordeeld tot gedwongen psychiatrische verpleging. Volgens zijn arts Carl Hammer van de forensische afdeling in psychiatrisch ziekenhuis Gaustad heeft hij al goede tekenen van vooruitgang laten zien en wordt hij hierbij veroordeeld tot verdere behandeling op dezelfde afdeling.'

Marian keek haar aan. 'Hagg heeft bijna twintig jaar vastgezeten. Daarna werd hij vrijgelaten, omdat ze dachten dat hij weer in de gewone samenleving kon functioneren. Ik ga me wat meer in het kind verdiepen.'

'Eigenlijk zijn de omstandigheden rond haar dood best wel onduidelijk,' zei Randi. 'De conclusie was dat er geen strafbare feiten zijn gevonden. Maar Aud Johnsen zou een artikel schrijven over de zaak, dus misschien klopte de conclusie niet. Het meisje werd begraven vanuit de kapel van Gaustad omdat haar vader een van de psychiatrische patiënten was. Haar moeder leefde niet meer.'

Marian knikte. 'Misschien wilde Aud Johnsen alleen een artikel schrijven over een trieste gebeurtenis. Een kind dat stierf tijdens een bezoek aan haar voor moord veroordeelde vader.'

*

Cato Isaksen liep over de oprit van de parkeergarage naar buiten om te kijken of er journalisten in het straatje stonden. Ze konden nu geen achtervolgende pers gebruiken. Van schrik zouden mensen ervandoor kunnen gaan. Er was niemand. Het straatje was leeg. Roger Høibakk reed naar buiten en Cato Isaksen stapte bij hem in. Op hetzelfde moment kreeg hij een telefoontje van een journalist van de *VG*. Hij vroeg of zij geloofden dat er een verband was tussen de moord op de journalist en de dood van het kind. Klopte het dat Aud Johnsen op het punt stond een artikel te schrijven over een kind? Cato Isaksen praatte eromheen, vertelde dat ze DNA-materiaal van de plaats delict onderzochten en interessante sporen hadden aangetroffen, dat er opnames van bewakingscamera's waren en dat er met volledige inzet werd gewerkt aan het opsporen van de dader. Het sterfgeval van het kind had niets met de moord te maken. Toen de journalist vroeg of er meer vrouwen in gevaar konden zijn, antwoordde hij ontkennend.

Emmy Hammer pakte het album met de kinderfoto's van Philip uit de kast. Ze drukte het even stevig tegen zich aan en wierp een blik op het huis van haar ouders.

De muren kwamen wurgend op haar af. De stilte zat vol kleine geluiden. Waar ging Philip nu naartoe? Hij was gewoon weggegaan en vertrokken. Had hij een vriendin van wie zij niets wist?

Toen Philip eenentwintig jaar geleden ter wereld kwam, had ze het lachgasmasker over neus en mond gehouden, maar was ze uiteindelijk volledig in paniek geraakt. Ze had liggen draaien en schreeuwen, totdat de vroedvrouw had gezegd dat ze zich moest vermannen. *Zo niet, dan komt het kind er nooit uit.* De dokter was gekomen en ze had een ruggenprik gekregen. *Omdat je zo jong bent.* De nachtzuster was naar huis gegaan, vroeg in de ochtend was de dagdienst begonnen en om negen uur was Philip geboren. Ondanks haar ambivalentie ontwaakten onmiddellijk haar moedergevoelens, en toen haar ouders 's middags op bezoek kwamen en zich over het kunststof bedje bogen, voelde ze zich trots. De glimlach van haar moeder, alsof ze ontdooide, en de hand van haar vader op het hoofdje van het kind. Het zou goed komen. Het zou allemaal goed komen. Ze zei dat ze nooit meer naar feesten zou gaan. Moeder had hem al een naam gegeven, Philip. Zo had Emmy zullen heten wanneer ze een jongen was geweest.

Emmy Hammer zette het album terug op de plank zonder het te openen. Als ze nu eens een stukje ging wandelen, in de tuin. De gedachte werd dwangmatig. Ze moest eruit. Frisse lucht krijgen. Nu, voordat het donkerder zou worden. Ze liep weer langs de spiegel, staarde naar zichzelf tot ze leek te veranderen in water en oploste. Door het water heen zag ze haar bleke gezicht. Maar toen ze zich een stukje draaide, was er een punt, een klein driehoekje op haar ene wang, waar alles samenkwam. Ze herkende de pijn, die kwam van binnenuit en veroorzaakte nieuwe pijn. Als ze heel stil stond, voelde ze haar hart slaan, voelde ze hoe bang ze was. Zweet parelde tevoorschijn onder haar armen. Eerder vandaag had ze een roodharige man aan de rand van het bos gezien. Hij stond volkomen beweging-loos naar haar huis te kijken. Een hele poos, toen verdween hij weer. *Slechte zelfbeheersing. Legt altijd de schuld bij anderen. Toont geen berouw.* Toen ze naar de slaapkamer ging om een trui te halen en weer terugkwam, voelde ze plotseling dat er iemand buiten was. Een schaduw in de vroege middagschemering, iemand verroerde zich, een rug langs de onderkant van het raam.

*

Cato Isaksen duwde zijn wijsvinger en duim tegen zijn voorhoofd, de hoofdpijn was weer in aantocht.

'Het wordt te laat om straks Werner Hagg nog te bezoeken,' zei Roger en hij remde af voor de auto die voor hen reed. 'Hij zit op een adres ergens in de buurt van Ski. We moeten eerst wat meer feiten boven tafel krijgen. Nog een keer met Johnsen praten. Meer informatie opzoeken over wat er in 1984 eigenlijk is gebeurd toen Werner Hagg zijn vrouw vermoordde.'

'Een gesprek met Johnsen levert niets op. En als zijn vingerafdrukken niet op de plaats delict worden aangetroffen, kunnen we hem wel vergeten. Zo denk ik erover. Maike Hagg is in de archiefkelder overleden tijdens een activiteit voor kinderen van patiënten. Maikes vader komt oorspronkelijk uit Nederland. Werner Hagg kwam al op jonge leeftijd naar Noorwegen. Zijn dochter stierf in de kelder in Gaustad. Werner Hagg was opgenomen op dezelfde afdeling als John Johnsen. De dood van het meisje is niet als verdacht beschouwd. Volgens de papieren waren er geen aanwijzingen voor seksueel misbruik.'

'Berit Adamsen was secretaresse. Aud Johnsen heeft haar vlak voordat ze werd vermoord geprobeerd te bellen. Ze is na de dood van het meisje onmiddellijk met haar werk in Gaustad gestopt. Is dat niet vreemd?'

*

Werner Hagg draaide het volume van de radio hoger en dacht aan de boom die buiten stond, die in het voorjaar altijd vol spreeuwen zat. Hij zou een vogelhuisje maken. Maar eerst moest deze kist klaar. De nieuwslezer herhaalde de naam van de vermoorde vrouw. *Aud Johnsen, zevenendertig jaar.* Een ijskoude rilling liep over zijn rug. Nu hoorde hij haar naam alweer. Aud Johnsen. En ze waren op zoek naar een

Volvo. Hij was er eergisteren geweest, laat op de avond, in de Sandakerveien. Hij had aangebeld. Zijn vingerafdrukken stonden op de bel bij de intercom aan de hoge muur in de poort naar de steeg. Werner Hagg zette de radio uit. John Johnsens dochter was dood. De angst viel als een grijs kleed over hem heen. Jan. Wat had Jan eigenlijk gedaan?

*

Toen de rechercheurs in de Hammerstadsgata, een zijstraat van de Kirkeveien, parkeerden was het al half zeven. Veel ramen in het woonblok waren verlicht. Cato Isaksen sloot het portier en liep voor Roger uit naar de ingang. De rijp op de ramen verried hoe oud het woonblok al was. De lucht was scherp. Op de achtergrond dreunde het verkeer op de Kirkeveien. Een ijzige windstoot veegde door de stille avondstraat. Ze liepen door de bruine glasdeur naar binnen. Een paar kranten waren op de stenen trap gegooid. Cato Isaksen drukte op de intercom naast de naam Adamsen. Geen reactie.

'Of ze slaapt, of ze is niet thuis,' zei Roger Høibakk. Hij stak het trottoir over en liep naar de andere kant van de straat. Hij keek langs de voorgevel omhoog en stopte zijn handen in zijn zakken. 'Ze woont op de tweede. Het is daar donker.'

'Of ze wil niet opendoen en zit in het donker,' zei Cato Isaksen en hij liep weer terug naar de auto. Hij schrok op toen de buitendeur plotseling werd geopend. Een man liep vlug naar buiten, Cato Isaksen draaide zich snel om en rende terug. Ze gingen het trappenhuis binnen. Haar naam stond op een van de postbussen. Door de spleet konden ze zien dat de bus helemaal vol zat.

'Ze is niet thuis,' zei Roger Høibakk.

Op de tweede verdieping bleven ze voor de deur staan. Cato Isaksen drukte op de bel. Niemand deed open. Ze belden aan bij de buren, maar niemand wist waar Berit Adamsen was.

Cato Isaksen kreeg een voorgevoel. Hij dacht aan Marian. Ze was goed in het in elkaar passen van technische en tactische stukjes. De afstand tussen haar en de moordenaars die ze had ontmaskerd was niet zo groot, had ze hem toevertrouwd. En ze vertelde dat dat haar doodsbang maakte. Hij had gezegd dat ze moest ophouden met haar gepraat over intuïtie, dat het afgezaagd was. Nu staarde hij naar de balustrade en belde naar Berit Adamsens vaste telefoon. Door de deur heen hoorden ze hem overgaan. Hij zuchtte en toetste haar mobiele nummer in.

Roger keek hem aan.

'Daar neemt ze ook niet op,' zei Cato Isaksen en hij hield zijn mobiel omhoog. *Deze telefoon is uitgeschakeld of bevindt zich in een omgeving zonder bereik*, zei de metaalachtige stem.

De hoofdlamp scheen witte cirkels op de bosgrond. Bladeren en takken waren bedekt met een laagje rijp en aan enkele naaldbomen glansden bevroren waterdruppels in de groene duisternis. Hij droeg vingerhandschoenen, de kolf van het hagelgeweer was koud. Een koele geur van mos kwam hem tegemoet. Ergens stond nog een verschrompelde paddenstoel. De hemel boven de toppen van de sparren was zwart en de maan een groot starend oog. Hij was ver van het mensdom verwijderd. Het grootste deel van het universum bestond uit onzichtbaar, donker stof. Eigenlijk vond hij het maar niets om te doden, maar als het snel ging en geen lange lijdensweg werd, had hij ook het gevoel dat het iets groots was. Dit was de tijd waarop de vos buiten was. Hij veegde zijn mond af. Berit noemde hem Piet, ook al had hij zijn naam veranderd. Voor haar was hij toch Piet, zei ze. Hij behoorde tot het soort mensen dat geluk had gehad, ondanks alles. Hij was nu veilig, maar merkte voortdurend een gevoel van dreiging. *Hier is het stil als de zon.* Dat had Berit gezegd toen hij bij haar introk. Direct vanuit het kindertehuis. Toen hij vijftien was. Hij dacht aan de jaren met haar. Toen hij begreep dat hij kon blijven. Hij was brutaal en had elke keer een half brood opgegeten, had zijn thee gulzig naar binnen geslurpt. Warme druppels stroomden over zijn wangen. Het wás stil als de zon bij Berit. Zonder haar was hij eraan onderdoor gegaan. Toen ze twee dagen geleden laat op de avond bij het huisje aankwam, was hij verrast, want ze spraken altijd precies een tijdstip af. Hij was er niet geweest toen ze kwam. Ze hoefde niet alles te weten wat hij deed. Dat met die telefoontjes stond hem niet aan. Aud was verleden tijd. Berit sliep toen hij terugkwam, maar de volgende ochtend had hij de Vespa gepakt en was hij via Sørsetra en Sollihøgda naar de stad gereden.

Hij zette het wapen tegen een boomstam, trok zijn handschoenen uit en keek naar zijn vingers, die geel waren van de nicotine. Hij spuugde in zijn hand. Het leek op schuim van een frambozenblad. Misschien moest hij toch vallen gaan zetten. Kleine dieren waren goed genoeg. Hun gekrijs scheurde door het hele bos als hij ze ophaalde. Hij vond ze geen ongedierte, zoals Jan. Hij had, toen hij nog jong was, een paar wandelende takken in een jampotje gehad. Hij had er een beetje gras bij gedaan en in het kindertehuis het potje onder het bed verstopt. Toen Jan het deksel helemaal had dichtgedraaid, gingen ze dood. Hij was het gevoel nooit vergeten.

Tussen de bomen kon hij het bruine huisje onderscheiden. De wasem op het keukenraam. Hij had geholpen met het snijden van de kool. Zij had de kachel aangemaakt met berkenhout en nu stond de stoofpot met kool en schapenvlees in een pan met een deksel erop te koken. Op de saus kwam het vet bovendrijven. De kool stond al uren op en was door en door gaar. Half negen, had ze gezegd. Ze aten laat. Hier leefden ze niet naar de klok; de wereld bestond enkel en alleen uit diepe bossen met hoge zwartgroene sparren. Hij keek naar zijn grote voeten, ze zogen zich vast in de grond. Als hij liep maakten ze een zompig geluid. Hij dacht aan de apenfiguurtjes in Berits vakantiehuisje, drie koppen op een rij, met de handen voor de mond, de ogen en de oren. Ze hadden geen tv. Ook geen radio. Hij liep het laatste stukje over de bosweg, die niets meer was dan een breed, modderig pad. Het water in de plassen was wit bevroren. Het kraakte als hij op het ijslaagje stapte. Het geluid doorbrak de stilte in het bos.

Het was zondag 3 november. Marian spreidde de oude kranten en verhoorverslagen uit over de tafel in de ruimte met het whiteboard en keek naar Cato Isaksen. Vandaag had de interneteditie van de *VG* het bericht naar buiten gebracht dat Aud Johnsen contacten onderhield met radicale moslims. Er stond een foto bij van de vrouw met het korte stekelhaar, de hoofdredacteur van de *Osloavisen*. Ze had verteld dat een rechercheur van een speciale eenheid bij de politie een paar vragen over het onderwerp had gesteld, maar dat er geen reden was om dat in verband te brengen met de moord op haar collega.

'Laat ze naar de maan lopen,' zei Cato Isaksen. 'Het lek moet bij de B-52-groep zitten. Erik Haade zal blij zijn.' Hij grijnsde meesmuilend.

Marian voelde dat ze rood werd, maar hij zag het niet. Ze zei: 'Deze knipsels zijn allemaal uit 1984. Ik heb gisteravond ingelogd in het strafregister en ben tot diep in de nacht bezig geweest. Dit zijn een aantal artikelen.'

Asle Tengs kwam binnen met een laptop in zijn handen. 'Kijk hier eens op de bewakingsvideo,' zei hij. Ze zagen dat Aud Johnsen op 31 oktober precies om 19.55 uur was thuisgekomen. In de hoek lichtten tijdstip en datum rood op. Ze droeg een jas en laarzen en liep het beeld uit, in de richting van het fabrieksgebouw waar ze woonde. Het was onmogelijk om het nummer van de taxi te zien, daarvoor was het beeld te onscherp, maar ze hadden zich tot de taxicentrale gewend en wachtten op antwoord.

Asle Tengs liep de kamer weer uit, Cato Isaksen pakte een stapeltje oude krantenknipsels en keek ernaar. VERMOORDDE ECHTGENOTE MET EEN BIJL, STAK VERVOLGENS HUIS IN BRAND. DRIE KINDEREN MOEDERLOOS. GEEN GEVANGENISSTRAF, PSYCHISCH ZIEK! Het ene artikel na het andere was verschenen over de zaak, vergezeld van korrelige zwart-witfoto's van een kale Werner Hagg. Hij leek wel een gevangene uit een concentratiekamp.

'Werner Hagg is hier halverwege de dertig,' zei Marian. 'We hebben geen documenten over zijn diagnose. Die zouden in Gaustad kunnen liggen. We moeten erheen, Cato.'

Ze keken elkaar een halve tel aan voordat Marian verder las: *Hij is bijna twee meter lang en volgens zijn advocaat is het een gewone ruzie geweest, die eindigde in een catastrofe. De drie kinderen, twee zoons van twaalf en tien en een dochter van acht, worden opgevangen door de Kinderbescherming en zijn ondergebracht in een kindertehuis aan de Lillehageveien in Bærum.*

Ze vervolgde hardop: '*In Nederland had Werner Hagg ook al eens een vrouw in elkaar geslagen en op zijn twintigste is hij het land nagenoeg ontvlucht en naar Noorwegen verhuisd. Hij vond werk in een loods in de haven van Oslo, waar hij Elsa ontmoette, die in een kiosk werkte vlak bij het huis waarin hij een kamer had gehuurd. Ze werd zwanger en ze trouwden in 1972. Ze kregen drie kinderen. Jan werd nog hetzelfde jaar geboren, Piet in 1974 en Maike in 1976. Ze woonden in een klein huis net buiten Oslo. Elsa hield het niet vol en wilde hem verlaten, ze wilde de kinderen meenemen en vertrekken. Hagg liep naar de schuur, haalde een bijl en sloeg haar dood. Vervolgens stak hij de bank waarop ze lag in brand, maar die wilde niet echt vlam vatten, het werd niet meer dan een smeulend vuurtje. Hij wachtte de kinderen bij school op en ze reden naar de veerboot. Hij wilde naar huis, naar Nederland, heen was net zo ver als terug, maar in Kopenhagen liep de reis ten einde. Ze werden opgewacht door de politie. De buurvrouw was achterdochtig geworden toen Elsa niet bij het naaikransje kwam opdagen. Het huis was pikdonker, en de auto was verdwenen. De ramen waren zwart van het roet door de smeulende brand. Toen de politie de deur opende, laaiden de vlammen op en de hitte sloeg hun tegemoet. Werner Hagg beweerde eerst dat Elsa zichzelf van het leven moest hebben beroofd. Maar autopsie toonde aan dat ze was doodgeslagen. De bijl werd achter in de auto gevonden, waar hij hem had verstopt. Hij werd in hechtenis genomen en de kinderen werden in het kindertehuis ondergebracht. Getuigen omschreven hem als onhandelbaar. Hij werd veroordeeld tot gedwongen psychiatrische verpleging en opgesloten op de forensische afdeling in psychiatrisch ziekenhuis Gaustad. Daar is hij tot 2003 gebleven, toen moest hij worden ontslagen omdat de afdeling werd opgeheven.*'

'Dankjewel, dat is genoeg,' zei Cato Isaksen. 'Wat zou Werner Hagg tegenwoordig doen?'

'Zijn vingerafdrukken hebben we nog. Ellen en de technische recherche kijken of hij op de plaats delict is geweest. We krijgen vast snel antwoord.'

*

Vanja trok de schuifdeur naar het magazijn open. De wanden waren aan de onderkant bekleed met blikken platen om ze te beschermen tegen de vorkheftruck. Er was niemand te zien op het plein achter het winkelcentrum. Vanaf station Kolbotn hoorde hij luidkeels een mannenstem door de omroepinstallatie. Hij trok de deur achter zich dicht en liep de donkere hal in. Voorzichtig ging hij de stalen trap op; bij elke stap die hij zette klonk een zingend geluid. Op de zolder van het magazijn lagen kratten van piepschuim op elkaar gestapeld, waardoor hij nauwelijks zicht had. Hij voelde zich niet op zijn gemak. In zijn zak had hij geld. Plotseling dook een magere, blonde man in een hoodie op. Zijn benen leken wel luciferhoutjes. Hij kauwde driftig op een stukje kauwgom. In zijn ene hand hield hij een wapen. Een Glock, zag Vanja en hij pakte het wapen aan. Het staal voelde ijskoud in zijn handpalm. De man met de hoodie kreeg het geld en gaf hem een zak met munitie. Ze wisselden geen woord. Vanja draaide zich om en ging de stalen trap weer af. Buiten op het industrieterrein stopte hij het wapen in een zak en liep snel voorbij een geparkeerde vorkheftruck. Hij sloeg de hoek om, vervolgde zijn weg langs het oranje gebouw en wandelde door het hek naar buiten.

*

Cato Isaksen en Roger Høibakk zaten in de civiele politieauto en waren onderweg naar Ski. Cato Isaksen reed. 'Er ligt nog helemaal geen sneeuw. Het is al november.'

Roger vloekte hardop. 'Hoe is het verdomme mogelijk dat zo'n man op een kleine boerderij tussen gewone mensen kan wonen.'

Cato Isaksen sloeg af naar een tankstation, waar ze een broodje worst en iets te drinken kochten. Daarna draaiden ze de snelweg weer op en reden ze vlug verder.

'We moeten nog grondiger onderzoek doen naar de vraag of ze via internet iemand heeft leren kennen, Roger.' Er vielen wat gebakken uitjes op zijn schoot.

'We zijn bezig alles op sociale media, in e-mails en op mobiele telefoons te controleren. Is er overigens iets gebeurd tussen jou en Marian?'

'Waarom vraag je dat?' Cato Isaksen fronste zijn voorhoofd.

Roger stopte het laatste stuk van zijn broodje in zijn mond, haalde zijn schouders op en zei cryptisch: 'Je bent zo vriendelijk tegen haar. Dat wat vrouwen bang maakt voor mannen is hetzelfde als wat vrouwen angstwekkend maakt. Heb je nog met Bente gepraat?'

'Dit is voor mij te moeilijk, Roger. Ik had je niet over Bente moeten vertellen. Vraag me er niet meer naar.'

Roger pakte een kauwgompje uit zijn zak en stopte het in zijn mond. 'Wil jij ook?'

Cato Isaksen schudde zijn hoofd.

'Vrouwen zijn tegenwoordig niet op zoek naar mannen om een hogere status te krijgen. Het is nu bijna het tegenovergestelde. Kijk naar Marian en Erik Haade.'

'Waar heb je het over?'

'Er gaan geruchten. We zijn er, het is hier naar beneden.'

Cato Isaksen draaide de modderige weg op, waar de gaten vol met bruin water stonden, en reed langzaam naar het lage, halfvervallen witte woonhuis en de rode schuur. Achter het erf strekten de zwarte velden zich uit, op het omgeploegde land lagen grote brokken klei. Naast het huis stond een kennel van gaas, maar er was geen hond. En er hing een lange waslijn van één boom naar een andere, zonder wasgoed. In zijn maag schrijnde de zekerheid over wat Roger over Marian en de korpschef had gezegd. Buiten scheen de zon zo fel als maar kon in deze tijd van het jaar. De geploegde voren op de akkers wierpen schaduwen in horizontale lijnen over het landschap. Toen ze het huis naderden, zagen ze de Volvo, half achter de schuur geparkeerd.

Werner Hagg hield zijn adem in. De geur van het koele hout schroeide in zijn neus. De batterijen van de radio waren bijna leeg, het geluid kwam en zakte weer weg. Hij zette hem uit. Hoorde hij een auto aankomen? Hij legde het gereedschap aan de kant, deed de lamp boven de werkbank uit, stapte over een stapel planken en liep naar het kleine raam. Hij tilde het papier een stukje omhoog. Ja, er kwam een auto aanrijden over de smalle, hobbelige weg. Gisteravond weerspiegelde de maan in de plassen en had hij heel veel manen gezien. De auto zag eruit als een gewone auto, maar op het dak zat een zwaailicht. Het was een politieauto. In het huis lag een spel kaarten op tafel. Hij had er nu niets meer aan. Hij beloonde zichzelf na een dag hard werken. Dan hakte hij wat hout en nam het mee naar binnen. Hij kookte eten op het fornuis, at en ging op de bank liggen om te luisteren naar de stilte in de houten wanden. Dan speelde hij patience. Dat was zijn dagelijkse routine. Maar nu hadden ze hem gevonden.

*

Cato Isaksens mobiel ging over op het moment dat hij de auto naast de Volvo had geparkeerd. Roger stapte uit. Het was Marian. Haar stem klonk helder. 'Ik wil alleen even laten weten dat de psychiater, Carl Hammer, morgen een gesprek met ons kan hebben. Hij heeft zijn kleinkind op bezoek en hij vindt het heel belangrijk dat we naar Gaustad gaan en daar worden rondgeleid.'

'We hebben net de auto geparkeerd,' zei Cato Isaksen kortaf. Hij zag haar voor zich in de getatoeëerde armen van de korpschef. 'Hagg heeft een Volvo. Het kenteken is VD 61781. Wil jij checken of hij de tolpoorten aan de rand van de stad is gepasseerd? Misschien hebben we hem.'

Hij stapte uit. Allerlei geuren sloegen hem tegemoet: bevroren grond, mest en zure rook uit de schoorsteen op het huis van de buren, een paar honderd meter verderop.

*

Ze vonden hem uiteindelijk in de schuur. Cato Isaksen nam Werner Hagg in ogenschouw. De man die zijn vrouw met een bijl had vermoord en daarna in brand gestoken. Hij was groot en zwaar. Hij droeg een versleten, grijze stofjas en had leren laarzen aan zijn voeten. Zijn grote werkhanden zaten onder de schrammen en littekens. Op twee houten schragen stond een lijkkist. Die was bijna af.

*

Werner Hagg probeerde het onophoudelijke trillen van zijn handen onder controle te krijgen. Ze stonden in de schuur en vroegen of de Volvo zijn auto was, en of hij John Johnsen kende. Hij had John Johnsen maar één keer bezocht, in zijn huis aan de Vøyensvingen bij het Ilapark. Het was al minstens vijf jaar geleden. Ze hadden niets om over te praten gehad, na een tijdje was het gesprek gestokt en was het stil geworden in de sombere, kleine woonkamer met uitzicht op de mosterdgele toren van de kerk van Ila.

De politiemensen prezen de kist. Hij veegde de polijstolie met een doek van zijn vingers. Toen zei de oudste politieman: 'We weten dat jullie patiënten waren op dezelfde afdeling in psychiatrisch ziekenhuis Gaustad. Hebt u nu ook nog contact met Johnsen? Zijn jullie vrienden?'

Werner Hagg schudde zijn hoofd. Ze waren geen gewone mensen, Johnsen en hij. Dat was het enige wat ze gemeen hadden, dat ze niet gewoon waren, maar dat telde niet meer, niet nu ze niet meer waren opgenomen. Zijn zoon Jan had eens tegen hem gezegd dat het leven niet zo serieus bedoeld was, dat hij verder moest gaan. Dat betekende dat hij andere mensen niet lastigviel. Hij hoorde de echo van zijn stem in zijn hoofd. Niemand kan verhinderen dat je jezelf lastigvalt.

De donkerste man vroeg: 'Waar was u op de avond van 31 oktober, tussen zes uur 's avonds en middernacht?'

'Ik was hier.'

'Rookt u?'

'Nee.'

'Weet u waarom we hier zijn?'

Cato Isaksen keek hem aan, maar zei niets over de Volvo en de bewakingsvideo. Er was een verandering, een minuscule beweging onder Haggs linkeroog. Natuurlijk werd Werner Hagg overspoeld door emoties, maar zijn monotone stem was hetzelfde. 'Nee,' zei hij.

'Aud Johnsen is dood,' zei Cato Isaksen.

Hij knikte.

'Wij willen graag dat u meegaat naar het politiebureau, en we moeten ook uw auto onderzoeken.'

Hij knikte weer.

*

Terug op het politiebureau werd Werner Hagg in een isoleercel geplaatst. Roger zou zorgdragen voor de formaliteiten zodat ze na het verhoor eventueel voorlopige hechtenis konden aanvragen. Cato Isaksen controleerde Werner Haggs mobiel, voor hij hem in een zak voor in beslag genomen goederen deed en Irmelin vroeg om hem af te leveren bij de technische recherche. Hagg had op de avond waarop Aud Johnsen werd vermoord om 20.36 uur een telefoontje ontvangen. Hij controleerde het nummer en ontdekte dat de zoon van Werner Hagg zijn vader had gebeld. Jan Hagg.

*

Toen Cato Isaksen en technisch rechercheur Ellen Grue bij het Rijkshospitaal in de auto waren gestapt, na een laatste lijkschouwing, belde Marian. 'Roger, Randi en ik hebben hier een kleine bespreking gehad. Geweldig dat jullie Werner Hagg hebben, Cato. Ben je nu klaar in het Rijkshospitaal? Is er nog nieuws?'

'Niet meer dan we al weten.' Hij keek naar Ellen Grue, die snel wat papieren doorbladerde. 'De conclusie is dat het moordwapen een oud snijgereedschap is. Het lichaam wordt binnenkort vrijgegeven. Jan Hagg heeft overigens de avond van de moord zijn vader gebeld.'

'Roger zei het al. En dat je wilt dat hij wacht om met de zoon te praten. Omdat jij erbij wilt zijn. Controlfreak,' voegde ze eraan toe.

Hij glimlachte, maar moest plotseling weer aan Erik Haade denken.

Hij reed het ziekenhuisterrein af. 'Rij nog niet weg, Cato. We hebben geen tijd te verliezen. Het Rijkshospitaal en Gaustad liggen maar op een steenworp afstand van elkaar. Ik rij nu naar Gaustad, wacht daar op me. Een van de medewerkers heeft toegezegd er nu heen te gaan om ons rond te leiden en wat meer te vertellen, ook al is het zondag. Ze is er nu.'

Cato Isaksen kreeg geen tijd om te antwoorden voordat ze verderging. 'Ze hebben daar misschien ook een archief. We moeten proberen om meer gedetailleerde patiëntinformatie te krijgen over Johnsen en Hagg. En we kunnen ook een kijkje nemen in de archiefkelder waar het meisje stierf. Ga niet naar binnen voordat ik er ben.'

'Controlfreak,' zei Cato Isaksen en hij staarde door de voorruit naar buiten. Hij hoorde haar lachen voordat ze de verbinding verbrak. Hij draaide zich om naar Ellen Grue.

'Ik hoorde wat ze zei, Cato.'

'Ik zie Marian daar wel. Neem jij mijn auto mee naar de technische recherche. Ik haal hem later wel weer op.'

Hij sloeg links af de kleine doodlopende weg naar Gaustad in. Aan beide kanten stonden hoge bomen. De oude bakstenen gebouwen doken plotseling op. Op de parkeerplaats, voor het hoge hek, stapte hij uit. '*Keep up the good work*, Ellen.' Hij sloeg het portier dicht, klopte even op het dak en keek de auto na terwijl die over de smalle weg uit het zicht verdween. Het grote smeedijzeren hek stond open en hij liep het rode steengruis op. Er was geen mens te zien. Hij bleef een moment staan bij de ronde stenen vijver, waar het water uit was gepompt. Die lag nu vol oranje herfstbladeren. Hij keek omhoog naar de klokkentoren boven op het hoofdgebouw. Het deed hem een beetje denken aan de oude lagere school waar hij als kind op had gezeten. De hemel leek onnatuurlijk blauw. Heel even beeldde hij zich in dat hij naar een slecht schilderij stond te kijken. Wilde wingerd met rode bladeren klom tegen de kwistig gedecoreerde bakstenen gevels omhoog. In de boog boven de hoofdingang stond het jaartal 1855. De massief eiken deur met glas-in-loodramen had aan weerszijden smalle arcades. Hij liep naar links en slenterde voorbij het hoofdgebouw door een geplaveide passage tussen de gebouwen en liep er aan de andere kant weer uit. Een oude lichtgroene houten deur in de passage leek misplaatst. Aan de andere kant voerde een klinkerweg tussen nieuwe gebouwen de heuvel op. Verderop lagen gazons en er stonden oude eiken en grote gebouwen. Mensen maakten een zondagse wandeling in het park. Sommige lieten hun hond uit. Andere liepen met kinderwagens. Hij voelde de druk achter zijn voorhoofd. Hij wilde vanavond nog met Werner Hagg praten. De vraag was of er zo laat op de zondag nog een advocaat bereid was te komen. Marian had gelijk, het was gewoon een kwestie van doorgaan, ook al voelde hij van pure stress een band rond zijn voorhoofd knellen. Afgelopen nacht had hij weer liggen denken aan de situatie met Bente en de jongens. Hij had haar een sms gestuurd en welterusten gewenst. En ze had hetzelfde teruggestuurd.

Aan de rechterkant stond een bord waaruit bleek dat de kapel vlak achter het hoofdgebouw was. Hij liep het steegje in, en daar stond het kerkje tegen de achterkant van het Torengebouw. Het was geen apart gebouw, maar slechts een soort uitbouw, zoals Norma Winther al had gezegd. Een met mos begroeide trap leidde naar de deur. Onder de trap lagen allemaal kletsnatte herfstbladeren op een hoop. Hij liep de stenen trap op en keek naar binnen door het glas in de deur. Daar, achter het portaal, kon hij vaag een kleine ruimte met een preekstoel en smalle, blauw geverfde banken onderscheiden. Hier had Norma Winther de dienst voor Maike Hagg geleid. Hij huiverde in de koude wind die tussen de gebouwen door blies, liep de trap weer af en ging terug naar de hoofdingang, waar hij bleef wachten.

*

Een paar minuten later parkeerde Marian de witte bestelauto op de parkeerplaats. Ze liet de hond eruit. Cato Isaksen liep haar tegemoet. Hij negeerde de enthousiaste hond, die om zijn benen draaide.

'Rustig, Birka!' beval ze.

'Klotehond,' grijnsde hij.

'Ik heb geen vertrouwen in mensen die niet van honden houden. Ik ben trouwens benieuwd hoe het met Johnsen gaat. Of hij beseft dat hij de hond van zijn dochter eten moet geven.'

Marian gaf hem een vel papier, een print van internet. 'Vita Uitvaartonderneming. Het bedrijf is van Jan Hagg en zijn vrouw.' Ze sloot de auto af.

Hij keek naar het papier. Ze liepen naar het gebouw, gingen de drie smalle stenen traptreden op en door de zware eiken deur naar binnen. Cato vouwde de print dubbel en stopte het papier in de zak van zijn leren jack. De drempel was uitgesleten door de talloze voeten die hier in en uit waren gegaan. En weer naar binnen, dacht hij, en hij liet de hond eerst gaan. 'Werner Hagg zei er niets over dat hij voor zijn zoon werkte, Marian, en ook niet dat zijn zoon een uitvaartonderneming heeft.'

De angst die haar in zijn greep had liet haar heel langzaam weer los. Jan was met de meisjes thuis in het appartement in de Oscarsgate, als hij ze tenminste niet bij de buren had achtergelaten om met de kinderen daar te spelen, zoals hij wel vaker deed. Het was zondag, maar ze was aan het werk. Voor ze was vertrokken, had ze een fruittaart op de keukentafel gezet. Ingrid Hagg smeerde een vette crème op het gezicht van de dode man en werkte met een pincet. Ze spoelde de pincet af in het dunne straaltje water dat in de stalen spoelbak spetterde. Ze was goed in het verzorgen van lijken, maar het klonk beter om te zeggen dat ze de doden opmaakte. Van het dode lichaam steeg een zoete geur op die deed denken aan lachgas. Dood en geboorte waren eigenlijk vergelijkbare omstandigheden, het begin en het eind. Ze dacht aan Tilde en Thea. Jan was de afgelopen dagen zo afwezig geweest. Na die avond in de sportschool, toen ze in slaap was gevallen voordat hij thuis was, had hij zich vreemd en nerveus gedragen. Hij leek afwezig en had als het om de kinderen ging een kort lontje. Jans verleden, het verlies van zijn moeder en zus, had altijd een zekere afstand gecreëerd. En zijn broer had zich van hem gedistantieerd. Hem eigenlijk verraden. Natuurlijk was Jan voor het leven getekend, maar ze hield van hem. De hele dag werkten ze samen, en de avonden brachten ze in rust en stilte door. Maar iets was naderbij geslopen. Ze kon hem niet confronteren. De fysieke kant van hun huwelijk was ook onbevredigend. Het lukte hem niet zijn angst voor intimiteit te overwinnen. De kinderen merkten het. De oudste, Tilde, had een tekening gemaakt van een huis met spinnen en slakken op het dak. Zo had papa het toen hij klein was, zei ze.

*

De luxueuze hal met booggangen en fluwelen meubels was enorm hoog en eindigde in een glazen plafond. Marian probeerde zich voor te stellen hoe het moest zijn geweest om hier te wonen.

Grote kamers en dikke muren, een overvloed aan eten en medicijnen. Brede trappen leidden naar een balustrade, de receptie was ondergebracht in een kleine kamer aan de rechterkant. Daar gingen ze naar binnen. Birka liep kwispelend voorop, stijf in de heupen.

Een vrolijk kijkende vrouw met zwarte wenkbrauwen zat achter de balie en keek hen door haar brillenglazen aan. 'U bent van de politie, neem ik aan?'

Ze knikten en ze stelde zich voor als Deidrée. 'Ik begrijp dat u vooral geïnteresseerd bent in de archieven.'

Haar rode bril kleurde mooi bij haar blouse in dezelfde kleur. Ze had glanzend zwart haar. 'Het ziekenhuis is niet meer in gebruik als voorheen,' zei ze, 'met uitzondering van een afdeling voor jonge schizofrenen, een aantal drugsverslaafden en nog een paar andere patiënten, maar we hebben nog steeds een receptie en we bieden opleidingen aan.'

'We willen graag even rondkijken,' zei Marian.

'Het gaat over een paar ex-patiënten,' zei Cato Isaksen. 'John Johnsen en Werner Hagg.' Hij vertelde niet dat de laatstgenoemde in hechtenis zat.

'De archieven zijn in 2003 overgeplaatst naar het Rijksarchief. Ze waren deels in het Torengebouw en in de kelder ondergebracht. De dossiers van de patiënten met een strafblad zijn in het Rijksarchief. De medische dossiers zijn nog een paar jaar in het ziekenhuis gebleven, maar het grootste deel is nu ook verplaatst. Ik heb iemand gevraagd om te zoeken naar achtergebleven dossiers, omdat u daarnaar vroeg.' Ze knikte naar Marian. 'Die zijn er misschien, maar ik weet niet precies waar. Dat zijn waarschijnlijk zaken die vertrouwelijk zijn, om het zo maar te zeggen. Niet voor ieders ogen bestemd.'

Marian keek haar aan. 'Aud Johnsen, de vermoorde vrouw, was de dochter van een voormalige patiënt hier, John Johnsen. We willen er geen geheim van maken dat we daarom hier zijn.'

'Ik had het wel begrepen. Er is ook al een verslaggever van de *VG* hier geweest. Maar ik heb hem niet in de kelder gelaten.'

Cato Isaksen legde een vel papier op de balie. Er stond MAIKE HAGG op geschreven. 'Het meisje stierf in 1988. Haar vader was hier patiënt, gelijktijdig met Johnsens vader.'

'Ja, het gebeurde in de archiefkelder. Er wordt hier nog steeds over dat sterfgeval gesproken.'

'Kunt u er meer informatie over vinden, en over de vader? En praat van nu af aan niet meer met de pers.' Cato Isaksen was ernstig. 'Dat kan het onderzoek belemmeren.'

'Ik zal ze afwimpelen.' Ze keek hem aan. 'Ik zal zien wat ik kan vinden. Maar we gaan eerst even rondkijken.' Ze pakte een aantal sleutels van een haak aan de wand en liep vlug om de receptiebalie heen.

Ze volgden haar over de glimmend gepolijste vloer in de hal naar de brede witte trap waar een glazen vitrine stond met een vogelnest erin. Een verfomfaaid opgezet vogeltje zat in het nest. 'De predikant die hier destijds werkte, Norma Winther, vertelde ons dat er in die tijd zogenoemde Kinderdagen werden georganiseerd,' zei Cato Isaksen. 'Zowel Maike Hagg als Aud Johnsen nam daaraan deel. We willen ook graag informatie over de secretaresse die daarvoor verantwoordelijk was, ene Berit Adamsen.'

'Ik zal het nakijken.'

Marian deed Birka aan de lijn en hield hem kort. 'Kunt u uitzoeken wanneer ze precies zijn opgenomen en hoelang ze hier zijn geweest? Data en dat soort dingen.'

'We hebben dergelijke lijsten over de patiënten. Wilt u de torenkamer zien?'

De rechercheurs knikten.

Ze liepen de trap op en langs een soort balustrade, een prachtige, witte architectonische reling met bogen die vanaf het dak naar beneden liepen. Birka trok aan de riem en wilde een kamer met een glazen vloer binnen.

'Het is geen goed idee om daar naar binnen te gaan. Dat is het glazen plafond waardoor er licht in de hal valt. Als het glas breekt, val je twintig meter naar beneden.' De vrouw opende een dubbele deur aan het eind van de balustrade. 'Hier is het auditorium.'

Ze keken in een ruimte die aan een kleine balzaal deed denken. Langs de wanden stonden stapels stoelen. Ovale tafels waren tegen de zijkant geschoven.

'Wat mooi,' zei Marian en ze liep naar binnen. 'Wat een schilderijen. Wie zijn al die mannen?'

'De directeuren door de jaren heen. En de chef-artsen. Zijn jullie met name geïnteresseerd in Hammer?'

De rechercheurs knikten. Door de ramen keken ze op het plein met de fontein.

'Dat is hem.' Deidrée wees naar een schilderij in een brede goudkleurige lijst. De man die was afgebeeld tegen een zwarte achtergrond had grijs haar en een rond, vriendelijk gezicht.

'Hij heeft hier van de vroege jaren zeventig tot 2003 gewerkt. In januari van dat jaar werd zijn afdeling gesloten. Dat was voor mijn tijd.

Maar hij heeft zich al die jaren actief ingezet voor betere omstandigheden in het ziekenhuis. Toen de forensische afdeling uiteindelijk werd opgeheven, vond er in de media uitgebreide berichtgeving plaats over hoe slecht het gesteld was met de psychiatrie. Omdat hij een staffunctie had, moest hij natuurlijk vaak het beleid verdedigen.'

Ze liepen terug langs de balustrade, een nieuwe deur door en naar boven over een stoffige en smalle stenen trap. Overal op de treden lagen kleine strosprietjes.

'Het is geen geheim dat sommige artsen hier tijdens de oorlog de nazi's hielpen met onderzoek,' zei Deidrée. 'Dat was lang voor Hammers tijd. Er is een massagraf op het kerkhof in Riis. Het ligt vol met mensen van wie niemand weet wie het zijn. Waarschijnlijk zigeuners.'

Marian trok de hond terug. 'Is er niet bijgehouden wie het waren?'

Deidrée haalde haar schouders op. 'Geheimhouding en in de doofpot stoppen waren hier traditie. Niet iets om trots op te zijn.'

Ze liepen over een grote zolder. Het was er vies en in de hoeken lag oude rommel; aan één kant lagen allemaal kapotte lampen. 'Er wordt gezegd dat het hier spookt, twee oude, vrouwelijke patiënten lopen hier rond in zwarte jurken.' Ze glimlachte even. 'Een van hen zou kinderjurkjes hebben genaaid. Ze had een kind verloren. We praten over een eeuw geleden. Vaak voel ik heel intens mee met de lotgevallen van de mensen die hier zijn geweest. Daarom hou ik van mijn werk hier. Want het is alsof er een licht over straalt. Veel liefde. Maar door de jaren heen zijn er ook veel patiënten teruggekomen, enkel en alleen om zich hier van het leven te beroven. Voor Gaustad werd gesloten, vonden ze voormalige patiënten zowel op de zolder als in de kelder. Ze wilden weer "thuis" komen, om het zo maar te zeggen.'

Cato Isaksens mobiel ging. Hij zag dat het Bente was en antwoordde kort dat hij midden in een onderzoek zat. Ze zei dat ze wilde praten en hij beloofde om later terug te bellen.

'Er hebben zich hier ook liefdesgeschiedenissen afgespeeld,' ging Deidrée verder. Cato Isaksen en Marian Dahle keken elkaar aan. Een fractie van een seconde vond Cato Marian mooi. Haar zwarte haar glansde, haar ogen waren smal en vochtig.

Deidrée opende de deur naar het trappenhuis. 'We gaan naar de klokkentoren.' Ze liep voor hen uit. Birka drong langs haar heen. Cato Isaksen tilde afwezig zijn hand op en legde hem op Marians rug. Ze werkten weer samen. Teder duwde hij haar voor zich uit het trappenhuis binnen, maar het moment van tederheid was ook weer snel voorbij.

Marian merkte dat haar zintuigen op scherp stonden. Alsof de aanraking haar tot leven had gewekt. Nu moest ze zich herpakken. Op de uitgesleten traptreden lagen stukjes gips en stof. Van boven viel een lichtbundel naar beneden, die details onthulde op de gegroefde bakstenen muur. De trap werd smaller en steiler. Het bovenste deel ervan was van hout. In de vuile kamer stonden wat lege schappen.

'Hier boven werden dossiers verborgen.'

In de nok zaten een paar droge, vormeloze nesten. 'Huiszwaluwen,' zei Deidrée. 'Hier kijk je op de binnenplaats.' Ze keken door het smalle torenvenster. 'In de jaren tachtig stond daar beneden een kiosk en aan beide kanten waren afdelingen. Hoe dichter je bij de poort zat, hoe minder ziek je was, om het zo maar te zeggen. De forensische afdeling, waar de gevaarlijkste patiënten waren, lag het hoogst op de helling, tegen de bosrand. De patiëntendossiers werden bewaard in de kelder. Daar gaan we nu heen.'

*

Een man had hem een bord met lapskaus en een plastic mok met rood sap gebracht. Onder het eten zat Werner Hagg voortdurend naar de gifgroene celwand te staren. Hij voelde dat de kleur langzaam zijn lichaam in bezit nam en hem onzichtbaar maakte. Hij zat op de bank met de plastic matras. Er hing een muffe kelderlucht in de ruimte, alsof hij in een doos zat die al jaren niet open was geweest. Hij dacht aan Berit Adamsen, hoe ze was geweest. Ze bracht altijd rust in de gezamenlijke woonkamer. Soms speelde een van de patiënten piano, maar een andere patiënt, die daar niet tegen kon, begon dan op de toetsen te hameren. Hij neuriede bijna manisch met zachte stem: *Niemand is zo veilig in gevaar, als Gods kleine kinderschaar*. Toen stopte hij weer. Hij was niet meer gek, en Berit was niet hier. Er was niets met hem aan de hand. Hij hoefde niet bang te zijn. Ze zouden hem weer vrijlaten en dan keerde hij terug naar de schuur.

*

Ze waren terug bij de receptie. 'Je kunt op twee manieren in de kelder komen,' zei Deidrée. 'Van hieruit via de trap, of via de houten deur buiten in de passage.' De scharnieren piepten toen ze de deur opendeed. De trap bewoog heel lichtjes heen en weer. Na twaalf stappen stonden ze beneden op de betonnen vloer. Marian herkende de geur. Kelders, vooral in oude gebouwen, roken speciaal.

Deidrée drukte op de lichtschakelaar en knikte naar links. 'Die lichtgroene deur aan het eind van de gang voert rechtstreeks naar de passage tussen het hoofdgebouw en het bijgebouw.'

De tl-buis aan het plafond knetterde. De ruimte was enorm. Ze liepen door de keldergang met aan weerszijden dikke, ruwe muren. Hier en daar bladderde oude verf af. Onderaan, net boven de vloer, zaten smalle stroken schimmel. Het witte licht maakte alles nog intenser.

De kelder was opgedeeld in verschillende ruimtes met in het midden een brede, stoffige gang. De receptioniste had de sleutelbos in haar hand. 'Ik moet toegeven dat ik hier niet alleen naartoe ga. Ik heb hier geluiden gehoord.' Ze glimlachte even. 'Ik denk dat er hier beneden net als op de zolder een geest rondwaart. Ik weet natuurlijk dat het onzin is. Hier is de oude archiefkelder waar het meisje is gestorven.' Ze duwde de deur open. Een kaal wit peertje hing aan het plafond in de vierkante ruimte.

Cato Isaksen ging het eerst naar binnen. De plaats delict. De dikke muren waren grauwwit van kleur. Een buis die uit het plafond stak, verdween in de vloer. Archiefkasten stonden haaks op de muren. Birka liep snuivend naar de achterste hoek. Op de schappen lagen stapels blauwe lege ringbanden. Verdorde bladeren waren door het smalle kelderraam naar binnen geblazen en hadden zich opgehoopt in een hoek onder een oude tafel. Water sijpelde door de buis die verdween in de vloer. Een ingeklapte huishoudtrap leunde tegen de muur. Cato keek naar Marian. 'Maike Hagg overleed op 20 november 1988. Vandaag is het 3 november. Het is bijna vijfentwintig jaar geleden.'

Marian staarde hem aan. 'De verjaringstermijn voor moord is vijfentwintig jaar,' zei ze en ze voelde de snuit van de hond in de holte van haar knie.

Deidrée stond in de keldergang te wachten.

'Kijk eens, Cato,' zei Marian terwijl ze vlekken op de stenen vloer bestudeerde. 'Zijn dit bloedvlekken? Deze plek lijkt veel donkerder.'

Deidrée kwam binnen. 'Ik weet niet wat het is. Ik werk hier nog maar tien jaar.'

Cato Isaksen ging op zijn hurken zitten en haalde een vinger over de vloer. De donkere stenen vormden een brede streep van een van de archiefkasten tot aan de deur. Birka bleef maar snuffelen. Hij duwde de hond weg, kwam weer overeind en keek Deidrée aan. 'Kunt u deze ruimte afsluiten en zorgen dat er niemand meer binnenkomt? Ik kom zo snel mogelijk terug met een technisch rechercheur.' Marian pakte Birka bij haar halsband. 'We hebben geen verzegelingstape bij ons,' zei ze.

Ze liepen de kelderruimte uit.

'Geen probleem. Ik sluit de deur af.' Deidrée trok de deur dicht. Marian liet Birka los. De hond rende snuivend door de keldergang heen en weer. Verderop de gang in was een lange rij gesloten deuren met grote sleutelgaten en verroeste klinken. Plotseling bleef de hond staan, tilde haar kop op en begon te grommen. 'Stil, Birka,' zei Marian. 'Zitten er ratten hier beneden?'

'We zetten zo af en toe wat vallen neer,' antwoordde Deidrée.

Water sijpelde langs de muur naar beneden. Midden in de gang lag een plas water. Een paar onduidelijke, vochtige voetafdrukken liepen verder de gang in. De sporen moesten afkomstig zijn van wandelschoenen of rubberlaarzen. Ze kwamen niet terug. 'U vertelde dat er maar twee uitgangen in de kelder zijn,' zei Marian en ze keek achterom naar de houten deur.

'Ja, alleen via de trap en via die houten deur. En natuurlijk door de onderaardse gangen,' zei ze. 'Je kunt de kelder ook in en uit door de onderaardse gangen.'

*

Werner Hagg kreeg ineens hetzelfde gevoel als hij op de afdeling had gehad: er was geen uitweg. Zoals de situatie nu was, was er niemand om tegen te klagen. Hij was alleen en in ongenade, in hechtenis bij een overheidsdienst die hem als krankzinnig beschouwde. Een snotaap van een politieagent was bij hem geweest en had met hem gepraat. Het was dezelfde politieman die ook bij hem thuis was geweest. De jongste, die met dat donkere haar en die arrogante grijns op zijn gezicht. 'Wees gewoon eerlijk. Zeg het zoals het is. U kende Aud Johnsen, toch?' had hij gezeurd.

Werner Hagg had gezwegen. Hij moest denken aan de tolpoorten, de opnames waren net als vingerafdrukken. Ze konden worden gebruikt als bewijs. Hij was in een vrije val terechtgekomen. Hij had Aud en Emmy niet moeten opzoeken. Hij had ooit een dochter gehad, Maike. Toen was er een ramp gebeurd. En nu was er nog een ramp gebeurd. Hij boog zijn hoofd en legde zijn grote knuisten in zijn schoot. Hij wist dat hij recht had op een advocaat. Hij was niet slecht. Wat er destijds met Elsa was gebeurd, was een ongeluk, ze was nerveus en een zeurkous en ze werd steeds moeilijker in de omgang. Ze kon niet goed voor de kinderen zorgen. Dat hij haar dood had geslagen, was een soort van ongeluk, de woede had hem verblind en een stroom van haat door zijn lichaam gejaagd. Daarom had hij de bijl gehaald. Het gevolg was dat hij in Gaustad terechtkwam. En de kinderen in het kindertehuis ergens in Bærum. Hij staarde naar de muur. Alles was zo lang geleden. Hij had in Gaustad rieten kisten gevlochten. Berit Adamsen wilde de patiënten helpen middels creativiteit, maar sommige patiënten kregen er de zenuwen van en werden onhandelbaar. Hij niet. Hij hield van werken. Nu werkte hij voor Jan. Hij was nu een echte doodskistenmaker. Werner Hagg zag zijn kinderen voor zich, alle drie. Jan was toen zestien geweest en eigenlijk al te groot voor de Kinderdagen. Misschien was het hem om de meisjes te doen, dat hij daarom meedeed. Arme Piet, hij was de meest kwetsbare, had vaak nachtmerries, dacht dat er 's nachts allerlei dingen uit de kast konden komen en hem aanvallen. Maike was eigenlijk de pittigste. Hij glimlachte even teder, zag haar in haar ledikantje, omringd door knuffels die elektrische schokjes veroorzaakten als je er maar even te dichtbij kwam.

*

De natte voetstappen in de kelder konden al van een tijdje terug zijn. Hier beneden droogde het maar langzaam, dacht Marian en ze probeerde het nare gevoel van zich af te schudden. Het gebouw was halverwege de negentiende eeuw gebouwd. In een hoek, waar de keldergang naar rechts boog, stonden kratten met halfafgewerkte sculpturen in versleten kartonnen dozen. Een aantal sculpturen was kapot, sommige in kleine stukken, andere waren bijna af. 'De patienten mochten zich door middel van kunst uiten,' legde Deidrée uit. 'Deze zijn waarschijnlijk nog uit de jaren vijftig. We moeten hier nodig eens opruimen.' Birka wilde een kelderruimte in. De hond snuffelde langs de drempel en blafte zachtjes. Marian pakte haar bij de halsband. 'Hou nu op,' zei ze streng, maar Birka bleef blaffen. 'Ze vindt het vast spannend hier,' zei ze grijnzend, maar op hetzelfde moment voelde ze een koude rilling langs haar ruggengraat.

'Ik ben bang dat het licht het hier niet doet.' Deidrée opende langzaam de deur.

Marian keek de duisternis in en kneep haar vingers stevig rond de halsband om de hond tegen te houden. Ze bleef op de drempel staan. De stilte in de kamer werd overgenomen door een haast onhoorbaar geluid. Ze weerstond de drang om achter de deur te kijken. Om te zoeken naar een spook, zoals ze deed toen ze nog een kind was. Maar ze nam een vage geur waar, de geur van een middel, van iets sterks, maar het lukte haar niet om de geur te definiëren. Een gevoel beet zich in haar vast. Het had te maken met kleine geurdeeltjes. 'We gaan verder.' Cato's stem klonk ongeduldig.

Ze trok de deur dicht. Hij had gezegd dat intuïtie onzin was. En het kinderliedje dat ineens in haar opkwam had niets met deze situatie te maken. *De beer slaapt, de beer slaapt, in zijn warme hol.*

'Ze hadden ook filmdagen.' Deidrée opende een nieuwe deur. 'De projector ging van de ene afdeling naar de andere en de films werden op de wanden geprojecteerd. Hij staat hier nog steeds.' In de kamer was langs een van de muren een hele rij houten hokjes gebouwd. Net kleedkamers in een zwembad. Deidrée vervolgde: 'Ik weet echt niet wat er hier gebeurde, misschien werd de ruimte gebruikt om te ontluizen.'

'En deze?' Cato Isaksen was verder gelopen. 'Dit lijkt een soort martelkamer, met bankjes en riemen. Wat is het? Is dit een elektroshockkamer?'

'Ja,' zei Deidrée. 'De directie heeft de kamer gelaten zoals hij was. Uiteraard werden de laatste jaren de elektroshocks niet meer hier toegediend, maar in het ziekenhuis.'

Bij de lichtgroene houten deur die naar buiten leidde, zat een gat in de dikke muur. 'Daarachter beginnen de onderaardse gangen,' zei Deidrée. 'Ik zal het licht aandoen, dan kunt u in de diepte kijken.' Het gat leek net een bodemloze schacht naar het aardedonker.

'Het zijn gewoon catacomben,' zei Marian en ze deed Birka weer aan de riem. De hond ging zitten.

'Waarom zijn hier onderaardse gangen?' Cato Isaksen kreeg een akelig gevoel toen het koude licht in de smalle neonbuizen even knipperde voor het tot rust kwam. Aan weerszijden van de tunnel liepen grote buizen en het plafond was bedekt met een dunne laag schimmel. Er hing een bedompte geur.

'Patiënten en verzorgers konden vroeger wanneer het regende of sneeuwde via deze tunnels droog van het ene gebouw naar het andere komen,' zei Deidrée. 'Het is een groot terrein en eigenlijk zijn de onderaardse gangen een gevaarlijke doolhof. Een paar keer in de geschiedenis van het ziekenhuis zijn patiënten ontsnapt of in de gangen verdwaald, waarna ze later dood terug werden gevonden. Tegenwoordig is er in de hoofdgang licht, maar niet in de zijgangen.'

'En de buizen?' Marian keek de gang in.

'Toen Gaustad aan het begin van de twintigste eeuw waterleiding kreeg, werden de leidingen langs de wanden in de tunnels geïnstalleerd. Op die manier was het hier al heel vroeg modern. De patiënten konden een warm bad nemen. Daarvan kalmeerden ze.'

Ze gingen door de deur naar buiten en liepen door de passage tussen de gebouwen. Deidrée droeg geen jas en had het duidelijk koud. 'Hier aan de rechterkant is de ingang naar de kapel, dat trapje op daar.' Op hetzelfde moment begonnen de kerkklokken van de kerk van Riis te luiden. Alle drie glimlachten ze om het toeval.

'En een stukje verder staat het Ketelhuis.' Deidrée sloeg haar armen over elkaar om de warmte vast te houden. 'Het is al jaren gesloten.'

Het kleine Ketelhuis stond aan de rechterkant, vlak naast het wandelpad, en was helemaal begroeid met wilde wingerd. Er hingen nog maar een paar vuurrode bladeren aan de bruine stengels die zich vastklampten aan de muur. Een ineengedoken mummieachtige figuur in wit marmer stond op een zuil naast de ingang. Cato Isaksen keek langs de schoorsteen omhoog.

'Hij is vierenveertig meter hoog,' zei Deidrée.

'Het gebouwtje doet denken aan een kleine Engelse pub. Ik krijg zin in een biertje,' grapte Marian. 'Waarom zitten er tralies voor de ramen?'

'Dat is niet ongebruikelijk hier,' zei Deidrée en ze ging verder: 'Er is een anekdote over het Ketelhuis die stamt uit het begin van de twintigste eeuw. Een patiënt vermoordde een vrouw. De patiënten hier in Gaustad hebben sinds jaar en dag allerlei soorten manden en kisten gevlochten. Er staat nog steeds een gevlochten korfkist in het Ketelhuis. De vrouw woonde in het vrouwenhuis en de mannelijke patiënt kon haar alleen door het gaas van het hek zien. Op een keer vertelde ze hem dat ze eigenlijk dood wilde. Hij beeldde zich in dat ze geliefden waren en hij wilde haar helpen. Hij hield van haar met heel zijn hart, zei hij achteraf. Hij wist te ontsnappen en het vrouwenhuis binnen te komen, wurgde de vrouw en verbrandde haar in een korfkist in de grote oven in het Ketelhuis. Sindsdien worden de korfkisten 'bruidskisten' genoemd. Maar waarschijnlijk is het pure fantasie.' Deidrée wreef over haar onderarmen om warm te blijven. 'Sommigen zeggen dat de oven in het Ketelhuis tot in de jaren vijftig gebruikt is voor crematies. Vroeger stierven patiënten hier aan de lopende band. Wie zal zeggen wat hier eigenlijk gebeurde. Dit was oorspronkelijk het huis van de conciërge. In de laatste jaren voor de sluiting van Gaustad heeft hier een student geneeskunde gewoond. Op de zolder is een klein appartement. Ik heb er geen sleutels van en ben er nooit geweest, maar er liggen vast en zeker nog allerlei gereedschappen die de loodgieter en de conciërge vroeger gebruikten.'

Ik zie vaag drie mensen en een hond buiten staan. Door het glas-in-loodraam kan ik hun gezichten niet zien, maar het moeten dezelfde mensen zijn als die net in de kelder waren.

Ik schrok me wild toen ik in een van de kelderruimtes in een doos aan het zoeken was. Ik had net een boekje gevonden, toen ik plotseling stemmen hoorde in de keldergang. Ik deed de zaklamp uit. Door het sleutelgat zag ik de contouren van mensen. En een hond begon te blaffen. Ik stond in de hoek achter de deur, ze deden de deur open maar zagen me niet. Maar de hond stond in de deuropening en blafte. Toen werd de deur weer gesloten. Het voelde alsof ik viel, wederom, diep in mijn rampspoed. In het schaduwdal van mijn ziel, waar ik niet zijn wil. Toen ze weg waren, heb ik gewacht. Totdat ik in de verte de lichtgroene kelderdeur hoorde dichtslaan. Toen heb ik de kelderruimte verlaten, ben ik door de gang gelopen en in mijn gat gekropen, in de onderaardse gang. Ik ben net een mol, met een stinkende vacht en blote handen. Mijn spuug is giftig. Ik deed het licht uit dat zij aan hadden gedaan en vergeten uit te schakelen. Ik liep de tunnel in. Ik heb geen licht nodig, ik weet hoe ver het is naar het Ketelhuis. Ik liep snel en hees me omhoog door het houten luik. Nu hoor ik hun stemmen buiten en ik stop het sleutelgat dicht met papier. Dan doe ik een paar push-ups op de ijskoude vloer en zet de oven aan. Het vuur gloeit. De warmte blijft een paar dagen hangen. De stenen muren worden wat warmer, net als rotsen in de zon. Ik open het boekje. Het gaat over mentale hygiëne, maar op de colofonpagina heeft iemand een klein gedicht geschreven.

De bloemen aan het eind van de weg zijn nog niet geplukt. En je kunt het geluid in de boom nog horen. Je hoort hoe de bladeren worden gelezen door de wind. Want alles ís er nog.

In de kelder vind ik dingen die ik kan gebruiken, weggestopt in dozen. Ik maak deze uitstapjes om tot rust te komen. Ik voel de pijn in me. Roep hem op, om hem zo kwijt te raken. 'Inkapselen' wordt dat genoemd. Alsof je je zwarte vleugels afkapt. Ik krijg soms beelden in mijn hoofd, van kinderen die buiten bij gebouw G staan en opkijken naar de ramen en de patiënten die binnen verblijven.

De oven in het Ketelhuis is net een groot beest. Nu gromt hij. Ik heb er ook hout in gestookt, niet alleen de elektrische installatie ingeschakeld. Want de kou heeft rijpplekken gemaakt op de stenen vloer rond het kelderluik. Jammer genoeg komt de spin aan het plafond in beweging. Ik kijk naar het duivelsmasker dat aan de spijker hangt. En naar de glimmend gepoetste sikkel ernaast. Ik dwing mezelf om de details van de moord te herbeleven. Het is een teken van gezondheid. Maar het voelt alsof ik op een zwarte carrousel spring.

Deidrée vroeg of ze de wasserij wilden zien en wat er over was van het Lobotomiegebouw. 'We hebben wel genoeg gezien, denk ik,' zei Marian. 'We moeten verder.' Birka rukte aan de riem. 'Ik moet weer aan het werk, nog een aantal dossiers doornemen,' loog ze. Ze zou niet naar het bureau gaan, maar naar het appartement van Erik Haade. Hij had verschillende sms'jes gestuurd dat ze moest komen. Alles spiegelde zich in alle richtingen. Het voelde bijna als overspel, hoewel ze nog nooit seks had gehad met Cato.

Toen ze zich omdraaide om terug te lopen naar de auto, kwam een krachtig gebouwde roodharige man het wandelpad af en liep langs hen heen. Hij droeg een legergroene jas en een rugzak. Zijn spijkerbroek was van achteren helemaal versleten en zag eruit als een traliewerk van grove katoenen draden. Hij staarde naar de grond en liep snel verder.

Cato Isaksen keek over zijn schouder. Hij durfde te wedden dat hij een sliertje rook van het Ketelhuis zag opstijgen, als een dunne draad naar de hemel.

*

Jan Hagg belde zijn vader zodra hij thuis was. Hij ging zitten aan de oude, lange tafel. Een grote potplant stond op een kleurig tafelkleedje. Hij staarde naar het patroon van groene bladeren en blauwe druiven die zich in elkaar strengelden. Toen sloot hij zijn ogen en achter zijn oogleden kwamen beelden tot leven. Waarom antwoordde zijn vader niet? Soms had hij donkere dagen, zoals hij ze zelf noemde. Dan wilde hij met rust worden gelaten. Ingrid was net terug van de uitvaartonderneming. Hij hield niet van de geur van formaldehyde. Ze stond nu onder de douche. Ze had anders geleken. Alsof ze voelde dat er iets mis was. Hij had haar niet verteld over het telefoongesprek met Emmy Hammer. Hij kon er niet tegen om te praten over die tijd.

Hij had zijn vader na het gesprek niet moeten bellen. De psychische gezondheid van zijn vader was in wankel evenwicht. De geringste verstoring bracht hem van zijn stuk.

De meisjes speelden in de kamer. In de grote, langwerpige keuken zat tussen de twee hoge ramen, ongeveer in het midden, een open haard. Je keek uit op de kroon van de grote, verlichte eik in de achtertuin. De weinige overgebleven bladeren waren goed te zien, rood als bloed.

Ingrid kwam op blote voeten de keuken binnen, en hij opende zijn ogen.

'We moeten maar iets te eten maken,' zei ze.

Een koekkruimel op het tafelblad trok zijn aandacht. Hij tilde zijn grote hand op en veegde hem weg.

*

Ingrid Hagg maakte een salade en zette de schaal op de tafel. De meisjes waren gelukkig dol op groente. Dat hadden ze van hun vader. Ze gruwelden van zijn verhalen dat hij in zijn jeugd alleen maar brood met honing had gegeten en dat zijn tanden al waren verrot voordat hij vijf jaar was.

Ze keek hem aan. 'Wat is er eigenlijk aan de hand, Jan? Is er iets met je vader?'

'Nee, niets. Ik heb gewoon geen honger. Ik ga sporten.'

Hij liep naar de gang, pakte zijn sporttas en keek even naar binnen bij de meisjes, die op de vloer zaten en met plastic dieren speelden. Ze waren niet vaak bij hun grootvader op de kleine boerderij, maar als ze er waren, vroegen ze altijd waarom hij geen dieren in de schuur had.

Maandagmorgen, 4 november, was Cato Isaksen al om zes uur op het politiebureau. En hij was niet de enige. Marian was in een stralend humeur en had er zin in. Er lagen veel taken te wachten en die moesten bovendien in de goede volgorde worden uitgevoerd. Om zeven uur was Cato Isaksen terug aan de Kirkeveien om te controleren of Berit Adamsen thuis was gekomen. Hij besefte dat het schaamteloos vroeg was, maar het had haast. Ze deed ook nu de deur niet open, en de brievenbus zat nog steeds helemaal vol. Cato Isaksen liet zich zwaar op de bestuurdersstoel neerzakken. Als Berit Adamsen er inderdaad vandoor was, betekende dat dat ze iets moest weten. Ze had haar mobiel uitgezet. Hij geloofde natuurlijk niet dat de moord aan de Sandakerveien gepleegd was door een achtenzestig jaar oude vrouw.

Cato Isaksen keek in de achteruitkijkspiegel en draaide de weg op. Het Openbaar Ministerie moest beoordelen of Hagg in voorarrest zou worden genomen. Haggs advocaat zou om negen uur komen. Bente had hem bij zijn studio opgewacht toen hij gisteravond laat thuiskwam. Hij was zo moe dat hij had gezegd dat hij niet kon praten en ze was huilend naar haar auto gelopen. Hij had afgelopen nacht niet meer dan twee uur geslapen. Zijn geweten speelde hem parten.

Hij reed door de Kirkeveien en dacht aan wat Deidrée had gezegd over patiënten die terugkwamen. *Maar door de jaren heen zijn er ook veel patiënten teruggekomen, enkel en alleen om zich hier van het leven te beroven.*

De aanleiding voor de moord op Aud Johnsen kon iets zijn wat in het verleden had plaatsgevonden.

Gaustad was een inrichting geweest voor behandeling en onderzoek, maar ook een plek voor familieleden. Vroeger kon iedereen met het stempel 'gek' of die het moeilijk had in een gesticht worden gestopt. Hij had ergens gelezen dat dat vooral vrouwen overkwam. Problematische echtgenotes en dochters. Nu herinnerde hij zich de droom die hij gisteravond had gehad. Marian had in zijn bed gelegen, tegen de wand, haar zwarte haar op het kussen. Ze lag op haar zij en haar mysterieuze lichaam maakte bij haar heup een knik.

*

Het team kwam bij elkaar in vergaderzaal A5. De daaropvolgende uren werden de verschillende strategieën doorgenomen die parallel zouden worden gerechercheerd. Onafgebroken werd verder gewerkt aan de verhoren van de buren en de mensen die op de een of andere manier in verband konden worden gebracht met het slachtoffer. Tips werden gesorteerd en onderzocht. De verjaringstermijn voor moord was een van de onderwerpen die aan de orde kwamen. Over precies twee weken was de verjaringstermijn een feit. Het onderzoek naar de exacte gebeurtenissen rond de dood van Maike Hagg kreeg prioriteit. 'Ik wil dat Johnsens huisje in de volkstuin grondig wordt onderzocht,' zei Cato Isaksen. 'Asle, neem een technisch rechercheur mee en ga er onmiddellijk naartoe. Ik heb vanmiddag met Ellen afgesproken in Gaustad, om de archiefkelder aan een technisch onderzoek te onderwerpen. Het is vreemd dat John Johnsens vingerafdrukken niet in het appartement van Aud Johnsen aan de Sandakerveien zijn aangetroffen. Hij zegt dat hij er nog nooit is geweest. Is dat normaal?'

'Johnsen reageert er helemaal niet op dat zijn dochter is vermoord.' Roger Høibakk schudde zijn hoofd. 'De ziekte straalt van hem af.'

'Hij reageert wel,' zei Marian en ze leunde naar voren. 'En deze ziekte straalt niet van iemand af. Jij bent degene die minachting uitstraalt. Misschien schaamt hij zich wel. Hij weet hoe wij van de politie naar hem kijken.'

Roger Høibakk haalde zijn hand door zijn haar. 'We hebben wel met psychiatrische patiënten te maken. Een boom van een kistenmaker die doet denken aan een stripfiguur. En een jasman die brabbelt over demonische engelen.'

'Psychiatrische patiënten lijken eigenlijk net gewone mensen, Roger,' ging Marian verder.

'Maar dat is nu juist niet het geval,' grijnsde Roger. 'Kijk maar naar Johnsen en Hagg.'

'Er zijn basissymptomen en randverschijnselen,' ging Marian verder. 'Basissymptomen zijn onder andere associatiestoornissen en denkstoornissen.'

Cato Isaksen staarde haar aan. Marian praatte als een psychiater.

'We hebben niets wat Johnsen betreft,' zei hij. 'We moeten nu eerst afwachten wat er met Werner Hagg gebeurt.' Hij dacht een kort moment aan de droom over Marian. 'Waarschijnlijk oordeelt het Openbaar Ministerie dat voorlopige hechtenis nog niet aan de orde is. Ellen heeft doorgegeven dat Haggs leren laarzen veel te groot zijn voor een match met de voetafdrukken bij Aud Johnsens raam. Ik vraag me af of we contact moeten opnemen met Karsten Tønnesen. Hij werkte destijds in Gaustad.'

Asle Tengs haalde zijn schouders op. 'Onze vaste politiepsychiater. Hij is met pensioen.'

Marian keek Cato aan. 'Een psychiater. Waar is dat goed voor?'

'Waarvoor zou het níét goed zijn,' zei Cato Isaksen en tegelijk ontvingen ze het bericht dat het Openbaar Ministerie had besloten dat ze niet genoeg hadden om Werner Hagg vast te houden. Hij ontkende dat het zijn auto was op de bewakingsbeelden, en het kenteken was niet zichtbaar. Ze moesten wachten op informatie van de tolpoorten. In de tussentijd werd hij op vrije voeten gesteld.

De rechercheurs keken elkaar teleurgesteld aan.

'Norma Winther heeft niet verteld dat Maikes vader een moordenaar was, dat hij haar moeder had gedood,' zei Cato Isaksen om de hopeloze stilte te doorbreken. 'Waarom heeft de predikant dat niet gezegd? Ik moet nog een keer naar haar toe en ook naar de kelder in Gaustad, samen met Ellen. De dagen zijn veel te kort.'

'Je moet delegeren, Cato,' zei Marian.

'Ik delegeer wel, Marian. Maar ik moet de details in me opnemen zodat ik me een beeld kan vormen van het grote geheel.'

'Dat was trouwens een bijzondere *love story* die Deidrée vertelde over de bruidskist, Cato.'

'Volgens mij was het meer een verhaal over afgunst, Marian.'

De anderen keken hen niet-begrijpend aan.

Na de bespreking liep Marian snel terug naar het kantoor dat ze deelde met Randi. Cato had die stém weer gehad. Die met dat kille randje. Ze moest het van zich afzetten en zich richten op Jan Hagg. Werner Haggs zoon.

Marian was helemaal klaar met psychiaters. Gaustad was het mekka van de psychiatrie en Tønnesen was een oudere heer die haar herinnerde aan de psychiater bij wie ze zelf in behandeling was geweest. Alles kwam weer boven. Hij was tot de conclusie gekomen dat ze als kind een hogere cognitieve intelligentie had dan normaal. Het had haar jeugd verwoest en haar vervreemd van haar adoptieouders. Ze had een extreem verlangen om kennis te vergaren en een hoog energiepeil. Ze kon al lang voordat ze naar school ging lezen en schrijven. Ze had een goed geheugen, weinig behoefte aan slaap, was een nieuwsgierig kind, een dwingeland en ze had een te sterk gevoel voor rechtvaardigheid. Daarom botste ze met de meeste mensen. Marian begreep als vijfjarige al wat ironie was, ze stelde existentiële vragen, was creatief, perfectionistisch, intens en koppig. Nu was ze weer terug bij Cato. Voor hem wilde ze zich volledig inzetten, meer dan hij zich ooit kon voorstellen. Waarom was het zo belangrijk? Waarom, dacht ze toen ze ging zitten aan haar bureau. Ze kromp wat ineen. Ze zou gezworen hebben dat het nog maar een moment geleden was dat ze zo oud was als Maike Hagg.

*

Cato Isaksen rook zijn eigen straffe zweetlucht. Hij had vanmorgen niet gedoucht. Hij moest naar zijn studio en zich omkleden voordat hij weer naar Berit Adamsen ging, daarna naar Norma Winther in de kerk van Fagerborg en ten slotte naar psychiater Carl Hammer aan de Trosterudveien.

Toen hij een half uur later onder de douche stond, dacht hij aan wat Roger over vrouwen had gezegd. *Dat wat vrouwen bang maakt voor mannen is hetzelfde als wat vrouwen angstwekkend maakt.* Maar mannen sloegen, mannen moordden, mannen hadden macht. De gedachte aan Bente rolde als een golf van verdriet door zijn lijf. Hij had haar zojuist een berichtje gestuurd en gezegd dat het hem speet.

Toen hij zich stond af te drogen, ging zijn mobiel. Hij hoorde de heldere stem van Deidrée, de medewerker van Gaustad. 'Het enige wat ik heb kunnen vinden zijn wat papieren waarin staat dat de Kinderdagen in de jaren tachtig onder andere werden georganiseerd door een jonge vrouwelijke predikant die hier op dat moment werkte. U noemde haar naam al een keer, Norma Winther. Ik weet niet of ze nog steeds als predikant werkt.'

'In de kerk van Fagerborg,' zei Cato Isaksen.

'Norma Winther nam ontslag, kort nadat Berit Adamsen was gestopt.'

'Juist,' zei hij. 'Dank u wel. Ik ga nu naar haar toe.'

Hij belde weer bij Berit Adamsen aan, wachtte een hele tijd, sprak met de buurman op de begane grond, die Adamsen al een paar dagen niet had gezien, en reed toen naar de kerk van Fagerborg. Hij parkeerde op de lege parkeerplaats.

Wat had Johnsen ook alweer gezegd? *Dit is alles wat ik te zeggen heb. Jullie moeten allemaal begrijpen dat de duivel verkleed is als een engel.* Verdomme, misschien bedoelde hij Norma Winther?

Hij liep deze keer om de kerk heen. Er stond een camper aan de achterkant, vlak tegen de muur. En autoverhuurbedrijf Bislett Bilutleie had vier busjes met het logo van het verhuurbedrijf op een parkeerplaats aan de rand van het park staan. Hij liep de stenen trap aan de zijkant op. Het was al elf uur geweest toen hij op dezelfde stoel als de vorige keer ging zitten en zijn eerste vraag stelde. De predikant droeg een hobbezakkerige jurk met een bont patroon. Lilly Hausmann was nergens te bekennen. 'Waarom hebt u, vlak nadat Berit Adamsen ontslag had genomen, Gaustad verlaten?'

Het viel hem op dat Norma Winther een kleur kreeg. Niet erg, maar haar wangen werden ietsje roder, alsof ze bang werd. Ze maakte een afwerend gebaar. 'Ik hoef hier geen antwoord op te geven.'

'U bent verplicht om te getuigen en u wordt hoe dan ook uitgenodigd voor een officieel verhoor op het politiebureau. We hebben uw hulp nodig. Was er een reden om te stoppen?' Hij keek haar aan.

Norma Winther keek hem aan. 'Ik kreeg een betere baan aangeboden,' zei ze. 'In Gaustad had ik niet meer dan een kamer in de stad. Hier kreeg ik een hele pastorie.'

'Waarom hebt u de vorige keer niet verteld dat Maike Haggs vader een moordenaar was?'

'Dat was niets bijzonders op de forensische afdeling. Er zaten veel meer moordenaars, maar er waren ook patiënten die alleen maar agressief waren, zoals John Johnsen. Tikkende tijdbommen die de grootste rampen konden veroorzaken.'

'U meent het. Hebt u nog contact met John Johnsen?'

Ze schudde haar hoofd. 'Ik heb hem af en toe gezien bij de zondagse kerkdienst, op de achterste bank.'

'Ik heb een kijkje genomen in de kapel op Gaustad.'

'Ik heb veel aan de begrafenis gedacht. Maikes grote broers zaten naast hun vader, op de voorste bank. Een verschrikkelijke geschiedenis. De dood die twee keer toeslaat. Ik kom door mijn werk veel in aanraking met de dood, ik ben er niet bang voor.'

'Jan en Piet?' vroeg Cato Isaksen.

Ze knikte. 'Aardige jongens, allebei donker haar. Ik denk dat Jan het wel goed deed bij de meisjes. Ze waren toen een jaar of twaalf.'

‘U zegt Jan. En Piet dan?’

‘Piet was een nietszeggende jongen. Maar hij had altijd een mes bij zich.’ Ze keek hem verbaasd aan, alsof ze juist een geheim had onthuld.

‘Oké. Wat bedoelt u met nietszeggend?’

‘Dat was gewoon het eerste woord dat in me opkwam. Hij was vooral geïnteresseerd in gereedschappen, herinner ik me. Hij mocht graag bij de conciërge in het Ketelhuis zijn.’

‘En Maike?’

‘Eerlijk? Een beetje sneu. Een klein, dik kontje en vet, grijsbruin haar. Recht afgeknipt, zo!’ Ze maakte een beweging met haar hand. ‘Maar ze straalde ook iets uit, hoewel ze nooit mooie kleren droeg. De dag dat ze stierf had ze een gebreid vest aan en een donkergroene broek.’

‘Dus dat weet u nog?’

‘Dat zijn van die dingen die je onthoudt. En dat ze op de brancard lag. Dat de ambulance wegreed.’

‘We kunnen Piet Hagg niet vinden. Weet u waar hij is?’

Norma Winther schudde haar hoofd. ‘Maike was nogal verknocht aan Berit,’ vervolgde ze. ‘Ze hielden alle drie van Berit.’

‘We kunnen ook geen contact krijgen met Berit Adamsen.’

Norma Winther legde haar handen op het bureau en duwde haar stoel iets naar achteren. ‘Het enige wat ik kan bedenken is dat ze een oud vakantiehuisje had in Krokskogen. Ik ben er een keer op bezoek geweest.’

Cato Isaksen liep vlug terug naar de auto. Hij reed de parkeerplaats bij de kerk af en belde Roger zodra hij onderweg was. 'Volgens Norma Winther heeft Berit Adamsen een vakantiehuisje in Krokskogen. Ze heeft uit haar hoofd een kaart geschetst. Bij Sundvollen de bosweg in naar Krokkleiva. Het is niet meer dan veertig minuten rijden.'

'Gaan we erheen?' Roger klonk teleurgesteld.

'Zeker! Ik heb geen tijd meer om naar Carl Hammer te gaan. Wil jij Asle vragen of hij er samen met Randi heen gaat? Later vandaag heb ik met Ellen in Gaustad afgesproken. We gaan de archiefkelder onderzoeken. Ik kom je nu meteen ophalen. Wacht op me bij de oude benzinepomp. Neem ook laarzen voor ons mee.'

*

Toen Emmy Hammer maandagochtend wakker werd, was het alsof er een voorgevoel in haar lichaam zat. Er ging iets gebeuren. Ze voelde zich niet goed toen ze later tegenover haar vader aan de witte tafel in de eetkamer in het grote huis zat. Hij had haar gezegd dat de politie zou komen om met hem te praten. Alsof het een alledaagse bezigheid was. Zijn vader had Aud met geen woord genoemd. Had hij niet begrepen dat het John Johnsens dochter was over wie ze op het nieuws spraken? Zelf probeerde ze het uit haar hoofd te zetten.

Ze voelde hoe de angst zich vastbeet in haar maag en zette iets te luid het kopje terug op het schoteltje. Haar ouders hadden haar uitgenodigd voor het afscheidsontbijt voor Philip. De volgende ochtend zou hij teruggaan naar Polen. Voor een afscheidsdiner was geen tijd, want die avond zouden ze alle vier naar een concert in het Concertgebouw. Het Oslo Filharmonisch Orkest speelde Mahlers *Zesde symfonie*. Philip en Emmy knipoogden naar elkaar. Ze moesten elkaar er maar doorheen slepen. Emmy hield van haar ouders' woonkamer. De bloemen op de vensterbank verspreidden een zware geur. Op de vloer lagen Perzische tapijten. De wanden waren bedekt met schilderijen en de meubels waren oud en solide. Op de piano stond een rij familiefoto's: haar grootouders van beide zijden, zijzelf als kind en vier foto's van Philip. Met zijn blonde kuif en kuiltjes in zijn wangen op zijn eerste schooldag, twee babyfoto's en een foto van zijn belijdenis. Hij zat nu naast haar. Haar moeder, klein en rond met ouderwetse permanentkrullen op haar hoofd, serveerde broodjes met hamburger en garnalen. Philip kreeg als eerste en hij begon te eten zodra hij het broodje op zijn porseleinen bord met rozenmotief had. Haar vader glimlachte. Emmy keek hem aan. Hij had een rond gezicht. Zijn grijze haar had hij overdwars gekamd om te verbergen hoe dun het was. Zijn broek was over zijn ronde buik getrokken en werd op zijn plaats gehouden door een paar brede bretels. Hij was zo blij als Philip thuis was. Dat waren ze allemaal.

Vader zat voorovergebogen. Plotseling zag hij een jachthond in de tuin lopen. 'Alweer,' zei hij. 'Die vervelende loslopende honden.'

'Ik dacht gisteren dat iemand gebukt onder mijn raam liep, dat ik zijn rug zag. Dat was vast die hond. Ik was er gewoon bang van.' Emmy lachte een beetje om zichzelf, maar ineens stonden de tranen in haar ogen. Ze was zo gevoelig na alles wat er was gebeurd.

'Je bent ook overal bang voor op dit moment,' zei Philip.

Het regende weer, maar zo licht dat je het haast niet kon zien. Plotseling voelde ze hoe graag ze wilde dat de herfst en de winter weer achter de rug waren, dat het weer zomer was. Dan stonden de deuren en ramen open en door alle kamers waaide een zoete zomergeur.

*

Roger Høibakk gooide een paar laarzen achter in de auto en stapte snel in aan de passagierskant. Hij had de iPad onder zijn arm. 'Asle heeft al aan de telefoon met Carl Hammer gesproken. Hij voelde zich niet zo goed. Hij geloofde dat Berit Adamsen onmogelijk iets over deze zaak te melden kon hebben,' zei Asle.

'Des te meer reden om Adamsen te vinden. Ik praat morgen wel met Carl Hammer.'

'We moeten samen met Hammer praten, Cato. Ik denk dat we de ontbrekende schakel snel zullen vinden. Psychiatrie en uitvaartondernemingen, mooie combinatie.'

*

Norma Winther ging de kerk binnen en stak twee kaarsen aan. De leegte en de stilte in de verlaten kerk hadden een rustgevende werking. In de kerk werd ze iemand anders. De geur van talg deed haar goed. Veel predikanten werden depressief door alle lotgevallen waarmee ze werden geconfronteerd. Zelf hield ze het goed vol, maar toen was Lilly gekomen, in haar camper. En nu was Aud vermoord.

Het was de afgelopen dagen allemaal wat te veel geworden. Ze dacht aan Berit. Dat deed ze wel vaker, eens in de zoveel tijd. Af en toe miste ze de periode met de psychisch gestoorden. Ze was veel te weten gekomen over de geheime, verwrongen gedachten van mensen, en ze probeerde er zo goed als ze kon mee om te gaan. Het goede kon niet eeuwig duren, het slechte ook niet. Of het kwade. Slecht en kwaad waren twee verschillende woorden. Het geheim was de balans. Om die te vinden, vreugde en pijn tegen elkaar af te wegen, allebei, en te begrijpen dat het leven uit donker en licht bestond. Zo simpel was haar boodschap. Ze was zich ervan bewust dat empathie en onverschilligheid hand in hand moesten gaan, en ze had een soort schild om haar heen om alles waarmee ze werd geconfronteerd te kunnen hanteren.

*

Tegen de muur, daar waar de kapotte lampen lagen, was het dak laag. De zolder was donker, slechts verlicht door het zwakke oktoberlicht dat naar binnen sijpelde door het ene dakraampje, diep verzonken in de dakconstructie in de dikke bakstenen muur. Emmy probeerde wat ze had gevonden te verbergen. Norma vroeg haar naar voren te komen. Wat heb je daar gevonden? Het was een oud kinderjurkje. Je kunt het niet meenemen, zei ze. Jawel, zei Emmy, want mijn vader is de baas in Gaustad. Er bewoog iets en ze draaide haar hoofd. Vanuit haar ooghoek zag ze een gestalte en ze voelde een steek van angst. Jan kwam uit de duisternis tevoorschijn. Wat doe je hier? Jan had een paar kleine ronde stenen in zijn handen. Hij keek als een kind dat iets nieuws en spannends had ontdekt. Ze lagen daar, zei hij en hij liep door de stoffige zonnestraal. Heel even tekende zijn lichaam zich tegen de oude houten vloerplanken af als in een schaduwtheater. Ik denk dat hier een soort van offerplaats is geweest. Er ligt een bloederige deken helemaal in de verste hoek. Wat een onzin, zei Norma en ze kreeg het sterke gevoel dat ze iets verloren had, of iets vergeten was, en dat alles te laat was. En nu naar beneden, naar de anderen, beval ze net toen Berit de trap op kwam klauteren. Haar ge-

zicht stond boos. Ze had het naar boven gewend, alsof ze zich voorbereidde op wat er ging gebeuren. Jullie mogen hier niet komen, riep ze en ze keek angstig naar het kinderjurkje dat Emmy in haar handen hield, alsof het een dode geest was. Haar stem klonk veel te schel. Die nacht had Norma gedroomd. Ze was op zoek naar haar kind in de zakken van een groot schort. En de volgende ochtend voelde ze zich net zo oud als ze was geweest toen ze een klein meisje was.

*

Cato Isaksen zat achter het stuur. Hij dacht aan Norma Winthers beschrijving van Maike, *een klein, dik kontje*. Toen ze over de heuvel bij Sollihøgda reden, zagen ze het water van de Tyrifjord en onder hen spreidde het landschap zich uit. 'We krijgen ander weer,' zei Roger Høibakk en hij wees naar de mistflarden die in de diepte vanaf de hellingen over het water dreven.

'Ik wil dat we de zaak weer helemaal opnieuw gaan bekijken, en dat we vanaf de bodem steen voor steen alles weer opbouwen,' zei Cato Isaksen. 'We doen het op de oude manier. We zoeken een grote tafel en leggen alles uit. Ik meen het. Alle rapporten naast elkaar. Prints. Aantekeningen. Foto's. De hele zooi. Alles over Johnsen en Hagg. En over zijn zoons.' Hij gaf richting aan en passeerde een auto.

Roger Høibakk keek naar hem. 'Berit Adamsen moet een reden hebben om zich te verbergen. Als ze dat tenminste doet.'

Cato Isaksen kneep zijn handen om het stuur en remde voor de auto voor zich.

*

Bij Sundvollen sloegen ze af en reden ze langs het oude hotel met het mooie houten gebouw, waar de jongeren die uit het water waren gered tijdens de aanslag op Utøya in juli 2011 werden opgevangen. Roger Høibakks mobiel ging over. 'Ellen,' zei hij en hij hield de telefoon tegen zijn oor.

Haar stem aan de andere kant van de lijn klonk als een regelmatig gebrom. Cato Isaksen haalde diep adem.

'Oké, ik geef het aan Cato door.' Roger beëindigde het gesprek en draaide zich naar Cato Isaksen toe. 'Er is niets verdachts gevonden op Werner Haggs telefoon. Hij heeft vooral met zijn zoon en schoondochter gebeld. Verder niets opzienbarends.'

In de bocht, voordat de weg begon te stijgen, stonden nog altijd de overblijfselen van de kabelbaan die hier ooit begon. Toeristen hadden in de rij gestaan om in rammelende bakjes langs de helling met de grote rotsblokken naar boven te reizen. Cato Isaksen had in zijn jeugd vaak schuddend de tocht door de smalle kloof omhoog naar de berghut Kleivstua gemaakt. 'Ben jij ooit met die kabelbaan geweest?'

Roger Høibakk schudde zijn hoofd en volgde zijn blik. 'Te jong,' zei hij grijnzend.

De auto reed verder omhoog over de Dronningveien, langs de wijk met eengezinswoningen. Verderop stonden de bomen met hun dunne stammen tot aan de weg. Daarna werd het bos steeds dichter.

Door het raam van het vakantiehuisje zag Berit Adamsen een gordijn van regen tussen de sparren hangen. De bomen bogen in de wind. Het was zo'n dag waarop het nooit helemaal licht werd. Een winterinsect zoemde tegen het glas. Ze trok twee stoelen onder de grijsblauwe eettafel vandaan en ging op een ervan zitten. Op de andere legde ze haar benen. Door haar kousen heen waren de spataders te zien. Ze had spijt dat ze Piet had verteld over het telefoontje van Aud. Haar pleegzoon zat op de bank een houten pin te snijden. Zijn wenkbrauwen boven de diep weggezonken ogen vormden één lijn. Piet had iets ouwelijks over zich. Hij was zo kwetsbaar. En zelfs als ze rammelde met potten en pannen, als ze probeerde over iets anders te praten, over wat ze konden gaan doen als ze terug waren in de stad, zat hij daar maar. Eten was altijd haar medicijn geweest. De gedachte aan het verrotte gehakt dat ze was vergeten weg te gooien, zat haar dwars.

Ze stond weer op en liep naar de keukenhoek. Ze doopte haar vingers in het grijze sop dat in het afwasteiltje op het aanrecht stond. 'We breken een pot frambozenjam aan en na het eten ga ik wafels bakken.' Ze begon vlees te bakken, haast manisch, alsof ze hem daarmee binnenshuis zou kunnen houden. Hij was negenendertig, maar deed haar denken aan Peter Pan, zwevend en tijdloos. Maar zijn gezicht was oud. Op zijn vijftiende had hij last gehad van een beginnende maagzweer, en zijn handen trilden. Hij vroeg vaak waarom hij zo dom en slecht was. Hij wilde geen vrienden, en hij hóéfde geen vrienden te hebben. Dat prentte ze hem in.

Toen ze donderdag hier aankwam, was hij niet in het huisje geweest. Het leek alsof hij was opgegaan in de natte duisternis van het bos. Zijn Vespa was weg. Ze had het gecontroleerd. De scooter stond altijd geparkeerd onder een stuk zeil bij de houtstapel tussen de berken achter het schuurtje. Een stukje verder liep de andere bosweg verder het natuurgebied in. Het pad ging helemaal door naar het Lommedal en de skihut Sørsetra. De volgende ochtend vertelde hij dat hij 's nachts op jacht was geweest. Ze wist niet wanneer hij terug was gekomen. Hij kwam en ging zoals het hem uitkwam. Trok zijn jas aan en vertrok. Kwam terug op de vreemdste tijden. In de schuur had hij een werkplaatsje. Hij zette kleine dieren op en verkocht ze aan een winkel. Ze hield niet van de geur van de middelen die hij gebruikte voor het schoonmaken van de huiden.

Ze draaide de kookplaat uit. Er was hier in de bergen geen mobiel bereik, maar toen ze in Sundvollen was geweest om boodschappen te halen, had ze een sms'je ontvangen. Iemand van de politie vroeg of ze hem wilde bellen. Hij had geprobeerd contact met haar op te nemen, schreef hij. Ze had niet gereageerd. Haar gedachten waren donker. Wat was dit allemaal? De politie zou haar hier in de bossen nooit vinden.

*

De geur van ruwe sparren en paddenstoelen sloeg de rechercheurs tegemoet. 'Dat iemand hier een vakantiehuisje wil hebben,' zei Cato Isaksen.

De wind was kil en voerde een korte regenbui mee. De koude druppels voelden als speldenprikken in hun gezicht. Op de grond veranderden ze in pluizige sneeuwvlokken die horizontaal tussen de zwarte sparren werden voortgedreven.

'We zijn hier ook totaal niet op gekleed,' riep Roger Høibakk geïrriteerd.

'We hebben in elk geval laarzen. Die zompige grond stinkt helemaal zuur,' zei Cato Isaksen en hij keek naar het halfbevroren, doorweekte terrein aan hun linkerhand. Hij rilde en voelde de kou in zijn dijen prikken. Zijn laarzen zaten onder de modder. 'Er is hier ook geen mobiel bereik,' stelde hij vast.

Op dat moment plonsde Roger in een moddergat.

*

Toen Emmy Hammer de deur van de portierswoning van het slot draaide om naar binnen te gaan, zag ze vanuit haar ooghoek iets bewegen. Iemand kwam de oprit op. Het eerste wat ze dacht was dat er nu iets ging gebeuren, maar toen hoorde ze de stem. Ze draaide zich vlug om. Ze wist wie het was nog voordat ze hem zag.

Ze werd gesmoord in een omhelzing, voelde zijn kin op haar

hoofd. Ze had Jan Hagg sinds hun tienertijd niet meer gezien, maar had zijn stem onmiddellijk herkend. Haar hart ging tekeer. Hij was nog steeds lang, erg lang, en knap. Ze wist waarom hij was gekomen. 'Aud,' zei ze verdrietig toen hij haar losliet. Ze richtte haar ogen op een verwelkte rozenstruik.

'Het is krankzinnig, Emmy. De politie heeft contact met me opgenomen. Ene Marian Dahle heeft een bericht achtergelaten op mijn mobiele telefoon. Ik was niet in staat om te reageren. Ze hebben mijn vader gearresteerd,' zei hij. 'Ik begrijp er niets van. Ze moeten zijn telefoon hebben ingenomen, zodat ik niet met hem kan praten.'

Emmy Hammer keek naar hem op. Toen sloot ze haar mond. Ze voelde dat hij haar waarschuwde. 'Ik heb niet met de politie gesproken,' zei ze.

*

Het water stroomde over de rand van Roger Høibakks laars. De kou benam hem bijna de adem. 'Verdomme, klotemodder!'

Cato Isaksen grijnsde en keek naar het papier met de handmatig getekende route. Het fladderde in de wind. 'Dat moet het zijn.' Hij maakte een beweging met zijn hoofd.

Roger Høibakk keek op. Het kleine huisje stond verscholen tussen hoge sparren. Het was bruin en gammel, maar uit de ramen scheen licht. En er kwam rook uit de schoorsteen.

*

Ze gingen de portierswoning binnen. Jan leek veel te groot voor de bank waarop hij ging zitten. Het was alsof hij de hele kamer vulde. Hij keek naar het witte schilderij op de ezel. Emmy pakte een fles appelsap en twee glazen met een steel. De stilte tussen hen gaf haar rust.

Ten slotte zei hij met donkere stem: 'Dat verhaal dat mijn vader niet degene was die mijn moeder vermoordde, is klinkklare onzin, Emmy. Wat is er toch allemaal gaande?'

Ze keek hem aan. 'Weet de politie het? Dat Aud dacht dat jij je moeder hebt vermoord, en Maike?'

'Godsamme. Ik weet het niet. Ik zal later vandaag met ze praten.' Hij keek haar ernstig aan.

Ze ging op het puntje van een stoel zitten. Misschien was het een ziekte die nooit wegging: kindertijd. 'Je vader vermoordde je moeder,' constateerde ze. 'Maike viel van de trap,' ging ze verder. 'Maar ik kan me die dag niet zo goed herinneren, Jan. Het is net alsof mijn hersenen blokkeren. Het is al lang geleden dat Maike stierf. Meer dan twintig jaar.'

'Het is al vijfentwintig jaar geleden.' Jan Hagg dronk de laatste slok appelsap. 'Ik kan me ook nauwelijks iets van die dag herinneren. Het enige wat ik weet is dat ik er niets mee te maken had. Ik weet dat jij samen met Piet en mij was, dat we buiten op het plein met een bal speelden. Ole Porat was er ook. Hij liet ons binnen in het Ketelhuis om te kijken naar het gereedschap van de conciërge. Dat weet je toch nog wel? Piet was helemaal gefascineerd, herinner ik me. Toen kwam de ambulance, die stopte voor de lichtgroene deur.'

'Hoe is het met Piet?'

'Ik weet niet waar Piet is. Hij lijkt wel van de aardbodem verdwenen.' En hij ging verder. 'Aud wilde misschien gewoon een schandaal ontketenen. Om aandacht in de media te krijgen.'

'Ik snap het niet, Jan. Zo was Aud niet. Dat met Maike was een ongeluk,' herhaalde Emmy met een zacht stemmetje.

'Dat schilderij is trouwens erg mooi.' Hij keek naar de witte afbeelding. 'Ik heb een keer een artikel over je bewaard, Emmy. Net voordat je een paar jaar geleden een expositie zou hebben. Het hangt nog steeds op het prikbord bij de uitvaartonderneming. Ik ben begrafenisondernemer. Ik zei tegen Ingrid, mijn vrouw, dat ik je kende. Ik was best een beetje trots. We zouden zo'n schilderij goed in de ontvangstruimte van de uitvaartonderneming kunnen gebruiken. Witte schilderijen zijn niet gemakkelijk te vinden. Kan ik het kopen?'

Emmy voelde een vluchtige vreugde. 'Natuurlijk,' zei ze. 'Maar ik moet het eerst afmaken.'

*

'Er komt iemand aan, Berit,' riep Piet. Hij bukte zich en veegde de houtspaanders die op de vloer lagen onder het kleed.

Berit Adamsen liep naar het raam en zag twee mannen uit het dichte bos komen.

Piet legde het mes en de pin vlug in een kast, pakte de witte helm van de vloer, trok zijn wollen jas en anorak aan, schoot in zijn rubberlaarzen en maakte dat hij wegkwam.

De twee mannen waren nu slechts twintig meter van het huisje verwijderd. Ook al droegen ze geen uniform, toch wist ze dat het politieagenten waren. Berit Adamsen greep Piets jassen en schoenen, liep naar de slaapkamer en gooide alles op een hoop op de grond. Misschien was het allemaal te laat. Hamburgers, jam en wafels zouden niet helpen.

Dit moest iets te maken hebben met de telefoontjes van Aud. Ze pakte zijn tandenborstel en glas van het aanrecht en stopte ze in een la. Een kou trok door haar hele lichaam. Een beeld drong zich aan haar op, het uitzicht vanuit het hoekkantoor op de forensische afdeling, het uitzicht op het Ketelhuis. Waar de hoge schoorsteen zich als een wijsvinger tegen de lucht aftekende, en waar de toren van het hoofdgebouw daarachter leek op een kerktoren. Ze herinnerde zich de tocht die in de winter over haar bureau trok. En de appelboom buiten, waar de sneeuw vast was gevroren aan de stam en de vruchten verschrompeld en ijzig als vergeten kerstversieringen aan de takken hingen.

Piet Hagg dacht aan wat zijn zusje Maike een keer had gezegd over de bijl. Om hem te troosten had ze gezegd dat het eigenlijk een toverstok was. Hij rende om het schuurtje heen en hurkte neer achter twee dichte dennenboompjes. De boze, grijze angst klauwde zich vast achter zijn voorhoofd. Er zaten een paar frambozenpitjes tussen zijn tanden, hij kreeg er een bloedsmaak van in zijn mond. Zijn jas hield hij tot een bal gepropt tegen zijn buik, samen met zijn helm. Op de bosgrond hoorde hij het geluid van de voetstappen van de twee mannen die naderbij kwamen. Gelukkig was de sneeuw al gesmolten voordat de vlokken de grond raakten, zodat hij geen voetsporen had achtergelaten. Zijn hart klopte steeds sneller. Hij herinnerde zich het geluid van de slagen op het lichaam van zijn moeder, op haar rug en haar hoofd. De grote knuisten van zijn vader die de steel van de bijl vasthielden.

*

In het midden van de oude houten deur waren driehoekjes uitgesneden. Cato Isaksen klopte met gebalde vuist aan. De natte sneeuw sloeg ijskoud tegen zijn gezicht en hij kneep zijn ogen half dicht. Roger stond vlak achter hem. Even later werd de deur geopend door een mooie vrouw van in de zestig. Ze droeg een schort met een rand van kant over haar stevige boezem. Ze had een vriendelijk gezicht met mooie ogen, toch maakte ze een vijandige indruk.

Cato Isaksen stelde Roger en zichzelf voor, vertelde dat ze van de politie waren en vroeg of zij Berit Adamsen was. Ze zei ja en vroeg of ze binnen wilden komen. De warmte van het houtvuur kwam hun in het portaal al tegemoet. Het rook naar eten: gebakken vlees en koffie.

*

Piet sloop verder, naar de scooter die achter de houtstapel langs het smalle pad achter het huisje stond. Hij had het hout gehakt, hierheen gebracht en opgestapeld, tussen de zwartgevlekte stammen van de berkenbomen. Hij zette de helm op zijn hoofd en duwde de Vespa naast zich voort. Zijn handen om het stuur werden ijzig koud. Berit en hij hadden het goed samen, maar er hoefde maar iets te gebeuren en alles werd anders. Het was alsof ze voortdurend op een rand balanceerden, hoewel er geen rand was.

Hij liet nu sporen in de natte modder achter. Zijn voetstappen vulden zich langzaam met sneeuw. Door zijn laarzen heen kreeg hij steenkoude voeten. Hij had geen tijd gehad om sokken aan te trekken. Maar plotseling voelde hij een soort van warmte; de marges waren zo klein, niet meer dan een ademhaling tussen leven en dood. Niemand zou hem te pakken krijgen. Hij deed de dingen altijd op een vaste manier, bijna als een ritueel, zelfs al zei zijn verstand dat hij zo niet door hoefde te gaan. De erfzonde; een mens met een zwart hart. Hoe moest hij ontsnappen als zelfs Berit bang was? Nu moest hij hier weg. In de greppel lag een grote, rotte boomstam.

*

Cato Isaksen en Roger Høibakk deden hun laarzen uit op de plastic mat die op de vloer lag.

'Ik ben hierheen gegaan om rust te vinden, en dan staan jullie hier ineens als een soort commando's op de stoep,' zei Berit Adamsen. Ze droogde haar handen af aan haar schort. Ze voelde een kille angst langs haar ruggengraat trekken. 'Wat is er aan de hand? Ik wil nergens bij betrokken raken.'

Roger Høibakk trok zijn sokken uit. 'Is die Micra die hier geparkeerd staat van u?'

Ze knikte.

In de kamer knapte het hout in het haardvuur. De wanden waren betimmerd met door de zon verkleurde planken. Een rode bank met kussens van gestreept weefwerk was tegen de lange wand gezet, zoals in zo veel vakantiehuisjes het geval was. Onder het raam stond een eettafel met stoelen. Op een paar boomstronken zaten twee opgezette eekhoorns. Op de vensterbank stond een uit hout gesneden aapje, handwerk, gemaakt door iemand die het werk in zijn vingers had, dacht Cato Isaksen. Aan de geur te duiden was het vlees gebraden in roomboter. Een misselijkmakende lucht. Cato Isaksen hoopte dat ze hun iets te drinken zou aanbieden, koffie, water, wat dan ook. 'Dus u bent hier helemaal alleen,' zei hij. Hij moest even lachen om Rogers blote voeten.

‘Ik heb af en toe rust nodig,’ zei ze en op hetzelfde moment sloeg de angst haar om het hart voor wat Piet misschien had gedaan. Hij had niet willen vertellen waar hij op 31 oktober was geweest.

‘Hebt u het nieuws gevolgd?’ vroeg de oudste politieman. Hij had een goed gezicht, maar zag er moe uit. Ze was al vergeten hoe hij heette.

*

‘Ik maak het schilderij af en breng het je, Jan. Ik ben ook bang om wat er is gebeurd. Zo bang dat ik het tegen niemand heb durven vertellen. Alleen mijn zoon weet dat ik Aud die avond heb ontmoet. Mijn ouders niet.’ Ze bracht haar handen naar haar gezicht. ‘Waarom hebben wij geen contact gehouden?’

Jan wendde zijn blik af. ‘Jij was twaalf en ik was zestien. We hebben elkaar daarna nog maar een paar keer gezien. Hoe is het met je vader? Ik kan me hem nog goed herinneren.’ Jan Hagg keek op zijn horloge.

‘Goed.’ Ze glimlachte. Knikte even.

‘Wat is er gebeurd?’ Hij wees naar de wond op haar voorhoofd.

‘Ik ben tegen een tak aan gelopen, ik moest een stukje door de struiken. Er was hier een man. Ik heb niet opengedaan. Dezelfde avond dat ik Aud had ontmoet en jou later belde. Ik dacht dat jij het misschien was en dat je wilde praten.’ Ze keek hem hoopvol aan.

‘Nee,’ zei hij en hij dacht aan zijn vader. Was hij die avond naar de stad gegaan, nadat hij hem had gebeld? Zou hij zo dom zijn geweest?

‘Ik heb die avond ook Ole Porat gebeld,’ zei ze en ze slikte een keer.

‘Ole Porat is chirurg geworden,’ zei hij. ‘Wat zei hij ervan?’

‘Hij wilde niet met me praten. Het leek alsof hij boos was. En bang. Misschien had ik toch de politie moeten bellen?’

Jan Hagg knikte. ‘Ik zei dat ik in de sportschool was toen je belde, Emmy. Maar daar was ik niet.’

‘Waar was je dan wel?’

‘Ik ben vrijmetselaar. Ingrid, mijn vrouw, denkt dat ik in de sportschool was. Ik was die avond, toen jij belde, in de vrijmetselaarsloge. We houden ons normaal gesproken niet bezig met kisten en schedels en zwaarden. Maar één keer per jaar doen we dat wel. In de Allerheiligennacht. Of Halloween, zoals het tegenwoordig wordt genoemd. De broeders van de vrijmetselarij hebben mij mede gevormd tot wie ik vandaag de dag ben. Het klinkt misschien kinderachtig, met rituelen voor mannen, maar het zijn gewoon symbolen. Van kracht. Ingrid zegt dat wij dagelijks met de dood werken, en dat ik in mijn vrije tijd niet met de dood hoef te spelen. Ze haat het hele gedoe. Dus ik heb gelogen. En nu merkt ze dat er iets met me aan de hand is. Ze weet niet dat ik Aud kende. Ik heb niets met de moord te maken, maar verdomme, Emmy... wat is er allemaal aan de hand?'

'Ik weet niet wat er aan de hand is, Jan.'

'Na de dood van Maike ben ik weggelopen uit het kindertehuis, een groot houten gebouw in Bærum. Ik heb Piet alleen achtergelaten. Ik ben gaan werken, allerlei baantjes, en ik woonde op een kamer. Niemand zocht me. Toen ontmoette ik Ingrid en alles werd goed. We namen de uitvaartonderneming over van haar ouders, hoewel Ingrid het liefst als schoonheidsspecialiste zou werken. Daar is ze voor opgeleid. Ze is gespecialiseerd in schoonheidsmaskers.' Hij glimlachte even. 'We hebben twee meisjes. Vader en ik hebben elkaar teruggevonden. Het gaat goed met me. En toen belde jij.'

Plotseling ging de deur open en Philip kwam binnen. Hij keek naar de man op de bank.

'Dat is mijn zoon,' zei Emmy. 'Hij is eenentwintig.'

*

Berit Adamsen keek de politieman aan. Haar ogen waren rond en leeg. 'Is Aud Johnsen dood?' Ze bracht haar hand voor haar mond, haar hoofd schudde steeds heen en weer.

Haar reactie leek oprecht, dacht Cato Isaksen, en hij wisselde even een blik met Roger.

Hij leunde naar voren. 'De reden dat wij met u willen praten is dat Aud Johnsen u heeft gebeld, vlak voordat ze werd vermoord, op de avond van 31 oktober. Om negentien uur tweeënvijftig.'

'Ik was hier. Er is hier geen mobiel bereik. Ik ben hier vaak dagen achtereen.'

'Mag ik uw mobiele telefoon zien?'

Ze keek eerst de ene en daarna de andere politieman aan en stond op. Ze liep een van de twee kleine slaapkamers in. De telefoon lag op het nachtkastje. Ze wiste vlug het bericht dat ze die avond naar Piet had verstuurd. *Aud Johnsen heeft geprobeerd contact met me op te nemen. Ik heb niet opgenomen.*

Ze gaf de telefoon aan de oudste man en liep naar de keukenhoek.

'Pincode?' vroeg hij. Ze gaf hem de code. Hij controleerde vlug haar telefoon. Afwezig doopte ze haar vingers in het afwaswater in het teiltje dat voor haar stond. Het was alsof ze haar verleden in het grijze sop zag ronddrijven. De pijn in haar rug was weer terug. Piet was niet hier toen ze die avond in het huisje aankwam. Ze was in slaap gevallen en de volgende ochtend vertelde hij dat hij op nachtjacht was geweest. Alleen het woord al.

'Kende u Aud Johnsen?' Ze hoorde de stem van de politieman achter zich.

'Heel lang geleden. Ik ben niet een van de sterksten.' Ze stond nog steeds met haar rug naar hen toe en ruimde vlug wat borden en kopjes op. 'Ik zal koffie inschenken. Hij is klaar.' Ze pakte kopjes uit de kast en zette ze op tafel. 'Ik zal het u vertellen. Aud heeft me een paar keer gebeld. Maar ik wilde niet met haar praten. Ik heb de tijd in Gaustad achter me gelaten.'

'Waarom?' Cato Isaksen keek op zijn horloge. Het was al bijna twee uur. Hij had later vanmiddag met Ellen afgesproken om de archiefkelder in Gaustad uitgebreid te onderzoeken.

'Om wat er met Maike Hagg is gebeurd,' zei ze zacht.

'U bent vlak daarna gestopt.'

'Ik ben onmiddellijk gestopt. Welk mens kan met zoiets leven?' Ze schonk koffie in de kopjes. 'Ze lag in de kelder toen de politie kwam.'

'Wie heeft haar gevonden?'

'Dat weet ik niet meer. Het was een ongeluk. De ambulance heeft haar meegenomen.'

Ze keek de politiemannen aan. Ze stond met de koffiepot in haar hand. 'Zoals ik al zei: ik ben niet een van de sterksten.'

'Vertelt u eens over uw baas, Carl Hammer,' zei Cato Isaksen.

'Het was best zwaar om voor hem te werken. Hij had zelf een dochter, Emmy. Hij was verantwoordelijk voor de moeilijkste patiënten. Chef-artsen hadden prestige. Meer dan somatische artsen. Een psychiater heeft een bepaalde waardigheid. De patiënten woonden op kleine kamers, een soort schoenendozen. Vaak met z'n tweeën. Daarom had ik dat met de Kinderdagen bedacht, dat de kinderen elkaar buiten konden ontmoeten, niet alleen binnen bij hun vaders, waar voortdurend oppassers aanwezig waren.'

Cato Isaksen knikte. 'Hebt u familie?'

'Niemand.'

'Hebt u nu nog contacten met patiënten? Werner Hagg of John Johnsen?'

'Nee,' zei ze snel. 'Het antwoord is nee.'

'Hoe was Johnsen?'

'John Johnsen was niet echt een overheersend type.'

Cato Isaksen en Roger Høibakk keken elkaar aan.

'Maar ik kan me herinneren dat in zijn dossier stond dat hij een eigenaar van een vossenfarm had opgezocht en hem met een honkbalknuppel in elkaar had geslagen.'

'Waarom?'

'Hij kon niet tegen dierenmishandeling.'

Cato Isaksen moest denken aan wat Norma Winther over Johnsen had gezegd. *Tikkende tijdbommen die de grootste rampen konden veroorzaken.* Misschien was hij toch gevaarlijker dan een schildpad?

*

Toen de rechercheurs eindelijk op weg terug naar de stad in de auto zaten, waren ze het erover eens dat ze ergens moesten stoppen om iets te eten. Roger had zijn schoenen weer aan, maar zonder sokken. Cato Isaksen vond dat Berit Adamsen heel onschuldig overkwam, een beetje ouderwets, wat afwezig en nerveus. Ze had nadrukkelijk verteld dat ze niets bij te dragen had.

Precies toen ze Sollihøgda passeerden, belde professor Wangen om te vertellen dat het lichaam over enkele dagen kon worden vrijgegeven. 'Bijna alle onderzoeken zijn gedaan.' Cato Isaksen keek naar Roger Høibakk. 'We moeten contact opnemen met John Johnsen in verband met de begrafenis van zijn dochter. Hij zal er wel over nagedacht hebben.'

'Van een crematie kan geen sprake zijn,' zei professor Wangen.

'Bedankt voor de informatie. Wij zijn met het onderzoek nog niet verder gekomen,' zei Cato Isaksen en hij sloot het gesprek af.

'We weten niet precies waar we naar zoeken,' zei Roger, 'maar zodra we het vinden, weten we het, Cato.'

*

Toen Cato Isaksen en Ellen Grue anderhalf uur later door Deidrée in de oude archiefkelder werden gelaten, was het buiten bijna helemaal donker. Het was al zeven uur in de avond. Het eenzame peertje aan het plafond gaf niet genoeg licht. Ellen had zelf lampen meegenomen.

Ellen Grue was uitgeput. Ze had de afgelopen dagen bijna de klok rond gewerkt en nauwkeurig alle rapporten over de dood van Maike Hagg doorgelezen. Ze was vooral verbaasd geweest over een opmerking dat er rondom de mond van het meisje lippenstift was gesmeerd. Het stond slechts in een bijzin vermeld, maar was op een van de foto's duidelijk te zien. Ze zou het er later met Cato over hebben, maar nu was er eerst werk aan de winkel.

Op de stenen vloer waren onregelmatige vlekken te zien, een streep die van de stellingen tot ongeveer midden in de ruimte liep. Opvallend was dat er tussen de stellingen een huishoudtrap stond. Zou dat hetzelfde trapje zijn als waar Maike volgens zeggen vanaf gevallen was?

'Ik heb geen idee,' zei Deidrée en ze keek Ellen aan.

'Oké, maar ik neem het voor de zekerheid mee. Nu wil ik in alle rust aan het werk.'

'We laten Ellen even alleen.' Cato Isaksen keek de receptioniste aan.

'Zal ik u ondertussen het museum laten zien?'

'Ja, graag.'

Ze liepen door de lichtgroene kelderdeur naar buiten. Deze keer droeg Deidrée een jas.

'Hebt u nog iets gevonden?' vroeg hij.

'Ja, ik heb wel wat informatie gevonden,' zei Deidrée. 'Er lag iets in een archiefkast in het Welzijnsgebouw. Johnsen was een van de mensen die gedwongen ontslag kregen.'

'Gedwongen ontslag? Bestaat dat?'

'Ja, zo ging dat. Hij wilde niet weg. Vroeger waren de muren hier bedoeld om de gekken binnen te houden, maar toen werd het de omgekeerde wereld, om het zo maar te zeggen. Let niet op de uitdrukking "gekken", dat is natuurlijk een begrip dat niet meer van deze tijd is. Ik gebruik het alleen maar als omschrijving. Maar het politieke klimaat veranderde. Het werd een traditie om patiënten bij de behandeling te betrekken. Steeds meer kaders verdwenen.'

In de duisternis liepen ze vlug over het smalle voetpad naar boven, langs de kapel, het gesloten café en het Ketelhuis met de ondoorzichtige glas-in-loodramen. De straatlantaarns verspreidden een spaarzaam licht.

'Veel mensen hebben een mening over sociaaldemocratie,' ging Deidrée verder. 'Het was niet allemaal goed. Iedereen beslist mee, werd het motto. Het resultaat is dat psychotische patiënten op straat lopen. Dat is voor niemand goed, niet voor de patiënten, en niet voor de buitenwacht.'

Een stukje verder op het wandelpad zag Cato Isaksen dezelfde man die hem de vorige dag ook al was opgevallen. De man met het rode haar. Hij droeg net als gisteren soldatenlaarzen, een anorak en een rugzak.

'Hagg was toch een moordenaar?' Cato Isaksen keek Deidrée aan.

'Maar hij wílde weg, staat er. De behandelingen hadden goede resultaten en hij wilde in alle stilte een rustig leven leiden. Zijn vooruitzichten waren goed.'

De man liep naar rechts de helling op en het bos in, achter een abrikooskleurig houten huisje op palen.

Cato Isaksen volgde hem met zijn ogen. 'Wat zijn dat voor gebouwtjes?'

'De tbc-huisjes. Ze zijn rond de eeuwwisseling gebouwd. Daar konden de patiënten in de zon en uit de wind zitten. Hier is het museum. We gaan hier naar binnen.' Ze pakte een sleutel uit haar zak.

'Gisteren vertelde u dat er hier mensen terugkwamen.'

'Ja, om zichzelf van het leven te beroven. Of om op een bankje in het park te zitten en na te denken. Het is misschien niet zo vreemd dat ze terugkomen. Dwang kan ook een vorm van veiligheid zijn.'

Ze draaide de deur van het slot en toetste een code in om het alarm uit te zetten. Ze deed het licht aan. De wandeling door het museum nam niet veel tijd in beslag. Het stond vol rekwisieten, oude meubels en bruine medicijnflessen.

In een kamer hingen foto's van patiënten uit het begin van de twintigste eeuw. In een andere ruimte hingen oude landbouwwerktuigen aan de wanden. 'Tot de jaren vijftig werkten de patiënten op de landerijen hier rond Gaustad,' verklaarde Deidrée. 'Daar waar nu het nieuwe Rijkshospitaal staat, werden vroeger groentes verbouwd.'

Cato Isaksen keek naar de verroeste, krakkemikkige gereedschappen, harken en houwelen. En drie sikkels, van verschillende afmetingen. Zou zoiets het moordwapen kunnen zijn? Maar in dat geval, waarom?

*

Toen Ellen Grue en Cato Isaksen later op de parkeerplaats in de auto zaten, liet hij de motor draaien in zijn vrij. De huishoudtrap lag achterin. De koplampen schenen twee grote cirkels op het zwarte traliehek.

'Werner Hagg en John Johnsen moesten gedwongen de inrichting verlaten,' zei hij.

'Ik wil dat je hiernaar kijkt.' De technisch rechercheur pakte een foto uit een bruine envelop en gaf hem aan Cato. 'Die liegt niet,' zei ze. Cato Isaksen keek er aandachtig naar. Het gezicht van het dode meisje was krijtwit en opgezwollen. De wonden aan het hoofd waren duidelijk te zien. Hij herinnerde zich plotseling het gevoel wanneer hij als kind was gevallen en zich zeer had gedaan. De pijn als je met je hoofd op het ijs of het asfalt viel. Maike Hagg was van de huishoudtrap gevallen en op haar hoofd terechtgekomen, luidde de conclusie.

'Ze heeft lippenstift om haar mond, Cato. Zie je dat?'

Hij deed het lampje in de auto aan en bestudeerde de foto nauwkeuriger. Legde hem op het stuur. Haar ogen waren open, haar oogleden maar half gesloten. De pupillen waren zwarte, halve cirkels. Uitgedoofd. Haar handen losjes gebald. Hij voelde een kille steek langs zijn ruggengraat. Haar lippen leken gezwollen en zacht. En besmeurd.

De laatste seconden voor de schoten vielen, was Emmy Hammer in gedachten verzonken. Het was donker. Het waaide een beetje, de takken van een wintergroene struik fladderden als vleugels in de wind. Ze liep naar haar auto met de sleutelbos in haar hand, ze droeg een mantel en laarzen en haar haar stond in een krans om haar gezicht. Ze dacht aan Jan, en dat hij het witte schilderij wilde hebben. Morgen zou ze het afmaken en naar de uitvaartonderneming brengen. Ze hief haar hoofd op en zag Philip met haar vader aan de arm door de tuin lopen. Haar moeder wandelde langzaam naast hen mee. Het laatste wat ze hoorde voordat ze om de auto heen liep en het eerste schot de stilte doorsneed, was de stem van haar vader: 'Het wordt een mooi concert, Philip, niet van die popmuziek.' Toen kwam de knal. De duisternis explodeerde. Er klonk een hard metalen geluid toen het projectiel de auto raakte. Het lawaai deed zeer aan haar trommelvliezen. Emmy viel op de grond, maar kwam snel overeind en kroop op handen en voeten langs de auto naar de huisdeur. Ze probeerde op te staan, maar viel en sloeg met haar schouder op het stoepje. Een nieuw schot knalde. Glas spatte uit elkaar. Een ijzige kilte schoot door haar heen. Nu was het haar beurt. Alles was afgelopen.

Philip Hammer stond als vastgevroren. De angst werd een fysieke pijn. Iemand schreeuwde, maar hij wist niet waar de schreeuw vandaan kwam. De echo van de schoten duurde voort, een zwarte vlakte in zijn oor. Daarna een ijskoude stilte. Grootvader hing in zijn armen. Hij kon het gewicht nauwelijks houden. Toen viel hij. Grootvader bleef op de grond liggen. Philip snakte naar adem, draaide zich met een ruk om en keek naar het zwarte bos. Iets verspreidde zich als gif door zijn lichaam. In het licht van de lamp aan de buitenmuur van het hoofdhuis zag hij een glimp van een lichaam dat bewoog. Een legergroene gedaante. Aan de bosrand. De helling af. Weg. Toen hoorde hij weer een schreeuw. Het was zijn moeder. Achter de auto. Grootmoeder stond onbeweeglijk, op dezelfde plek, in haar lichtblauwe mantel en met beide handen om het hengsel van het tasje geklemd.

*

Emmy snikte. Haar knieën knikten, een allesoverheersend gevoel van verlorenheid. Ze strekte zich uit naar de deur. Ze trilde. Ze stak de sleutel, die ze steeds in haar hand had gehouden, in het slot, draaide hem om en rolde het tochtportaal binnen. Ze kroop verder naar de kamer. Haar knieën deden pijn. Ze kroop langs de schildersezel met het witte schilderij naar de kleine werkkamer. Op haar zij schoof ze over de schildersdoeken, haar ter dood veroordeelde kunst. Ze voelde de scherpe randen langs haar hele lijf. Tussen de schilderijen bleef ze liggen hyperventileren. Iemand wilde haar vermoorden. Nu.

*

Vanja rende, de zware Glock in zijn hand. Op zijn rug bonkte de rugzak op en neer. Het licht van de maan viel in kille strepen over de bosgrond. In het donker waren ze diffuus geweest, het licht van de buitenlamp scheen een krans om hun hoofd. Hij had drie schoten afgevuurd, maar hij wist niet zeker of hij raak had geschoten. Hij rende. De bomen kwamen op hem af. Zijn gezichtsveld werd kleiner door het bloed dat in zijn ogen stroomde. Hij was gewond geraakt toen hij het pad af wilde rennen, toen hij uitgleed op de gladde ondergrond was hij met zijn hoofd tegen een boomstam geslagen. Hij dacht dat hij raak had geschoten. Zijn hart bonkte zo hard dat het pijn deed. Hij dacht aan het geld. Hij zou het krijgen, had de jasman gezegd. Zodra hij had gedood. Hij had het beeld in zijn hoofd, naar huis, naar het tochtige houten huis in Litouwen. Hij zou het repareren. Het huis stond vlak bij een school; de herinneringen aan de kinderstemmen van het schoolplein werden gillende geluiden in zijn hoofd. Het was nog honderd meter naar de houten huisjes. Daarheen, en dan de helling af. Niet over de Tyskerbrug, had de man in de jas gezegd. Daar lopen mensen.

*

Philip Hammer had de autosleutel. Hij had grootvader overeind geholpen van het gazon. Hij was zwaar. Nu zaten zijn doodsbange grootouders in de auto. Hij had gezegd dat ze voorover moesten buigen. Hij dacht dat dat het veiligste was. Hij keek voortdurend over zijn schouder. Moeder was het huis in gegaan. Hij liep vlug naar binnen en vond haar in de kleine werkkamer. Haar voorhoofd bloedde, ze keek hem met waterige ogen aan en brabbelde hysterisch over een andere vrouw die was vermoord. Philip Hammer rende weer naar buiten, ging op zijn hurken achter de auto zitten en toetste het alarmnummer in. Verderop blafte een hond. Toen werd het volslagen stil in het donker. Een stilte die van deze plek in één lijn door de tuin naar de bosrand liep.

In de achteruitkijkspiegel zag Cato Isaksen hoe Ellen met de huishoudtrap bij de technische afdeling van de landelijke recherche in Bryn naar binnen liep. Hij bleef even zitten en stuurde een sms aan Marian. *Ter informatie: Ellen heeft documenten gevonden waarin tussen haakjes een opmerking staat dat Maike Hagg lippenstift om haar mond had toen ze dood werd gevonden. Het is goed te zien op een van de foto's.*

Hij reed de parkeerplaats af en draaide de Brynsalléen op in de richting van het politiebureau. Toen hij bij de eerste kruising arriveerde, kwam over de radio krakend een melding binnen over een schotenwisseling aan de Trosterudveien. 'Er wordt nog geschoten, er wordt nog geschoten,' herhaalde de stem. 'Alle eenheden naar de plaats delict.' Het was 18.35 uur. Op hetzelfde moment ging zijn mobiel. 'Er zijn schoten gelost aan de Trosterudveien 14, meerdere schoten,' zei de rustige, metaalachtige stem van de man in de alarmcentrale. 'We hebben een jongeman aan de lijn, ene Philip Hammer. Het lijkt alsof iemand heeft geprobeerd zijn moeder te vermoorden. Er is op haar geschoten. De moeder zegt dat hij er eerder is geweest, dat hij ook iemand anders kan hebben vermoord. Waarschijnlijk is de dader ontsnapt door het bos dat wat lager op de helling gelegen is. Er zijn verschillende eenheden onderweg naar de plaats delict. Ik heb de jongeman gevraagd aan de lijn te blijven en heb voortdurend contact met hem.'

'Ik rij naar het bureau en zal de zaak vandaaruit volgen.' Terwijl hij de alarmcentrale aan de lijn had, hield Cato Isaksen zijn ogen strak op de weg gericht. Hij zette het blauwe zwaailicht aan, dat met felle rukken over de motorkap flikkerde. Hij gaf gas. Zijn eerste gedachte was dat hij niet bij nieuwe zaken betrokken wilde raken, maar op hetzelfde moment begreep hij dat het geen nieuwe zaak was. Carl Hammer woonde op dat adres, de psychiater die als deskundige was geraadpleegd in een van de zaken tegen John Johnsen. Hij was ook de baas geweest van Berit Adamsen op de afdeling in Gaustad. Philip

Hammer had gezegd dat hij ook een ander kon hebben vermoord. Hij moest Aud Johnsen bedoelen. Nu hadden ze meer om zich in vast te bijten.

*

Cato Isaksen kwam een paar minuten later bij het Hoofdbureau van Politie aan. Hij liep snel door de gang. Marian Dahle en Roger Høibakk waren naar de plaats delict. Cato Isaksen gaf instructies aan twee verschillende eenheden dat ze John Johnsen en Werner Hagg moesten opsporen om te achterhalen waar zij zich op het moment bevonden.

*

Marian had net het sms'je van Cato over de lippenstift gelezen. Nu stapte ze samen met Roger uit de civiele politieauto. Er heerste chaos in de Trosterudveien. Op de oprit stond een lange rij politieauto's met blauwe zwaailichten. Uit de wagens klonk het krakende geluid van de politieradio. Het duurde niet lang voor de journalisten arriveerden, tegelijk met de hondenpatrouille. De honden blaften en piepten en een van de dieren pikte onmiddellijk een spoor op.

*

Een twaalfjarige die in 1988 was gestorven, dacht Cato Isaksen. Met lippenstift om haar mond. En nu was er een poging gedaan om Emmy, de dochter van psychiater Carl Hammer, te vermoorden. Is hier eerder geweest en vermoordde ook iemand anders, had de zoon gezegd. Hij dacht aan wat Roger had gezegd. *We weten niet precies waar we naar zoeken, maar zodra we het vinden, weten we het.* Hij vervloekte zichzelf dat hij nog geen mogelijkheid had gehad om bij Hammer op bezoek te gaan. Nu waren er schoten gelost in zijn tuin. Vermoedelijk op zijn dochter, Emmy. Hij had voortdurend contact met Marian. Hij gaf opdracht dat ze Emmy Hammer, als ze niet gewond was, onmiddellijk naar het politiebureau moesten brengen en anderen moesten zolang ter plekke bij haar ouders en zoon blijven. Ze waren lichamelijk niet gewond, werd hem medegedeeld. Cato Isaksen zocht in het bevolkingsregister. Emmy Hammer had een halve arbeidsongeschiktheidsuitkering en werkte daarnaast als schilder.

De schilderijen op haar website zagen er bleek en nietszeggend uit. Ze was zevenendertig jaar, had geen broers of zussen. Alleen haar zoon Philip. Emmy Hammer was net zo oud als Aud Johnsen. Het team was gewaarschuwd. De rechercheurs verzamelden zich in de kamer met het whiteboard.

*

De agent die de politiehond aan de lijn had, kon hem maar nauwelijks in bedwang houden. Hij wilde naar het bos achter het huis. De hond liep eerst een paar keer rond het huis en volgde daarna het spoor langs het wandelpad naar beneden. De agent deed zijn best om de lijn vast te houden. Een andere, bewapende agent liep met hem mee. De mannen droegen kleding met reflecterende banden. Ze liepen helemaal door tot aan psychiatrisch ziekenhuis Gaustad. De hond bleef een tijdje rondsnuffelen bij een paar halfopen houten huisjes aan de bosrand, voor hij het spoor weer oppikte en ze door het park en langs de grote gebouwen liepen. Het spoor eindigde bij de tramhalte, een stukje voorbij de rotonde bij het Rijkshospitaal.

In de holte van haar rug, waar haar ruggengraat eindigde, deed het pijn. Het was allemaal net een boze droom. Ergens onderweg van haar hersenen naar haar zenuwstelsel werd de angst geblokkeerd. Emmy Hammer liep zo snel als ze kon achter de politievrouw met het Aziatische uiterlijk aan. De vrouw was gekleed in een spijkerbroek en een leren jack. Ze liepen door de grote hal van het politiebureau. De hal leek op een atrium en aan het plafond hing een groot stalen kunstwerk. De klok aan de wand stond op 20.36 uur.

Emmy trok wat met haar been, maar het lopen ging wel. Ze waren even bij de eerste hulp geweest omdat haar voorhoofd bloedde, maar ze was niet geraakt. En nu was ze hier. Vanbinnen was ze ijskoud en ze probeerde langzaam adem te halen. Haar ouders en zoon werden opgevangen in hun eigen huis. Emmy had verteld dat ze een vriendin was van Aud Johnsen, dat ze sinds vorige week donderdag doodsbang was geweest, maar dat ze niet het gevoel had gehad dat ze de politie moest bellen. Ze had er wel over nagedacht, maar had niet geweten wat ze moest zeggen. De politievrouw, ze was haar naam vergeten, haalde haar legitimatie door een kaartlezer. Ze passeerden de toegangscontrole en stapten in de lift. De politievrouw drukte op de knop voor de vierde verdieping. Een paar tellen lang stonden ze in het felle licht. Emmy wendde zich af van de spiegel, toen gingen de glimmende deuren weer open en liepen ze een gang in met aan weerszijden kantoren. Door de glazen wand zag ze overal politiemensen werken.

*

Cato Isaksen liep de hinkende vrouw in de klassieke blauwe mantel en met laarzen aan haar voeten tegemoet. Emmy Hammer had lichtblond haar met dreadlockachtige pijpenkrullen, blonde wimpers en wenkbrauwen en een brede mond. Ze was mooi op een bijna doorzichtige manier. Op haar voorhoofd had ze een wond vanaf haar oog tot aan de haargrens. Het bovenste deel was bedekt met een grote witte pleister.

'We waren op weg naar het Concertgebouw,' zei ze nerveus en ze pakte zijn uitgestoken hand. 'Toen viel het schot. En toen nog een, en nog een.'

Cato Isaksen nam haar mee naar een verhoorkamer en trok een stoel voor haar bij. Ze hield haar mantel aan. Irmelin Quist kwam met koffie. Marian ging bij haar zitten.

Cato had op de gang een kort gesprek met Roger. 'Zowel Werner Hagg als John Johnsen was thuis toen de schoten vielen. Zeggen ze in elk geval. We gaan verder met controleren. Emmy Hammers zoon Philip was toevallig thuis. Hij studeert medicijnen in Polen. Toen de schoten vielen, stond de hele familie op het punt om naar het Concertgebouw te vertrekken. Een arts heeft iedereen gecontroleerd, bij hen thuis. Ze hebben lichamelijk geen verwondingen opgelopen.'

Cato Isaksen liep de verhoorkamer weer binnen. Emmy's persoonsgegevens werden ingesproken. Hij keek Emmy Hammer aan. 'Gaat het goed met u? Die andere wond op uw voorhoofd lijkt al wat ouder te zijn.'

'Die heb ik vier dagen geleden opgelopen,' zei ze. 'Ik had eerder contact met u moeten opnemen.'

Cato Isaksen en Marian Dahle keken elkaar even aan.

Emmy Hammer sloeg een hand voor haar ogen en begon zachtjes te huilen. 'Ik moet aan papa en mama denken. En aan mijn zoon. De vrouw die is vermoord, Aud Johnsen... We waren die avond samen in het Theatercafé.'

Cato kreeg een droge mond. 'De avond dat ze werd vermoord?'

Ze knikte. 'We hadden elkaar al meer dan twintig jaar niet gezien.'

'Wat was uw relatie met haar?'

'Mijn vader was chef-arts in psychiatrisch ziekenhuis Gaustad.'

'Dat weten we.'

'Auds vader was een van zijn patiënten.'

'Dat weten we ook.' Cato keek naar Marian, die even ging verzitten.

Emmy Hammers schouders verstrakten. Met moeite perste ze de woorden eruit: 'Toen ik die avond thuiskwam, stond er een auto geparkeerd bij de oprit naar mijn huis. Eerst zag ik een man met een jachthond. Ik werd bang en rende binnendoor door de tuin van de buren. Ik haalde mijn voorhoofd open aan een tak.'

'Werd u bang van de man met de jachthond?'

'Nee, of eigenlijk... ik zag dat er een auto geparkeerd stond en... het was gewoon alles bij elkaar.'

'Wat is er in het Theatercafé gebeurd? Had u het gevoel dat u in de gaten werd gehouden of dat u werd gevolgd? Neem een slok koffie en haal even diep adem.'

Ze deed wat hij zei. 'Aud belde me en wilde me ontmoeten. Ze wilde iets met me bespreken. Iets wat in Gaustad was gebeurd,' zei ze. 'Haar vader heeft jarenlang op de forensische afdeling gezeten. Sommige patiënten waren moordenaars.'

'Dat weten we.' Cato Isaksen was ongeduldig.

'Ik heb Aud in Gaustad leren kennen. Ik kwam daar weleens bij mijn vader.'

Cato Isaksen leunde naar voren, hij zette zijn ellebogen op de tafel. 'Kende u misschien ook Maike Hagg?'

'Ja. En ook haar broers,' zei Emmy Hammer.

*

Emmy Hammer voelde ineens een enorme rust. Door de glazen wand zag ze voortdurend politiemensen over de gang lopen. Hier werd goed op haar gepast. In Gaustad was een keer een nest uit de grote boom bij de bank voor de afdeling gevallen. Ze hadden met elkaar op de bank gezeten, het nest was van de takken gegleden en op het gazon terechtgekomen. Piet had het opgepakt, er lag een gewonde vogel in. Emmy had het nest uit zijn handen gerukt en was ermee naar de receptie gerend. Toen ze daar aankwam, was de vogel dood. Vanaf die dag lag het nest in de vitrine in de hal, bij de trap naar de eerste verdieping. Het vogeltje lag er ook. Piet had het opgezet. Hoewel de veren in de vleugels nu met een dun laagje stof bedekt waren, zag het vogeltje er nog steeds levend uit. Het zou er altijd zo uit blijven zien.

'Waar wilde Aud met u over praten in het Theatercafé?' De politieman keek haar aan. 'We willen alles weten. Ook de dingen die u niet belangrijk lijken.'

'Aud zei dat ze een artikel wilde schrijven,' zei ze. 'Over Maike Hagg. Ze stierf toen we twaalf waren. Volgens de politie was het een ongeluk, maar Aud was dieper in de zaak gedoken. Ze had contact opgenomen met Berit Adamsen. En met Norma Winther. Ze wilde ook contact opnemen met Ole Porat.'

'Wie is Ole Porat?'

'Hij werkte bij mijn vader op de afdeling. Hij was tweeëntwintig en studeerde medicijnen, wij waren twaalf. We vonden hem erg leuk,' voegde ze eraan toe. 'Hij heeft ons een keer meegenomen in de onderaardse gangen. We liepen kriskras door de tunnels. Ik weet nog dat hij ons bang maakte. Plotseling sloeg hij van achteren zijn armen om me heen. Maar meer gebeurde er niet. Hij is nu chirurg in het Ullevål Ziekenhuis. Aud vertelde dat Jan Hagg, een van Maikes broers, hun moeder had vermoord. Met een bijl. En Werner, hun vader... waarschijnlijk wilde hij zijn jongens beschermen. Ik herinner me hem als een grote man. Hij was heel rustig. Maar eigenlijk was hij gevaarlijk. Vader zei dat altijd. Mijn patiënten zijn anders dan ze eruitzien, zei hij.'

Cato Isaksen keek haar aan. 'Wat zei Aud Johnsen nog meer?'

'Dat Jan zijn moeder had vermoord, en dat zijn broer, Piet, daarna de bank in brand had gestoken. Maike was ergens naar op zoek in de archiefkelder. Ze wilde haar vader redden, want Maike was stapelgek op hem. Aud zag Jan de kelder in gaan, vlak voordat Maike stierf. Dus...'

'En waarom had Aud Johnsen dat voor zich gehouden?'

'Ze had moeite om het zich te herinneren, geloof ik. Ik heb daarna Ole Porat gebeld. Hij wilde niet met me praten. Ik heb ook Jan Hagg gebeld.'

'Die avond, 31 oktober?'

'Vanuit Burns. Ik ben van het Theatercafé daarheen gegaan. Ik moest even bijkomen. Ik had iets te veel gedronken. Ik was nogal overstuur van wat Aud had gezegd.'

Marian deed haar mond open. 'Wie was op de hoogte van het etentje in het Theatercafé?'

'Niemand anders dan de mensen die ik heb gebeld. Ik heb wel met de gedachte gespeeld om de politie te bellen, maar papa had het niet leuk gevonden dat ik uit eten ging met Aud. Hij heeft er altijd problemen mee gehad dat ik met de kinderen van patiënten omging. En dat Werner Hagg opgesloten zou hebben gezeten voor iets wat hij niet heeft gedaan, dat zou te veel voor hem worden. Ik dacht: laat Aud maar gewoon haar artikel schrijven. Ik zag er wel tegen op dat het in het nieuws zou komen. Ik hield het continu op internet in de gaten. En ineens las ik dat ze was vermoord.'

*

Marian stond op en liep de kamer uit. Ole Porat, Jan en Piet moesten onmiddellijk worden opgespoord. Ze zou alles in gang zetten. Waar

waren ze geweest toen de schoten aan de Trosterudveien vielen?
Emmy Hammer keek haar na.
'Ga door,' zei Cato Isaksen.
'Ik ben met de tram naar huis gegaan. Ik ben naar bed gegaan en toen werd er aangebeld. Ik heb niet opengedaan. Door het raam zag ik een man in een overjas, of een mantel. Ik weet niet wie het was.'

Marian kwam de verhoorkamer weer binnen. Ze gaf Cato Isaksen een briefje. Hij keek ernaar: *John Johnsen en Werner Hagg zijn allebei thuis aangetroffen.*
Marian ging zitten. 'Hebt u contact gehad met Jan of Piet Hagg?'
'Eigenlijk niet.'
'Wat bedoelt u daarmee?'
Emmy Hammer hief haar gezicht op. Nu maakte ze alles kapot. 'Jan kwam vanmiddag bij mij thuis,' gaf ze toe. 'Hij wilde praten, om alles uit te leggen. Hij had zijn vrouw gezegd dat hij de avond dat Aud werd vermoord in de sportschool was. Maar hij was bij een speciale avond van de vrijmetselarij. Wilt u alstublieft niet tegen Jan zeggen dat u het van mij hebt gehoord?' vroeg Emmy Hammer.
'Wat kunt u zich herinneren van de dag dat Maike stierf?'
'Ik herinner me niets van die dag. Alleen dat de ambulance kwam.'
'Maike werd gevonden met lippenstift om haar mond,' zei Cato Isaksen.
'We gebruikten nog geen lippenstift. We waren twaalf.'
Cato Isaksen stond op. 'Ik wil graag uw mobiel hebben.'
Emmy Hammer gaf hem de telefoon. 'Ik hou van Jan.' De tranen begonnen te stromen.
Cato Isaksen knikte. 'Dat u die avond de deur niet hebt geopend, heeft misschien uw leven gered. Aud moet de deur voor haar moordenaar open hebben gedaan. Niets wees erop dat er bij haar was ingebroken.' Hij wilde Emmy Hammer nog niet direct naar huis laten gaan. Het was niet ondenkbaar dat kroongetuigen gevaar liepen. Hij gaf een teken aan Marian dat ze mee moest lopen. Emmy Hammer keek hen bang na.

'Je weet wat ons te doen staat, Marian. Breng de getuige naar een schuiladres. Haal kogelvrije vesten en een wapen waar je een vergunning voor hebt. Gebruik een van de huurauto's die beneden staan. Ik neem Piet Hagg, Jan Hagg en Ole Porat voor mijn rekening.'

'Begrepen.' Ze keek hem met haar smalle ogen aan.

Hij slikte. 'Het is niet zeker dat Emmy Hammer ons alles heeft verteld,' ging hij verder. 'Hoor haar uit.'

Marian knikte. Ze was regelmatig op het schuiladres geweest sinds ze in de B-52-groep was begonnen. Ze had er onder andere gezeten met migrantenvrouwen die code 6 hadden en verborgen werden gehouden voor mannen voor wie ze bang waren: echtgenoten, vaders en ooms. Twee weken geleden was ze er nog geweest met een getuige in een grote drugszaak. Het adres werd alleen in noodgevallen gebruikt, voor kortdurend verblijf. Als er sprake was van langdurig levensgevaar voor de getuige, bestond de volgende fase uit een fictieve identiteit met een nieuw persoonsnummer en een verzonnen levensgeschiedenis. In het geval van Emmy Hammer was het waarschijnlijk alleen een kwestie van dagen. Ze zouden de dader vinden. Marian liep de verhoorkamer binnen om te vertellen wat er zou gebeuren.

*

Het nieuws floreerde op alle internetkranten en in de nieuwsuitzendingen op radio en tv. De telefoon waarop de tips binnenkwamen stond roodgloeiend, maar de tips gingen alle kanten uit. Ingeborg Myklebust riep alle beschikbare manschappen op. Cato keek vluchtig Emmy Hammers mobiele telefoon na. Roger Høibakk, Randi Johansen, Asle Tengs en elf andere rechercheurs kwamen bij elkaar in de vergaderruimte met het whiteboard. De persvoorlichter was inmiddels op zijn post en dat behoedde de afdeling Geweldsdelicten voor de druk van de media. Cato vond de telefoonnummers van de mensen naar wie Emmy Hammer had gebeld. En de sms'jes. Hij noteerde alles, stopte de telefoon in een speciale zak voor in beslag genomen goederen en gaf hem aan een technisch rechercheur, die alle informatie zou verzamelen en navraag zou doen bij de provider. Op dat moment kwam ook een van de technisch rechercheurs terug die aan de Trosterudveien was geweest. 'De poging tot moord op Emmy Hammer leidt ertoe dat we haar voorlopig veilig onderbrengen. Marian neemt haar mee naar het schuiladres. Asle en Randi, jullie gaan onmiddellijk naar Ole Porat en houden hem tot nader bericht onder toezicht. Hij is chirurg in het Ullevål Ziekenhuis.' Een paar andere rechercheurs kregen de opdracht om Piet Hagg te zoeken. Cato vertelde kort wat Emmy Hammer had gezegd. 'Roger, jij gaat met mij mee om Jan Hagg op te halen. Emmy Hammer stuurde Aud op de avond van 31 oktober verschillende sms'jes. Waarom beantwoordde Aud Johnsen ze niet?' Hij gaf zelf het antwoord: 'Omdat ze al dood was.'

*

Emmy Hammer zat te wachten in het kantoor van Irmelin Quist. Marian was naar de kelderverdieping om een revolver en twee kogelvrije vesten te halen. Terug op de afdeling vroeg ze Emmy om het zwarte vest onder haar mantel te dragen. Zelf had ze het wapen al onder haar kleren verborgen en haar vest onder haar leren jack aangetrokken. 'Ik ga eerst met u naar huis zodat u zich om kunt kleden en toiletspullen kunt halen. Een mantel en laarzen zijn niet de optimale kleding. De politie houdt in en rond uw woning de wacht. En bij uw ouders. Vervolgens neem ik u mee naar een schuiladres.'

Emmy Hammer had liever met die politieman te maken. 'Wanneer kan ik naar huis terug?' Emmy zag een huis in een verlaten landschap voor zich.

'Noem mij Marian, dan zeg ik Emmy. Wacht hier nog even.' Ze ging met de lift naar de vijfde en haalde de sleutel. Erik was er niet. Ze had vandaag nog niet met hem gesproken. Hij had al vaak geprobeerd haar te bellen, wilde waarschijnlijk weer een afspraakje.

Toen ze in de lift stonden, vroeg Emmy Hammer: 'Hoe kun jij op me passen?' Haar stem trilde.

'Wat bedoel je?'

'Heb je een wapen? Ik heb liever dat een man op me past.'

De lift schokte en kwam tot stilstand in de parkeergarage. 'Er houden mensen de wacht. En er rijdt nog een auto achter ons aan.'

Marian klikte het slot van de portieren open. De richtingaanwijzers knipperden even oranje. Op de achterbank kwam Birka overeind.

'Een hond?' Emmy Hammer deed een stap naar achteren. Om haar mond speelde een scheef lachje.

Marian liep om de auto heen, deed het portier open en liet de hond eruit. Ze liepen verder naar een grijze Golf, een huurauto. Emmy Hammer nam plaats op de passagiersstoel, Birka draaide kwispelend rondjes op de achterbank en snuffelde in haar nek.

Marian reed de garage uit, een civiele politieauto reed achter hen aan.

'Je had een wapen moeten hebben,' zei Emmy Hammer.

Marian had geen zin om haar ervan op de hoogte te brengen dat ze dat wel degelijk had. 'Ik zou ook graag een wapen hebben gehad,' zei ze. 'Om eerlijk te zijn heb ik als kind voor kerst al om een wapen gevraagd. Andere kinderen vroegen poppen, ik wilde een speelgoedpistool.' *Hoor haar uit.* 'Ik had wel een bijzondere jeugd,' ging Marian verder. 'Ik moest naar een psycholoog. Die zei: "Stel je een kast vol wapens voor: pistolen, vlammenwerpers, bommen, granaten, messen en zwaarden." Hij vroeg welke ik zou kiezen om me te verdedigen. Weet je wat ik antwoordde?' Marian remde voor een rood verkeerslicht en keek in de achteruitkijkspiegel. De volgauto reed een stukje achter hen.

*

Emmy Hammers ogen glansden. Iemand die bij de politie werkte hoorde niet zo te praten.

'Weet je welk wapen ik zou kiezen?' herhaalde de politievrouw.

Emmy Hammer staarde door de voorruit.

'Niet de vlammenwerper, niet het pistool, niet het mes, niet dat wat jij denkt.'

'Ik denk niets,' zei Emmy Hammer.

'Geen enkel wapen kan mensen zoals jij en mij beschermen. Het enige wapen dat kan helpen is gevoel van eigenwaarde. We hebben gehoord dat Piet altijd een mes bij zich had toen hij klein was.'

Toen Marian dat had gezegd, barstte Emmy Hammer in huilen uit. 'Ik ben bang,' fluisterde ze. 'Ik kan me niet herinneren dat Piet een mes had. Alleen dat hij een plastic pistool had, maar dat hebben alle jongens. Ik heb een zoon. Ik moet leven. Ik kan dit niet. Jullie moeten op Philip passen.'

*

Jan Hagg woonde in de Oscarsgate. Cato Isaksen en Roger Høibakk zaten in de auto. Roger zocht op de iPad naar Hagg en Porat. Jan Hagg had geen strafblad. Het kindertehuis waar Jan en Piet en Maike Hagg als kind hadden gewoond, was opgeheven. Toen ze bij Jans huidige adres langs het trottoir parkeerden, kwam er een bericht over de politieradio. Het was Randi. 'Asle en ik zijn nu bij het huisadres van Ole Porat aan de Melkeveien in Riis. Ole Porat is op het moment in Valdres op reeënjacht. In elk geval volgens zijn werkgever, met wie we contact hebben opgenomen, de afdeling Chirurgie van het Ullevål Ziekenhuis. Asle heeft het gecontroleerd. De jacht op reeën gaat nog door tot 23 december. Woensdag 6 november, overmorgen dus, moet hij weer terug zijn op zijn werk. Over.'

'De Melkeveien... ligt die niet net iets hoger dan de Trosterudveien? Over.'

'Dat klopt. De Trosterudveien gaat over in de Melkeveien, ongeveer vierhonderd meter voorbij het huis van de familie Hammer. In het huis bevinden zich een vrouw en twee kinderen. De vrouw is zijn echtgenote. Het is hier stil en rustig. Over.'

'Jullie houden de wacht aan de Melkeveien totdat jullie nieuwe instructies krijgen. We moeten de situatie voortdurend opnieuw beoordelen. Wij zijn nu op het adres van Jan Hagg. Over.'

Roger Høibakk vertelde wat hij op de iPad had gevonden. 'Ole Porat is al jaren werkzaam als hersenchirurg in het Ullevål Ziekenhuis. Op zijn foto staat een stoere kerel, hij ziet er nog jong uit, hij is eind veertig. Hij heeft veel functies, onder andere in de artsenvereniging. En ook binnen de psychiatrische gezondheidszorg.'

Cato Isaksen opende het portier. 'Nu eerst Jan Hagg. Kom op!'

*

De politieradio kraakte. Marian zette hem uit en probeerde het gesprek met Emmy Hammer op gang te houden. 'Je bent kunstenaar?'

'Ik heb geen opleiding aan de kunstacademie, ik heb alleen wat cursussen gevolgd. Ik ben niet goed genoeg. Mag ik met mijn ouders en Philip praten?'

'Nee, vanavond niet. Je mag je alleen omkleden en wat toiletspullen meenemen.' *Hoor haar uit.* 'Vertel eens wat over je zoon.'

'Hij studeert in Polen, hij wil psychiater worden. Daarvoor moet hij eerst zijn studie geneeskunde afronden.'

'Hoe oud is hij?'

'Eenentwintig. Hij vertrekt morgen.'

'Dat moet hij uitstellen. Hij kan nu niet vertrekken.'

Ze draaiden de Trosterudveien op.

'Vertel eens over de Kinderdagen die Berit Adamsen en Norma Winther organiseerden.'

'Na de dood van Maike werden de Kinderdagen afgeschaft.'

'Heb je tegenwoordig nog contact met Berit Adamsen?'

'Ik heb haar na mijn twaalfde niet meer gezien. Ik had niet zo veel met haar.'

Emmy Hammers gezicht straalde even iets hards uit. Marian merkte het.

'Wat is er gebeurd?' Marian gaf richting aan naar rechts, naar de woningen.

Aan de kant van de weg stond een politieauto. In de auto brandde licht.

Emmy Hammer staarde voor zich uit. Plotseling stroomden de woorden uit haar mond. 'Het was alsof de dood van Maike zijn weerslag had op iedereen. De patiënten met al hun depressies, psychoses en schizothymieën kregen angstaanvallen. Wij kinderen hebben elkaar nooit meer gezien, behalve dat ik Jan nog een of twee keer heb ontmoet. Ik herinner me nog dat ik daarna in een diepe, diepe duisternis belandde. Ik heb een hele poos alleen maar in mijn kamer gelegen.'

Marian stopte voor de portierswoning. Emmy Hammer keek naar de politiemensen die op volle kracht in de tuin aan het werk waren en naar de agenten in uniform die op wacht stonden voor het huis van haar ouders. Licht van flitslampen verlichtte met felle schichten het gazon.

*

Politiemensen in burger droegen ook een soort uniform: sportschoenen, T-shirts, leren jacks en een legitimatiekaart om hun nek. Toen Ingrid Hagg de stevige handdruk van Cato Isaksen voelde, dacht ze even dat ze flauw zou vallen. Politie aan de deur. Ze bleven in de gang staan. Ze antwoordde op de vragen die haar werden gesteld. Waar Jan was?

'In de sportschool,' zei ze. 'Aan de Solli plass.'

'Zo laat nog?' De politieman keek haar aan. 'Hoe laat is hij thuis weggegaan?'

'Ze zijn tot elf uur vanavond geopend. Hij is een paar uur geleden vertrokken.'

'Dus tot zeven uur is hij thuis geweest, klopt dat?'

'Hij is weggegaan toen het journaal van zeven uur begon.'

De politiemannen stelden allerlei vragen. Haar hoofd tolde ervan. Had haar man rubberlaarzen of ander schoeisel? Ze keken om zich heen. 'Heeft uw man een overjas?'

'Nee,' zei ze. 'Jan is donderdag ook naar de sportschool geweest. Hij kwam laat thuis.' Ze sliep al toen hij thuiskwam. Ze kon het zich goed herinneren omdat het Halloween was en de meisjes wilden dat hij met hen zou gaan lopen en *trick or treat* roepen. Maar Jan vond het maar een dom gedoe.

'U hebt een uitvaartonderneming, en Werner Hagg helpt mee?'

'Mijn schoonvader is kistenmaker,' zei ze. 'Wat heeft dit te betekenen?'

'En de broer van uw man? Weet u waar hij is?'

'Nee.' Ze googelde regelmatig Piets naam, maar hij leek van de aardbodem verdwenen. Waarom hadden de beide broers geen contact meer? Waar was hij? Er trok een rilling door haar lichaam.

'En wat doet u bij de uitvaartonderneming?'

'Ik maak de overledenen op,' zei ze hard. 'Dode mensen moeten mooier gemaakt worden zodat de familie ze in een open kist kan bekijken. En verder doe ik administratief werk, ik bestel kisten en dat soort dingen.'

Nadat de politiemensen waren vertrokken, liep ze naar de kinderkamer en ging op haar hurken zitten. Ze streelde Tilde en Thea over hun handjes. De meisjes hadden ieder een blauw bedlampje met sterren boven hun roze bed. Beide lampjes brandden.

Norma Winther kleedde zich uit in de kleine, lichtgroene badkamer. Op het planchet stonden parfum en lippenstiften. Dergelijke dingen kon ze alleen thuis gebruiken. Of op reis. In de ovale wasbak zat een vieze rand. De scheuren in de muren zag je dwars door de verflaag heen. Op sommige plekken was de verf ook afgebladderd. Eigenlijk moest er hier gerenoveerd worden, maar de staat had geen geld. Ze liep de koude slaapkamer in. De roze gebreide jurk die ze al jaren niet gedragen had, hing nog steeds aan de staande kapstok. De laatste keer dat ze de jurk aanhad, was ze vijftien kilo lichter. Dat was in het buitenland geweest. Mensen hadden een zwaar opgemaakte vrouw gezien die aan boord van een boot ging. Ze was alleen geweest. De wereld zat vol list en bedrog.

Maar dit was haar huis, hier woonde ze, in de pastorie, ook al was het huis groot voor een alleenstaande vrouw. Vroeger, toen ze predikant was in Gaustad, had ze een heel ander, schamel bestaan gehad en woonde ze in een kleine flat in Stovner. De pastorie was niet meer opgeknapt sinds ze erin getrokken was, maar het beviel haar hier zo goed. Ze had het huis helemaal voor zichzelf en woonde er nu bijna vijfentwintig jaar. Het was eigendom van de staat, maar naar haar gevoel was het van haar. Ergens moest ze zichzelf kunnen zijn.

Ze trok de nachtpon over haar hoofd en over haar borst naar beneden, deed de gordijnen dicht en liet zich met een plof op het bed zakken. De verenmatras kraakte. Ze had nachten waarin ze niet kon slapen. Dan stond ze op om te bakken, stond ze bij het aanrecht en kneedde deeg voor brood en bolletjes. Luisterde ze naar klassieke muziek; als er engelen bestonden, zaten ze misschien in de muziek. Soms was ze bang voor zichzelf, bang voor hoe het allemaal zou eindigen.

*

Ingrid Hagg belde haar man, maar hij nam niet op. Er waren mensen gekomen om het appartement en de auto, die buiten op straat stond, te doorzoeken. Ze waren nu bezig. Ze ging terug naar Tilde en Thea, die lagen te slapen in het licht van de bedlampjes. De kinderen moesten niet bang worden. Ze keek op ze neer. Misschien kwam het door haar werk, maar ze keek dóór ze heen; die lieve, kleine stakkers met tanden, huid en haar. Levende wezens waren eigenlijk niet mooi. Achter alles wat leefde, lag de dood op de loer; op haar werk hadden ze koelruimtes. Soms had ze het gevoel dat ze röntgenstralen in haar gedachten had. Wat had Werner nu weer uitgehaald? Arme Jan. Ingrid dacht aan de schaamte. Daar leed Jan onder. Er was iets met hem gebeurd de laatste dagen. Werner had Jans moeder gedood. Jan was soms afwezig, heel ver weg. Waar was Piet? Toen ze Jan ontmoette, was hij erg nieuwsgierig naar de uitvaartonderneming die ze van haar ouders zou erven, naar alles; van de koelruimtes tot aan het crematorium dat ze gebruikten. Ze was eraan gewend dat mensen het spannend en onheilspellend vonden, maar Jan was echt geïnteresseerd. Ze was vijfentwintig toen ze hem ontmoette. Hij vierentwintig. Hij kende de dood, zei hij vaak. Hij had iets kwetsbaars; vanwege zijn moeder, van wie hij zo had gehouden en die dood was geslagen. En dan zijn zusje, die van een huishoudtrap was gevallen en met haar hoofd op de keldervloer terecht was gekomen. Een noodlot zo sterk dat ze zich soms afvroeg of ze daarom verliefd op hem was geworden, dat ze medelijden met hem had en hem wilde helpen alles te vergeten.

*

Randi zei dat bij het huis van Ole Porat aan de Melkeveien alles rustig was. Ze vonden Jan Hagg meteen. Binnen bij de fitnessapparaten. In de sportschool rook het naar zweet en er klonk harde muziek. De man torende boven hen uit. Jan Hagg moest langer dan één meter negentig zijn. Hij had dezelfde gelaatstrekken als zijn vader, maar zijn haar, roetzwart en halflang, was strak naar achteren getrokken in een staart. Hij had een hoog voorhoofd, hij was beslist intelligent, dacht Cato Isaksen, maar leek niet erg sympathiek. Het was een eerste indruk, die niet hoefde te kloppen.

Cato Isaksen vroeg of hij zich wilde omkleden en meekomen naar het politiebureau. Het viel hem op dat Hagg niet erg verrast leek, hij knikte alleen kort en verdween in de kleedkamer. Een vrouw in strakke sportkleding keek hem na.

Cato Isaksen liep naar de balie en vroeg de vrouw hoelang Jan

Hagg hier was geweest. 'Kijk maar op de lijst,' zei ze en ze knikte naar een map die opengeslagen lag met een pen erop. Hagg was een paar minuten over zeven aangekomen. Cato Isaksen keek op zijn horloge. Het was nu tien over negen. De schietpartij in de Trosterudveien had rond half zeven plaatsgevonden. Cato Isaksen riep manschappen op om de sportschool te doorzoeken naar het wapen. Roger Høibakk praatte met de blonde vrouw, en nadat ze een telefoontje had gepleegd, mochten ze de map meenemen. Dat kon ook nuttig blijken in verband met Halloween. Jan Hagg kwam uit de kleedkamer met een grote tas, die hij over zijn schouder sloeg.

In de auto was het een tijdje stil. Jan Hagg zat op de achterbank. Cato Isaksen keek naar hem in de achteruitkijkspiegel. Een sms kwam binnen. Ze hadden Piet Hagg niet kunnen vinden. Hij was nergens te traceren. Cato Isaksen merkte plotseling hoe moe hij was. Maandag 4 november was een oneindig lange dag geworden. En was nog lang niet voorbij.

*

Emmy Hammer had er tien minuten over gedaan om zich om te kleden en toiletspullen te halen. Ze kwam de slaapkamer uit in een lange broek en een grijze trui. Marian wachtte in de woonkamer. Ze keek naar het witte schilderij op de schildersezel. Een groot oppervlak met nuances in lichtgrijs, wit en beige.

Emmy Hammer stopte een toilettas, wat ondergoed en een paar flessen wijn in een grote grijze tas. Ze keek door de glazen deur naar buiten, naar het huis van haar ouders. Een bezorgde trek op haar gezicht. Marian knikte haar opbeurend toe. Emmy trok haar kogelvrije vest weer aan en schoot snel in een donsjas, daarna liepen ze terug naar de auto en reden de oprit met de keitjes af. De volgauto stond te wachten. Een man op een scooter stond iets verderop langs de weg, aan de andere kant. Hij had beide voeten op de grond en een helm op zijn hoofd. Het vizier was naar beneden.

*

Piet Hagg herkende Emmy Hammer toen de auto's langs het transformatorhuisje reden. Toen ze de weg op draaiden, richtte hij zich op, gaf gas en volgde ze. Hij was in hun huis in Majorstua geweest en had het nieuws op tv gezien. Een afschuwelijke geur van bedorven gehakt had zich in de kamers vastgezet. Hij stond op het punt om het vlees naar de vuilcontainer te brengen toen het op het nieuws kwam: *Er zijn schoten gelost aan de Trosterudveien, een poging tot moord op de dochter van de bekende psychiater Carl Hammer.* Hij dacht aan het voorval met het speelgoedpistool. Hoe Emmy het uit zijn hand had getrokken. Dat was in het Ketelhuis. Hij mocht Emmy. Ze leerde snel. Ze was niet bang, niet zoals Maike. Het was vermoeiend om iemand te beschermen, om altijd paraat te zijn. Hij zag het nu allemaal voor zich, als een film die terugspoelde. Het was in de eerste dagen van november. Hij had begrepen dat er iets niet klopte. De grote herfstwolken lagen over de gebouwen aan de overkant. Ze bewogen langzaam. Een dun laagje rijp bedekte de gazons, op de plekken waar ze hadden gevoetbald was het gras verdwenen en alleen nog modder over.

*

Jan Hagg zat in de krappe verhoorkamer te wachten. Hij had een witte trui aan. Alles in de kamer riep onbehagen op. Het felle licht. De duisternis tegen het raam. De geur van gladde groene zeep. De onrust om in een ruimte te worden geplaatst waar hij de verwachtingen niet kon sturen, was overweldigender dan hij had gedacht. Toen kwam de oudste van de twee politiemannen binnen. ‘U weet waar het om draait?’

Hij keek hem aan, maar antwoordde niet.

‘Er is een moord gepleegd. En er is een poging tot moord geweest,’ zei de politieman, die Cato Isaksen heette. Dat zag hij op de legitimatiekaart om zijn nek. ‘We willen u nu al graag wat vragen stellen. Wilt u een advocaat erbij hebben?’

‘Wat heb ik daarmee te maken?’

‘Wanneer u niets met de moord te maken hebt, helpt u ons dan. Er is haast bij. We weten niet of er nog meer mensen in gevaar zijn.’

Het licht deed pijn in zijn vermoeide ogen. ‘Natuurlijk geef ik antwoord,’ zei hij. ‘En ik heb geen advocaat nodig.’ Hij vertelde dat hij even na zeven uur op de sportschool was aangekomen. Daarvoor was hij thuis geweest.

‘Kunt u ons vertellen hoe we uw broer Piet kunnen vinden?’

‘Ik weet niets van Piet. Ik heb geen idee waar hij is.’ Jan Hagg legde zijn grote knuisten op het tafelblad.

*

De witte pleister op Emmy Hammers voorhoofd lichtte op. Marian praatte door. 'Ik ben een keer de koningin van het duister genoemd.' Ze waren op de ringweg aangekomen en reden in oostelijke richting naar de Carl Berners plass. In de achteruitkijkspiegel zag ze de volgauto. 'Ik weet precies hoe het is wanneer je het moeilijk hebt.'

Emmy Hammer knikte, toen vroeg ze: 'Ga je nog steeds naar de psycholoog?'

'Later werd het een psychiater, maar nee, ik ben overal mee gestopt. Therapie is net zoiets als marineren in je eigen ellende, als baden in negatieve geldingsdrang.'

'Waarom ben je politieagent geworden?'

'Ik werd politieagent omdat ik precies wist hoe het voelde om mislukt te zijn. Mijn adoptiemoeder bedreigde me met een mes toen ik zestien was. Ze haatte me uit de grond van haar hart. Toen belde ik de politie. En ze kwamen. Ze hebben me gered. Toen heb ik het besloten. Ik zou politieagent worden. Om anderen te redden. Er is onlangs een rapport verschenen dat zegt dat politievrouwen onderdrukt worden. Mijn collega, Randi, heeft kritiek gekregen omdat ze soms in een rok en met hoge hakken op het werk komt. Wij lopen zelden in uniform.'

'Ik geloof dat ons hele bestaan is opgebouwd door mannen, voor mannen.' Emmy Hammer slikte. 'Wat gebeurt er nu met Jan?'

'Daar hoef je niet aan te denken.'

'We hadden het fijn toen, Jan en Piet en wij, de meisjes. We deden spannende dingen, een beetje zoals De Vijf.' Emmy Hammer haalde diep adem. 'Wanneer mag ik weer naar huis?'

'Over een poosje.' Marian keek in de achteruitkijkspiegel. De afspraak was dat de volgauto een stuk mee zou rijden over de E6 en als er niets verdachts te zien was, zou keren bij de afslag naar Kongsvinger. 'Er staat straks eten voor ons klaar,' zei ze. 'Alles wordt geregeld.'

'En ik heb wijn,' zei Emmy Hammer. 'Dat heb ik nu nodig.'

Marian kon niet drinken. Maar ze kon wel een glas wijn gebruiken.

*

Jan Hagg wist veel over de dood. Hij had als kind zijn moeder en zus verloren. De politieman had zijn twijfels over de tijdstippen. Hij hield vol dat hij thuis was geweest toen het journaal begon. Dat hij werkte bij een uitvaartonderneming was schijnbaar interessant, want ze begonnen vragen te stellen over zijn relatie met de dood. Hij probeerde antwoorden te geven die voldeden aan de verwachting, dat het toevallig was, dat er meerdere manieren waren om je doel te bereiken, en dat zijn doel een gelukkig leven was. En dat had hij gekregen toen hij Ingrid ontmoette. Het toeval wilde dat haar ouders een uitvaartonderneming hadden. Het was nooit zijn wens geweest om met de dood te werken. Maar ze verdienden geld, en veel ook. Ingrid wilde een vakantiehuisje in Zuid-Noorwegen. En dat zou er komen.

'Vertel eens over Berit Adamsen,' zei de politieman.

'Berit Adamsen was echt een ruimhartig persoon,' zei Jan Hagg. 'Er is zelfs een artikel over de Kinderdagen verschenen in de *Aftenposten*. We kregen bezoek van een fotograaf en een journalist. Ik herinner me dat er een foto van ons werd gemaakt toen we op de trap zaten. Eén keer per maand kwamen we bij elkaar, zodat we ons veiliger zouden voelen in het ziekenhuis. De predikant was er ook bij betrokken. Norma Winther. Ze las voor uit de Bijbel en leerde ons enkele psalmen. We vonden het leuk. Piet en Maike en ik. Ik voelde een soort verantwoordelijkheid voor ze. Ik was de oudste. Toen ging het allemaal mis.'

*

Cato Isaksen keek hem aan. Door de glazen wand zag hij dat Asle Tengs hem een teken gaf. Hij stond op en liep naar de gang.

'Jan Hagg staat op 31 oktober niet op de lijst van de sportschool. Dus misschien is hij wel onze man.'

Werner Hagg had opgebiecht dat hij die avond naar Oslo was gereden, eerst naar de Sandakerveien en toen naar de Trosterudveien. Hij hield vol dat hij gewoon had willen praten, en dat hij die avond geen contact had gehad met Aud Johnsen of Emmy Hammer. Ze moesten iets tastbaarders in handen zien te krijgen. Zouden vader en zoon hebben samengewerkt?

Cato Isaksen liep de verhoorkamer weer in. 'En op de avond van 31 oktober, Jan Hagg. Wat hebt u toen gedaan?'

De zoon van de kistenmaker keek hem aan. 'Ik was in de vrijmetselaarsloge,' zei hij.

*

Toen ze vijfenveertig minuten gereden hadden sloeg Marian af, vlak na de afrit naar Gardermoen. Ze reden nog bijna twintig minuten door en draaiden toen een smal weggetje op. Bladloze loofbomen stonden als een traliehek aan weerszijden van de weg. Aan het eind bereikten ze een industriegebied. Marian keek in de achteruitkijkspiegel. Het was inmiddels middernacht geworden.

'Het ziet er verlaten uit, maar dat is het niet,' zei Marian. Ze had een sms gekregen van de agent in de volgauto waarin stond dat alles oké was en dat ze op de terugweg naar Oslo waren.

'De speciale eenheid waarvoor ik werk heeft hier kantoren, dus er zijn altijd mensen. We zullen ze niet zien, maar ze zijn er.'

Emmy Hammer knikte. 'Hoe heet het hier?'

'Het heeft hier geen naam,' zei Marian laconiek en ze parkeerde de auto. 'Het is een opslagplaats.'

Birka werd losgelaten en mocht een paar rondjes over het terrein lopen. Er waaide een harde wind over het plein. De hond was hier eerder geweest.

*

Cato Isaksen nam contact op met de officier van justitie. 'Ik weet dat het laat is, maar u moet een verlenging van het bevel tot aanhouding van Hagg tekenen, zodat we hem hier kunnen houden. We verhoren hem vanavond, gezien de ernst van de zaak. Zijn vrouw geeft hem een alibi, maar dat houdt geen stand. In afwachting van wat er morgen gebeurt, moet hij hier blijven.'

Jan Hagg werd naar een cel gebracht. Ellen Grue belde Cato Isaksen. 'We hebben aan de Trosterudveien drie patronen gevonden, Cato. Ik ben nu met het materiaal onderweg naar de technische recherche. De schoten werden afgevuurd vanaf de bosrand. Daar hebben we ook delen van een voetafdruk gevonden. Ik zeg met opzet "delen", want er liggen veel bladeren en andere troep op de grond. En veel mensen gebruiken het gebied voor recreatie en om te joggen, dus we moeten uitzoeken wat wat is. We gebruiken alle lampen die we hebben. De duisternis maakt het er niet gemakkelijker op. We stoppen straks en gaan morgenochtend in alle vroegte verder.'

In de opslagplaats was het koud, een onaangename lucht kwam hun tegemoet toen ze tussen de stellingen door liepen. De schappen stonden vol met kisten en dozen in verschillende afmetingen. Helemaal aan het eind bevond zich een stalen deur. Marian stak de sleutel in het slot en trok de deur open. Ze kwamen in een kleine gang met een lift. De hond ging als eerste naar binnen. 'We moeten naar boven,' zei ze.

Boven waren drie deuren, een met een raam van matglas. Marian maakte de deur open en ze kwamen weer in een gang, donkergroen geverfd, met weer drie deuren: een naar het kleine, groen geverfde toilet, de tweede naar een kleine keuken met een stalen wasbak en de derde naar een soort woonkamer met een oude mosterdgele bank. Er lag een roze konijn op, waarschijnlijk was iemand de knuffel vergeten. De vloer was bedekt met linoleum en aan het plafond hing een lichtpeertje. Op de plint langs het plafond waren bewakingscamera's gemonteerd. Het was er behaaglijk warm. Een ventilatiesysteem zoemde zachtjes.

'Dus hier gaan we blijven?' Emmy Hammer trok haar jas uit. Ze leek rustiger. 'Kan ik het vest uittrekken?'

'Doe maar uit,' zei Marian en ze beval de hond te gaan liggen. 'Er komt zo iemand eten brengen, we hebben allebei onze eigen kamer.' Alles wat ze deden zou worden gerapporteerd. Emmy keek haar aan. 'Waarom kunnen jullie de zaak niet gewoon oplossen? Ik wil naar huis en mijn normale leven weer oppakken.' Ze ademde zwaar. 'Ik ben zo bezorgd om papa en mama. En om Philip. Ik heb zo'n akelig voorgevoel. Ik zag ook een man in het bos.'

'Wanneer? Waarom heb je dat niet gezegd? Kun je hem beschrijven?'

'Het is een warboel in mijn hoofd. Ik kan hem niet beschrijven. Het was niet Jan Hagg. En er lopen voortdurend mensen over het pad.' Emmy Hammer pakte een wijnfles uit de grijze tas, draaide de dop eraf en nam een slok. 'Dit helpt helaas. Wil je ook?'

'Ik ga me omkleden,' zei Marian en ze liep een van de slaapkamers binnen. Ze deed haar leren jack uit, opende een la en vond een zwarte hoodie, die ze aantrok. Toen ze weer uit de slaapkamer kwam, was Emmy Hammer in de gang.

'Waar ga je heen?' Marian liep haar achterna. Ze trok de trui naar beneden.

'Ik kijk gewoon wat rond,' zei ze.

Tien minuten later kwam een man met warm eten in bakjes van aluminiumfolie. Hij had ook nog een plastic tas met brood, sap, boter en beleg bij zich, die hij op de keukentafel zette.

*

Ze hadden ieder drie glazen wijn gedronken. Emmy Hammer liep naar het raam en keek naar het verlichte industrieterrein. Marian stond beneden met haar leren jack aan en haar armen over elkaar geslagen om warm te blijven. De wind blies haar haar alle kanten op. De boxer snuffelde aan iets bij de container. Twee auto's stonden ernaast geparkeerd. Eén ervan was de grijze huurauto. Het motregende, maar een glimp maanlicht scheen door het wolkendek. Een paar boomblaadjes leken een zwerm vliegjes toen ze door het lichtschijnsel van de lantaarnpaal vielen en op het asfalt bleven liggen. Ze herinnerde zich opeens het gevoel dat alles kapot was: de zwarte kelderruimtes, de archiefkasten met de blauwe dossiers, de rommel in de hoeken, de resten van een paardenbloem met de dode bloemblaadjes op de betonvloer. Maike en Aud hadden een gedeelde smart door de ziekte van hun vaders, of ze waren vervlochten als twijgen in een mand. Zelf was ze een eenzame boom, de dochter van de psychiater. En Piet mocht haar niet, dat herinnerde ze zich.

Marian en haar hond kwamen terug. Emmy draaide zich om naar de politievrouw. 'Stel je voor hoe ze Laika de ruimte in schoten. Ik heb mezelf altijd als een derde persoon gezien.'

'Hoe bedoel je dat, Emmy? *Xiao San*. Dat betekent "derde persoon" in het Koreaans.' Marian gooide haar jack op de bank en voelde de ontspanning als gevolg van de wijn.

'Ik ben waarschijnlijk overgevoelig.' Emmy Hammer trok de trui over haar heupen naar beneden. 'Het is alsof ik in een glazen bol zit, een diepe kom waarin ik kan rusten. Als een kleine vis.'

'Ik ken het gevoel. Vissen kunnen hoogsensitief zijn. Fruitvliegjes ook.' Marian maakte de riem van Birka los. 'Een kenmerk van hypersensitiviteit is een erfelijke overlevingsstrategie. Ik zie criminelen soms als dierentemmers, ze stappen zomaar bij de tijger in de piste. Staan daar gewoon in de schijnwerpers te schitteren.'

Emmy Hammer vond het niet fijn dat de politievrouw zo praatte. Ze leek niet helemaal gezond. Ze ging op de bank zitten. Marian praatte verder: 'Ook al leidt hypersensitiviteit tot divers gedrag, toch is het een kenmerk van hooggevoelige individuen dat ze overleven. Het komt goed, Emmy. We gaan nu slapen.'

Emmy Hammer staarde haar aan en wreef over de pleister op haar voorhoofd. 'Heb je kinderen?'

Marian schudde haar hoofd.

'Ik was zestien toen ik mijn zoon kreeg. Vijftien toen ik zwanger werd.'

'Wat?'

'Ik kon de meest gewone dingen niet doen. De bus nemen, kleren wassen, boodschappen halen. Norma steunde mij toen. Ze werkte niet meer in Gaustad, maar ik bezocht haar in de kerk van Fagerborg. Ze was een rots in de branding. Ik herinner me de eerste bewegingen van de foetus, alsof je van binnenuit beschilderd wordt met een penseel. Dat ik geen abortus wilde, dat ik mijn vader teleurstelde, dat ik geen echte opleiding volgde, heeft jarenlang onze relatie kapotgemaakt. Hij wilde dat ik ging studeren, dat ik een academica zou worden, arts, advocaat, zoiets. Toen het kind kwam, vond hij dat mijn moeder op het kind kon passen terwijl ik studeerde, maar ik had totaal geen fut, en mama was net een zombie. Ik wilde me eigenlijk alleen maar ingraven. Maar Philip was een lichtpuntje.'

Marian staarde een hele tijd naar haar. Ze voelde langzaam een hoofdpijn naderbij kruipen. 'En Philips vader?'

'Gewoon iemand die ik op een feest tegenkwam. Ik had hem daarvoor nooit gezien, en sindsdien ook niet weer.'

'Maar je weet wie hij is, hoe hij heet?'

'Natuurlijk, maar dat is mijn geheim.'

'Heeft je zoon nooit naar zijn vader gevraagd?'

'Hij heeft het een paar keer gevraagd, maar nu niet meer, hij komt het nooit te weten.'

'Je had nog wel contact met Jan nadat Maike gestorven was?'

'Ik heb hem na Maikes dood nog één of twee keer gezien. Hij woonde een tijdje in een kindertehuis. Toen ging hij ervandoor. Ik weet nog dat papa gevraagd werd of hij wist waar hij was.'

*

Toen Emmy Hammer in het smalle houten bed in een van de kamertjes in slaap was gevallen, stond Marian in de deuropening een ogenblik naar haar te kijken, voordat ze rusteloos door de woonkamer naar de keuken liep en daar met een glas water een ibuprofen innam. Ze ging naar een kleine bergruimte waar kleren aan een rek hingen en pakte een grote doos met een deksel, opende hem en rommelde erin rond tot ze een lichtblonde pruik met halflang haar vond. In de opslagruimte hadden ze pruiken in alle mogelijke kleuren en coupes.

Er kwam een sms van Cato binnen: *Jan Hagg zit in hechtenis. De doorzoeking van zijn appartement en de sportschool hebben niets opgeleverd. Helemaal niets. Piet Hagg is niet gevonden. Ole Porat bevindt zich waarschijnlijk nog steeds in een berggebied zonder mobiel bereik.*

Marian antwoordde: *Emmy Hammer is zwanger geraakt toen ze vijftien was en beviel van haar zoon toen ze zestien was. Ik heb zo mijn gedachten. Kan Jan Hagg de vader van haar zoon zijn?*

*

Cato Isaksen reed door de stille straten van Oslo. Het regende weer. Geen teken van sneeuw in de lucht. Hij zette de ruitenwissers aan en had moeite om zijn ogen open te houden. Alles draaide en suisde door zijn hoofd. Marian had zich de laatste dagen prima gedragen, maar daar moest iets achter zitten. De officier van justitie zou Jan Hagg in staat van beschuldiging stellen, maar hij wist niet of ze hem op basis van de huidige gegevens in hechtenis mochten houden. Morgen zou Karsten Tønnesen komen om hun handvatten aan te reiken om logisch te blijven denken. De politiepsychiater en specialist op het gebied van seriemoordenaars was indertijd verbonden geweest aan Gaustad. Hij was allang gepensioneerd. En dit was geen seriemoord. Alleen een moord op een journalist, een poging tot moord op de dochter van een psychiater. En een kind dat vijfentwintig jaar geleden was gestorven. Toen hij in zijn studio kwam, voelde de ruimte plotseling minder vreemd. Hij dacht eraan hoe hij zijn hand op Marians rug had gelegd toen ze op de zolder van Gaustad stonden. Maar heel even, als een transparante, vluchtige beweging nadat Deidrée had verteld over de anekdote met de gevlochten bruidskist.

*

Met de lichte pruik was ze bijna een andere persoon. In de weerspiegeling van het raam leek ze verwarrend veel op Emmy Hammer. Emmy Hammer sliep. Birka lag opgerold op de vloer. De verkleedspullen hier waren een deel van de uitrusting. Politiemensen moesten kunnen lijken op de slachtoffers die ze moesten beschermen. Ze ijsbeerde rusteloos rond, maar zorgde ervoor dat ze buiten het bereik van de bewakingscamera's bleef, ook al vermoedde ze dat de nachtwaker al sliep. Terwijl ze zo rondbanjerde, werd ze ingehaald door een vreemd gevoel van vrijheid. *Je bent dom*, zei haar moeder altijd. In de wasbak stonden de vuile glazen. Ze keek uit over het plein. Het was stil, maar door het geruis van het ventilatiesysteem heen gleed een ander, zwakker geluid door haar bewustzijn: een motorfiets. Maar ze zag de motor niet, alles was donker, en het geluid was snel weer weg. Een kartonnen flap stak uit een van de containers en wapperde in de wind.

Het was dinsdagochtend, 5 november. Cato Isaksen had diep geslapen vannacht, of eigenlijk was hij gewoon van vermoeidheid ingestort. De slaap had wonderen gedaan. Marian had doorgegeven dat de nacht rustig was verlopen. Ze waren nu aan het trainen in de fitnessruimte op het schuiladres. Hij kende Marian; Emmy Hammer zou het zwaar krijgen.

Er waren tot nu toe geen tips binnengekomen die hen verder hadden gebracht in de zaak. Cato Isaksen en Asle Tengs stonden in Cato's kantoor over de verjaringstermijn te praten. Hij was op weg naar Carl Hammer. Op 20 november zou de verjaring een feit zijn. Maike Haggs eventuele moordenaar zou vrijuit gaan. Was het dezelfde die gisteren had geprobeerd Emmy Hammer om het leven te brengen? Asle Tengs had de opdracht gekregen om na het gesprek met de advocaat een nieuw onderzoek voor te bereiden. Hij hield zijn arm omhoog en wees naar zijn horloge. Het was negen uur. Er was haast geboden. De advocaat wachtte in de advocatenkamer. Over twee uur zou de beslissing over het voorarrest van Jan Hagg worden genomen en de verdediger moest inzicht in de documenten krijgen. Ole Porats alibi was gecontroleerd en hij hield vol dat hij op 31 oktober op reeënjacht was geweest. Zijn alibi werd bevestigd door zijn vrouw en zijn collega's. De nacht dat Aud Johnsen vermoord werd was hij samen met jachtvrienden in een hut in Valdres. Alles werd nu volgens de gebruikelijke procedures onderzocht en gecontroleerd door het plaatselijke politiekorps in Valdres. De jachtperiode voor elanden eindigde op 31 oktober.

Irmelin Quist liep door de gang met een aantal prints in haar hand. Ze klopte op het deurkozijn. 'Jan Hagg is vrijmetselaar,' zei ze. 'Hij heeft de achtste graad bereikt, dus is hij tempelridder. De leden worden aangenomen op aanbeveling van twee verschillende personen. Als je je wilt aansluiten, moet je je bekeren tot het christendom, ten minste vierentwintig jaar zijn en een geordend leven leiden. Dan kun je ridder worden van de Orde van de Arme Ridders van Christus en krijg je een riddergewaad. Een lang, wit gewaad met een rood Maltezer kruis op de borst. De print ligt op mijn kantoor.'

Cato Isaksen stak zijn hand op. 'Ik moet naar Carl Hammer. Staat er iets over schoeisel?'

'Niet dat ik gelezen heb,' zei Irmelin Quist. 'Maar ik kan het onderzoeken.'

*

Vanja haatte zichzelf. Hij had gemist. Hij stond aan de bosrand samen met een aantal nieuwsgierigen. Natuurlijk had hij vandaag andere schoenen aan. En andere kleren. Een politiewagen stond voor de ingang van het hoofdhuis geparkeerd. Kriskras waren rood-witte afzetlinten gespannen en rechercheurs in witte pakken zaten op hun hurken, met ronde ruggen, sporen te zoeken op de grond. Een man op een witte scooter reed de bosweg op en hobbelde in de richting van het groepje mensen. In de stilte klonk de motor als een spinnende kat. De bestuurder zette zijn voeten op de grond en hield de wankelende scooter vast om in balans te blijven. Een politieauto kwam aanrijden. Hij wist hoe civiele politieauto's eruitzagen.

*

Cato Isaksen stopte voor het witte huis van Carl Hammer, een geuniformeerde agent hield voor de deur de wacht. De hoge bomen aan de rand van het bos stonden dicht op elkaar. De technici waren nog steeds bezig in de tuin tussen de twee huizen. Een onderzoekstent was opgezet voor dat wat Emmy Hammers terras moest zijn. Afzetlinten waren kriskras tussen de bomen gespannen. Een groepje mensen stond langs het pad dat in het bos verdween. Cato Isaksen opende het portier en stapte uit.

Ellen Grue kwam in haar witte papieren pak vlug over het gazon naar hem toe. 'We hebben duidelijke voetsporen gevonden bij het huis van Emmy Hammer.' Ze draaide zich om en wees. 'Ze komen overeen met de afdrukken bij het appartement van Aud Johnsen. Ongeveer maat vijfenveertig. Dezelfde gladde, afgesleten ribbels in de voetafdruk. We kunnen constateren dat het om dezelfde persoon gaat, Cato.'

Carl Hammer zat in een donkerblauwe fluwelen fauteuil. De bovenkant van de stoel was verbleekt door de zon, die door het raam naar binnen scheen. Hij droeg een grijze broek. Cato Isaksen herkende zijn gezicht van het schilderij in het auditorium in Gaustad. Voor de kleine ramen met uitzicht op het bos stond een beige bank met een glazen tafel ervoor. Solveig Hammer had mooi gepermanent haar en een jurk die tot halverwege haar benen kwam. Ze begroette hem terughoudend, trok een stoel voor hem bij en serveerde thee.

'Jullie moeten op onze Emmy passen. Dit is verschrikkelijk.' De handen van de psychiater trilden toen zijn vrouw hem een kopje aanreikte.

'Het is een ernstige zaak,' begon Cato Isaksen, maar hij besloot het oudere echtpaar niet direct op de hoogte te brengen van het feit dat de man die had geschoten waarschijnlijk dezelfde man was die Aud Johnsen had omgebracht.

'Dit is een enorme schok, maar ik ben eraan gewend om rampspoed het hoofd te bieden.' Hammer praatte langzaam en hing vanwege zijn gewicht een beetje met zijn bovenlichaam voorover. 'Ik ben gisteren gevallen, maar heb niets gebroken. Mijn vrouw is ook niet gewond geraakt.' Ze knikte en ging met de theepot naar de keuken. 'En Philip, niet te vergeten,' ging de psychiater door. 'Hij is in zijn kamer. Emmy heeft niet veel ruimte, dus verblijft hij hier. Toen ik in Gaustad werkte, hoefde ik maar tien minuten door het bos te wandelen. Die vrouw die vermoord is...'

'Die vrouw, zoals u haar noemt, was de dochter van een van uw patiënten, John Johnsen.'

'Dat heb ik inmiddels begrepen. Johnsen werd gediagnosticeerd met een psychische stoornis van querulante en religieuze aard.'

Cato Isaksen vertelde van de afspraak van hun dochter met Aud Johnsen en de informatie die ze had gekregen van haar vroegere vriendin, dat Jan Hagg zijn moeder en zus zou hebben vermoord. Hij vertelde ook over de man die bij Emmy had aangebeld op de avond dat Aud was vermoord. 'Kunt u een reden bedenken waarom iemand Emmy van het leven zou willen beroven?'

Hammer keek verbaasd. 'Dit is je reinste waanzin. Patiënt nummer 414, Werner Hagg, had zijn vrouw vermoord. Waarom vertelde Emmy niet dat ze die Aud zou ontmoeten?' Hammers stem klonk beschuldigend. 'Ik heb er altijd moeite mee gehad dat Emmy omging met de kinderen van de patiënten.'

Cato Isaksen schoof wat verder naar voren op zijn stoel. 'Kunt u mij een analyse geven van de situatie zoals u die ziet?'

Carl Hammer zette zijn halve bril op zijn neus. 'Ik begrijp het verband niet. Gedragsproblemen hebben vaak te maken met opvoeding en genen, maar degene die jullie nu zoeken is waarschijnlijk iemand die extreem veel last heeft van allebei. Op mijn afdeling hadden we bijlmoordenaars, brandstichters en iemand die zijn slachtoffers vergiftigde en volhield dat hij moordde uit barmhartigheid. De moord van een paar dagen geleden op die vrouw lijkt mij erg hardvochtig en onbarmhartig.'

'Wij dachten aan haat,' zei Cato Isaksen. 'Er moet een onderliggend motief zijn, iets wat als aanzet dient. Maar waarom?'

Hammer leunde iets naar voren. 'In de VS wordt aangenomen dat er op elk moment ongeveer veertig seriemoordenaars actief zijn.'

'We zijn niet op zoek naar een seriemoordenaar. We hebben een moord, een poging tot moord en een kind dat in 1988 overleed. De dochter van Werner Hagg. Ze was nog maar twaalf jaar.'

'Maike Hagg.' Hij leunde weer achterover. 'Dat was een verschrikkelijk ongeluk, maar het heeft vast niets te maken met wat er nu gebeurt.'

'Hoe weet u dat?'

Hij keek op. 'Ik begrijp dat de politie op zoek is naar puzzelstukjes, maar jullie moeten in de goede richting zoeken. De politici kunnen vinden wat ze willen, maar ik ben ervan overtuigd dat het reduceren van het aantal bedden in de psychiatrie een negatief effect heeft. De laatste jaren is ongeveer tweeëntwintig procent van alle moorden gepleegd door psychisch labiele personen. Jullie zullen het vast ontdekken, maar het zou me niet verbazen als John Johnsen achter de moord op zijn dochter zit.'

'Waarom denkt u dat?'

'Ik heb met de man gewerkt. Zulke types worden nooit meer gezond. Als je het ruim ziet zou je kunnen zeggen dat ieder mens wel ergens aan lijdt. Er waren destijds veel stromingen in de psychiatrie die daarvan uitgingen.'

‘Er werd lippenstift rond Maike Haggs mond aangetroffen.’

‘Wat? Dat is nieuw voor mij. Ik heb mezelf vaak verweten dat ik de Kinderdagen heb toegestaan.’

‘Werners zoon, Jan Hagg, is vrijmetselaar,’ ging Cato Isaksen door.

‘Ik ben zelf vrijmetselaar, maar niet in dezelfde loge. Ik ken hem verder niet. Ik wil geen contact met vroegere patiënten of hun kinderen. Je ziet waar dat toe kan leiden. Waar moeten we precies bang voor zijn? Het lukt mij echt niet om een verband te zien.’ Hij zag er plotseling vertwijfeld uit, alsof hij probeerde een masker op te houden, maar daar niet in slaagde.

Cato Isaksen kreeg medelijden met hem. ‘Dat zijn we nu aan het uitzoeken. Kunt u iets vertellen over Ole Porat?’

‘Ole Porat? Ik herinner me hem maar vaag. Een geneeskundestudent. Ik kan er verder niets aan toevoegen.’

Cato Isaksen keek hem aan. ‘We hebben met uw toenmalige secretaresse gesproken, Berit Adamsen.’

‘Laat Berit Adamsen met rust.’

‘Waarom? Wat voor rol speelde zij?’

‘Berit was degene die de psychofarmaca uitdeelde. Ze regelde veel. Ze is gediplomeerd verpleegkundige, hoewel ze was aangesteld als secretaresse. Maar ze had de baan nooit moeten aannemen.’

‘Waarom niet? Jan Hagg noemde haar een ruimhartig persoon. Na de dood van Maike Hagg heeft ze plotseling ontslag genomen.’

‘Ja.’ Hij vouwde zijn bleke handen in zijn schoot. ‘Ik heb mezelf verweten dat ik haar die idiote Kinderdagen heb laten organiseren. Het was ook in strijd met de regels. Maar ze wisten het door te drijven. Norma en zij.’

‘Wat bedoelt u precies?’

‘Ik heb niets meer toe te voegen.’

Cato Isaksen liep naar het raam en tilde het gordijn een stukje omhoog. Het groepje nieuwsgierigen was verdwenen.

*

Philip Hammer had zich verschanst in de logeerkamer. Hij rookte heimelijk bij het open raam. Eerder op de dag was een technisch rechercheur in een witte overall langs geweest om een DNA-monster van hem te nemen. De man had een wattenstaafje in zijn mond gestopt en het daarna in een plastic zakje gedaan. Door de gesloten deur hoorde hij de politieman die met zijn grootvader zat te praten. Hij zou eigenlijk vandaag teruggegaan zijn naar Polen, maar hij moest wachten. Er werd op de deur geklopt. Het was de politieman. Het bleek een aardige man te zijn, die zei te begrijpen dat het erg tragisch voor hem was. Maar het stond hem tegen dat de man bleef doorzeuren over waarom hij uit Polen hierheen gekomen was.

*

Toen Cato Isaksen langs de portierswoning reed, terug naar de Trosterudveien, dacht hij aan wat Marian had gezegd, dat Jan Hagg de vader van Philip kon zijn. Maar Philip Hammer was hoogblond en niet bijzonder lang. Over een paar dagen kon hij terugkeren naar Polen, maar eerst moest de uitslag van de DNA-test binnen zijn. Toen hij de Trosterudveien op draaide, kreeg hij een bericht door van iemand van de technische recherche: *Ben op de chirurgische afdeling van het Ullevål Ziekenhuis geweest en heb divers onderzoeksmateriaal verzameld: operatiekleding en laarzen die worden gebruikt in de operatiekamer. Porats collega's waren geschokt en Porat komt morgen terug uit Valdres.* Toen Cato Isaksen bij de afslag naar Tåsen was, belde Marian.

Marian stond in de lift. Het mobiel bereik hier binnen was slecht. Cato's stem klonk hakkelend. Toen ze de grijze fabriekshal in liep werd het beter. De stellages liepen door tot aan het dak. Ze zocht een plekje tussen twee stellingen. 'Emmy Hammer wil naar huis, Cato. Hoelang moet ze zich in onze fabriek verborgen houden?' Ze staarde naar de vloer. De glanzende bovenlaag was van een zacht materiaal. 'Ze wil naar huis, naar haar ouders en haar zoon.'

'Ze moet daar voorlopig blijven, Marian. De technisch rechercheurs hebben ontdekt dat het beide keren dezelfde dader is geweest.'

'Oké.'

'Op beide plaatsen delict zijn dezelfde voetafdrukken gevonden. Jan Hagg en zijn vader zijn allebei potentiële verdachten. Maar ik vermoed dat we nu ook de opsporing verzoeken van Piet Hagg. Het is logisch dat Emmy Hammer voorlopig op het schuiladres blijft.'

Op de monitoren in de hal zag Marian haar. Ze zat apathisch voor zich uit te staren naar een soapserie op de televisie.

'We hebben een uurtje in de fitnessruimte getraind. Met gewichten. Ik dacht dat het zou helpen, maar ik heb geen andere informatie over Emmy Hammer dan dat met haar zoon. Ik wil graag bij de bespreking met Tønnesen zijn. Kun je niet iemand anders hierheen sturen?'

Cato Isaksen keek op de snelheidsmeter. Hij reed te hard, de auto voor hem remde af en hij reageerde pijlsnel. 'Oké, Marian. Ik stuur iemand anders. De bespreking met Tønnesen is om vier uur. Neem een DNA-monster van Emmy, er is daar wel materiaal. Dat met die zoon zullen we uitzoeken. Ik moet nu naar de vrijmetselaarsloge. Ga jij straks eerst naar de kerk van Fagerborg om met Norma Winther te praten. Vraag ook naar die lippenstift. Ik ben benieuwd naar jouw indruk van de predikant. Lever je wapen in en haal het morgen weer op als je naar Emmy Hammer teruggaat.'

‘Moet ik hier morgen weer heen? Ik dacht dat ik een goede rechercheur was. Dat je me daarom in het team wilde?’

‘Dat was een besluit van de afdelingschef.’ Cato Isaksen zag zichzelf in de achteruitkijkspiegel. Hij voelde een duistere honger in zijn lijf.

Achter de kerk, tegen de muur, stond de camper van catecheet Lilly Hausmann. Vanaf de voorkant was hij niet te zien, en hij mócht hier ook helemaal niet staan, maar hij verdween achter de rij huurauto's langs het park. De camper stond hier al sinds begin augustus. De afgelopen nachten was het kouder geworden. Lilly trok een paar Uggs aan haar voeten. Ze had alleen een slaapzak, maar Norma had haar een donzen dekbed gegeven. Lilly werkte met kinderen en jongeren, ze gaf leiding aan het godsdienstonderwijs en hield de jeugddiensten. Norma had haar toevertrouwd dat ze kinderen niet leuk vond. Lilly had gezegd dat ze Norma wel zou leren om van kinderen te houden. Toen had Norma haar de reden verteld, ook al had ze zwijgplicht. Het was alsof er iets barstte; wat een bezoeking moest het zijn om alle dingen te zien die Norma had gezien. De mensheid kon je opdelen in goed en kwaad. In Gaustad was veel haat geweest, met geruchten en bizarre verhalen. Lilly was zelf een leugenaar. Ze loog over de meeste dingen. Dat was altijd haar manier geweest, daar voelde ze zich goed bij. Lilly was begonnen met een opleiding tot verpleegkundige, maar had zich altijd aangetrokken gevoeld tot de kerk. Ze wilde een master doen over verdieping van kennis over het christendom. Het kerkkantoor lag helemaal achter in de kerk, en als de camper zo stond, dicht tegen de muur, had ze hier ook toegang tot internet. Een studie theologie leek haar overkomelijk, ze wist dat God aan haar kant stond, maar haar andere persoonlijkheid was moeilijk te controleren. Ze had zo veel testosteron in zich. Zo veel wilskracht, woede en geweld. Ze beoefende een Israëlische vechtsport, Krav Maga. Norma was zo goedgeefs dat Lilly haar auto mocht lenen als ze ging trainen, want de school was ondergebracht in een oud gebouw in Grønland. Veel mensen dachten dat je in dergelijke scholen leerde slaan, maar het was omgekeerd. Je leerde hoe je je moest verdedigen, hoe je in gevaarlijke situaties moest ontwijken, hoe je kon vermijden om te vechten. De belangrijkste filosofie was de wereld vreedzamer maken, maar Lilly vertrouwde niet helemaal op zichzelf en hoe ze de vechtsport zou kunnen gebruiken. Norma nodigde haar steeds vaker uit in de pastorie. Ze gaf hoog over haar op, zei dat ze flink met de bloemen was, dat de kerk er altijd zo mooi uitzag en dat ze op haar kon vertrouwen. Lilly hield van de grote kamers in de pastorie; de gordijnen, de hoge ladekasten met zilverbeslag en glazen vazen erbovenop, en de ruime keuken waar Norma haar huisvrouwkunsten demonstreerde. Maar als de vertrouwelijke mededelingen kwamen, dat verdorvenheid een wit oppervlak had, zoals ze dat zei, dan voelde Lilly dat alles in Norma een gevaarlijke, donkere kant had. En dat ze dat liever niet wilde weten.

*

Asle Tengs kwam zijn kantoor uit toen Cato Isaksen naar dat van hemzelf onderweg was. 'Ik heb geregeld dat er onmiddellijk een agent vertrekt om Marian af te lossen op het schuiladres.'

'Mooi. Dan kan ze aanwezig zijn bij de bespreking met Tønnesen.' Asle keek hem met röntgenogen aan. Deden er geruchten de ronde? Wat was dit, verdomme?

Cato Isaksen had het gevoel dat hij een stomp in zijn maag kreeg. In een flits zag hij haar gebogen hoofd voor zich. Haar nek glanzend en zacht als zijde. Asle Tengs ging verder: 'Het laatste nieuws: bij Jan Hagg zijn rubberlaarzen in de goede maat gevonden. Ellen onderzoekt ze nu en kijkt of we ze in verband kunnen brengen met beide gebeurtenissen. Zijn vrouw zegt dat hij nog een paar heeft. Precies dezelfde, ze staan bij de uitvaartonderneming. Het leek alsof ze onmiddellijk spijt had dat ze het had gezegd. Ze hebben dezelfde maat als de afdrukken in Aud Johnsens tuin en de afdrukken bij het huis van Emmy Hammer. Maar Ellen wees er al op dat er bij de uitvaartonderneming genoeg middelen zijn om alle sporen weg te wissen. Op dit moment wordt alles bij Vita Uitvaartonderneming door de technische recherche onderzocht. En nog één ding.' Hij pauzeerde even. Cato Isaksen fronste zijn voorhoofd. 'Wat?'

'Piet Hagg heeft een andere naam aangenomen. Op de dag dat hij achttien werd. Ik heb hier een afschrift. Hij heet nu Per Hansen.'

*

Roger Høibakk kwam naar hen toe. 'Ik ben klaar voor de vrijmetselaarsloge. Ik heb een huiszoekingsbevel geregeld.'

'Er zijn honderden mensen die Per Hansen heten,' ging Asle Tengs verder, 'maar we hebben nu ook zijn persoonsnummer. Ik kan geen adres vinden en bij de Sociale Dienst is hij ook niet bekend, dus Joost mag weten waar hij van leeft.'

'Hij moet wel een crimineel zijn. Hoe zal hij zich anders redden?' zei Roger.

Cato Isaksen keek even op zijn horloge. 'Dit wordt te veel. Alles op zijn tijd. Eerst een kort gesprek met Jan Hagg, dan de vrijmetselaarsloge, dan naar Vita Uitvaartonderneming. Ik wil er zelf rondkijken. En dan om vier uur de bespreking met Tønnesen. Marian komt ook. Asle, vraag jij Irmelin om een foto op te zoeken van Piet Hagg, alias Per Hansen? Dan vaardigen we een bevel tot opsporing uit.'

Op dat moment kwam de advocaat die was toegewezen aan Jan Hagg de gang in. Een bleke, jonge man in een veel te groot pak. Zijn wangen waren rood van opwinding. Hij stak zijn hand uit om de rechercheurs te begroeten. 'Ik heb zojuist met mijn cliënt gesproken en hij ontkent dat hij ook maar iets met de moord te maken heeft. De beschuldiging is te mager. Dat Jan Hagg heeft gelogen tegen zijn vrouw en vertelde dat hij naar de sportschool was geweest, zegt niet veel als zijn alibi wordt bevestigd door een aantal mannen van goede naam. Ik heb met enkele al contact gehad. Hij was in de loge toen de vrouw werd vermoord.'

'Ze nemen elkaar te allen tijde in bescherming. Hoeveel vertrouwen moeten we in dat soort mensen hebben?' Cato Isaksen was sarcastisch. 'Er zijn nieuwe feiten boven tafel gekomen. Bij uw cliënt zijn laarzen in beslag genomen van hetzelfde type als de voetafdrukken die zijn aangetroffen op beide plaatsen delict.'

De advocaat keek hem aan.

'We zullen de officier van justitie en Jan Hagg daarvan op de hoogte stellen. Komt u gerust mee.'

De advocaat keek op zijn horloge. 'Ik heb nu een vergadering,' zei hij. Hij draaide zich om en liep terug door de gang.

In de lift op weg naar de benedenverdieping zei Roger: 'Ik heb informatie van de provider. Emmy Hammer belde, zoals ze zei, om 20.31 uur naar Jan Hagg. Toen waren de vrouwen klaar met het diner. In de uren daarop was de telefoon van Emmy Hammer binnen bereik van dezelfde zendmast, dus alles wat ze heeft verteld klopt. Ze vertelde dat ze rond elf uur thuis was.

Werner Hagg passeerde de tolpoort op de Mosseveien om 21.26

uur en reed even na elf uur weer terug. Zijn vingerafdrukken zijn op Aud Johnsens deurbel aangetroffen. Ik heb de bijeenkomst in de loge gecontroleerd. We hebben met een paar logebroeders gesproken en zij bevestigen dat Jan Hagg daar aanwezig was. Het is niet zeker dat dat alibi klopt, ze kunnen het samen hebben gedaan, zijn vader en hij. Maar er is nog iets. Berit Adamsen zei dat ze op 31 oktober in Krokskogen was, maar ze passeerde die donderdagavond om 21.45 uur de tolpoort bij Lysaker.'

*

Jan Hagg zat in het ijskoude neonlicht op de houten brits. Cato Isaksen en Roger Høibakk torenden boven hem uit. 'We hebben met uw advocaat gesproken,' zei Cato Isaksen. 'Hij is natuurlijk aanwezig bij de behandeling van het voorarrest, en we weten nog niet of u inderdaad in voorarrest zult blijven. Ik ga maar recht op mijn doel af. Bij de tolpoorten is geregistreerd dat uw vader ten tijde van de moord in Oslo was, en zijn vingerafdrukken zijn gevonden op Aud Johnsens deurbel.'

Jan Hagg schudde zijn hoofd. Plotseling sprongen de tranen in zijn ogen. 'Ik wacht op de behandeling van het voorarrest. Mijn advocaat zei dat ik niets meer moest zeggen.'

Cato Isaksen ging verder: 'Uw broer liep altijd met een mes. En hij heeft zijn naam veranderd.'

Jan Hagg keek op. 'Verdenken jullie Piet? Hoe heet hij nu?'

'Per Hansen,' zei Roger Høibakk.

'Per Hansen?' Hij schudde zijn hoofd. 'Hij gebruikte zijn mes alleen om hout te snijden.'

'Het is een redelijk nietszeggende naam. Alsof hij zich wil verbergen, alsof hij wil verdwijnen.'

Jan Hagg tilde zijn rechterhand op en legde hem op zijn borst, aan de kant van zijn hart. 'Ik heb Piet niet meer gezien sinds ik ben weggelopen uit het kindertehuis. De dalai lama zegt: "Als u met een ernstig probleem geconfronteerd wordt en er is geen oplossing, dan heeft het geen nut u druk te maken."'

Cato Isaksen keek hem lange tijd aan. 'U maakt zich dus niet druk?'

'Natuurlijk maak ik me druk. Het is maar een uitspraak. Ik heb regelmatig aan hem gedacht.'

'Gedacht? In de verleden tijd?'

'Mijn jeugd was één lange nachtmerrie. Piet was een deel daarvan.

Het was goed om afstand te nemen. Ik weet dat het een fout antwoord is, maar het is de waarheid.'

Cato Isaksen en Roger Høibakk keken elkaar even aan, waarna Cato verderging: 'U bent een Zeer Verheven Broeder van Salomo?'

'Ja.'

'Bent u niet erg jong voor een dergelijke titel?'

'Ja. Kan ik Emmy Hammer ontmoeten?'

Cato Isaksen keek hem aan. 'Waarom?'

'Terwijl ik hier zit, loopt er buiten een gevaarlijke man vrij rond.'

Cato Isaksen ging verder: 'In de vrijmetselarij zitten advocaten, artsen, industriëlen, zelfstandigen, bankmensen. En psychiaters,' voegde hij eraan toe. 'Was u in de kelder toen uw zus stierf?'

'Nee, ik was niet in de kelder.'

Jan Hagg richtte zich op en haalde diep adem.

'Waar bewaart u uw toga?'

'In mijn kast in de loge. Ik begrijp dat zo'n toga belangrijk lijkt als je het niet in zijn verband ziet.'

'Welk verband?'

'We hebben ceremoniën, we verheerlijken elkaar om het zelfvertrouwen te vergroten. De geheimhouding is alleen omdat het pedagogisch belangrijk is. Niemand mag de inhoud van de rituelen kennen voordat je ze zelf meemaakt. We staan voor elkaar klaar, het gaat om persoonlijke vriendschap met andere mannen. Ik heb dat nodig. Met mijn achtergrond.'

'De dood is belangrijk,' zei Cato Isaksen. 'Schedels en kisten. Het is gemakkelijker voor u als u de waarheid vertelt. Wanneer hebt u uw toga voor het laatst gebruikt?'

Hij boog zijn hoofd. 'Op 31 oktober. Allerheiligenavond.'

*

De civiele politieauto sloeg bij het parlementsgebouw de hoek om, minderde vaart en volgde de tramrails langs het gebouw dat eigendom was van de vrijmetselarij. Cato Isaksen kreeg de informatie over Berit Adamsen niet uit zijn hoofd, maar nu moest hij zich focussen op andere dingen. Roger Høibakk zat op de iPad te lezen. Cato Isaksen hield zijn handen op het stuur terwijl hij omhoogkeek langs de geel-oranje façade. 'Wat een gebouw! Ik zit de hele tijd te denken aan Berit Adamsen en de tolpoort. Is ze daarheen gereden omdat ze bang was geworden? Aud Johnsen probeerde telefonisch contact met haar op te nemen, en ze heeft toegegeven dat dat ongemakkelijk voelde. Het is trouwens onmogelijk om hier een parkeerplek te vinden.'

'Zet de auto maar gewoon half op het trottoir. Heb je dat trouwens op internet gelezen?'

'Wat?'

'Een vooraanstaande psychiater pleit ervoor dat gewelddadige mannen veroordeeld moeten worden tot gevangenisstraf. Veel te veel komen ervanaf met gedwongen psychiatrische behandeling. Dat is gevaarlijk. Er is niets veranderd. Misdadigers en moordenaars vallen tussen wal en schip: psychiatrie en justitie.'

'Het is krankzinnig dat de rechtbank ontoerekeningsvatbare moordenaars, verkrachters en misdadigers kan vrijspreken. Hoe dom kan Noorwegen zijn? Vrijwilligheid is nooit een oplossing. Mensen zouden eens moeten weten.'

'Mensen weten het.' Roger draaide zich om en keek naar achteren. 'Er komt een tram aan, Cato.'

De auto werd op het trottoir geparkeerd, met het blauwe zwaailicht aan. Roger pakte de spullen voor het in beslag nemen van goederen en een kartonnen doos. Ze liepen de grijze stenen trap op, en Cato Isaksen opende de zware eiken deur. Hij hield hem open voor zijn collega. Ze kwamen in een voorportaal. Twee grote glazen deuren voerden verder naar de hal.

In de hal zat een receptionist, een man van een jaar of vijftig met gladgekamd haar. Cato Isaksen toonde zijn legitimatie.

'We zijn van de politie. We moeten iets uit een kast halen.'

'Dat kan niet zomaar...' De receptionist keek hen aan alsof hij de bewaker was van een geheime grot. Zijn stem echode door de hal.

'We hebben hier een huiszoekingsbevel.' Roger gaf hem het papier.

'Maar ik heb geen sleutel van de privékasten.'

'Dat regelen we zelf. We hebben begrepen dat hier op Allerheiligenavond een bijeenkomst was.'

'Ja, altijd op die avond.'

'Dit betreft een moord. Er is haast bij. Waar zijn de privékasten? We moeten de kast van Jan Hagg doorzoeken.'

Cato Isaksen wilde de marmeren trap op lopen.

'Nee, nee. Het is beneden. Boven is de grote zaal.'

De benedenverdieping bestond uit verschillende gangen met aan weerszijden kleine kamers. Hier en daar stonden met bruin pluche beklede stoelen en kleine tafels. Tegen de wanden in de gangen stonden rijen kasten. De houten deuren waren van massief eiken, met messing beslag. Kast nummer 988 was van Jan Hagg. Ze braken hem open. Er hing een glanzende witte toga in en er lagen wat attributen: een schedel en een ketting. Roger Høibakk grijnsde. 'Wat pathetisch.' Hij deed handschoenen aan en pakte een grote zak, waar hij het gewaad met het rode Maltezer kruis in stopte. Toen legde hij alles in de kartonnen doos.

Marian Dahle reed met de huurauto het grauwe centrum van Oslo in. Op de passagiersstoel lag het wapen, onder een krant. Het kunststof buisje met het wattenstokje met daarop het speeksel van Emmy Hammer lag ernaast. Birka sliep op de achterbank. De middagspits zou algauw op gang komen. De files begonnen steeds vroeger op de dag. Een geur van uitlaatgassen vulde de auto. Ze had zojuist de laatste informatie van Randi gekregen. Piet Hagg had een andere naam aangenomen. Werner Hagg was op de avond van de moord door een tolpoort geregistreerd, en Berit Adamsen was ongeveer op hetzelfde tijdstip van de stad naar Krokskogen gereden. De hele zaak was een wirwar van draden en pijlen die naar alle kanten wezen. Het werd tijd dat ze een punt bereikten waarop ze keuzes konden maken. Ze zagen iets over het hoofd. De verjaringstermijn voor moord zou nu snel verlopen. Het draaide allemaal om Maike Haggs dood in de kelder. Om verraad. En om haat. En om angst. Als dingen zo gemakkelijk waren dat de politie ze niet zag, dan was je geniaal. Moordenaars waren vaak kil en berekenend. Het ging erom dat je een leeuwentemmer was, iemand die in de piste stapte, in het volle licht en niet bang.

*

Ingrid Hagg was in grote lijnen op de hoogte gesteld van de reden van Jans arrest. Nam Werner zijn zoon in bescherming? Was Jan eigenlijk een ander dan de echtgenoot die zij kende? Het was niet om uit te houden. Ze liep de werkkamer in waar de doden lagen, ging op haar kruk zitten en borstelde de baardharen weg die ze van het gezicht van de dode man had geschoren. Zijn wangen waren ingevallen. Tijdens het werk neuriede ze, haast manisch. Soms, als ze aan het werk was met de doden, zag ze zichzelf in de kist liggen. Ze moest die beelden aan de kant schuiven en zich concentreren op haar bezigheden.

*

Cato Isaksen parkeerde op de binnenplaats aan de Welhavensgate 16. De rechercheurs liepen een pas geverfd trappenhuis binnen met zwarte en witte tegels op de vloer. Vita Uitvaartonderneming lag op de eerste verdieping. Ze namen de lift naar boven, gingen de witte deur binnen en kwamen in een soort ontvangstkamer. Het was een lichte ruimte, bijna kaal, met beige wanden. Hoge ouderwetse ramen en gordijnen met een grijs patroon van bladeren. Een leren bank. Een tafel met een vaas met witte bloemen, de weeë zoete geur kwam niet van de bloemen. In een gang hing tussen twee halfopen deuren een ingelijste poster. Ingrid Hagg kwam uit een van de kamers met een plastic schort voor en een groene plastic muts op haar hoofd. Ze was mooi opgemaakt en leek rustig. 'De politie is hier zojuist al geweest. Neem me niet kwalijk, ik ben aan het werk,' zei ze. Ze begrepen wat ze bedoelde.

'Dat waren mensen van de technische recherche. Wij zijn tactisch rechercheurs.' Cato glimlachte troostend. 'U maakt de doden op,' constateerde hij. 'We weten hoe dat gaat.'

'Wonden en dergelijke helen helaas niet meer,' zei ze. 'Die kunnen we alleen bedekken met hoge kragen, gekapt haar en een dikke laag make-up.'

'We moeten u vragen naar de psychische gezondheid van uw man.'

Ingrid Hagg keek hem aan. 'Veel mensen ervaren hem als afwijzend en kil, omdat hij zijn gevoelens niet kan tonen. Maar zo is hij niet.'

'Niet?'

'Als hij verdrietig is of zich ergert, gedraagt hij zich precies als anders. Of hij nu complimenten of kritiek krijgt, het speelt geen enkele rol. Hij is stil, erg terughoudend. Nooit boos.'

'O?'

'Niet omdat hij onverschillig is. Het is gewoon een manier om zichzelf te beschermen.'

'Waarom beschermen?'

'Dit is natuurlijk amateurpsychologie ten top. Maar omdat hij een moeilijke jeugd heeft gehad, gebruikt hij geen tijd om te reflecteren. Hij wil alleen maar een rustig leven leiden.'

'Dat begrijp ik niet helemaal,' zei Cato Isaksen en hij keek naar binnen in een keurig opgeruimd kantoor met een prikbord vol briefjes en een krantenknipsel aan de wand achter het bureau. 'Wat nu zo vreemd is, is dat zoiets onschuldigs als een gesprek in het Theatercafé heeft geleid tot een moord en een poging tot moord. De journalist die is vermoord, dacht dat uw man...'

'Ik heb het gehoord. Maar dat kan niet kloppen. Ik moet nu naar huis, naar de meisjes.' Ze deed het groene schort af en trok de muts van haar hoofd.

'Aud Johnsen wilde alles van vroeger weer naar boven halen en een artikel schrijven over de zaak.'

'Mijn schoonvader heeft zijn vrouw geslagen, ze viel en ze stierf. Hij zegt dat het een ongeluk was.' Ze bukte zich en schikte de bloemen in de vaas. 'Hij sloeg zijn vrouw dood met een bijl en stak daarna het huis in brand,' ging ze verder. 'Maar met mijn hand op mijn hart, ik ben nog nooit bang voor hem geweest.'

'Uw schoonvader was in Oslo toen Aud Johnsen werd vermoord,' zei Cato Isaksen rustig.

Ingrid Hagg richtte zich op. Mechanisch, als een pop. 'Als Werner de schuldige is, kunnen jullie Jan toch laten gaan?'

Orgelmuziek vulde de kerk met zachte, trieste tonen. Het metaal van het wapen dat ze in haar broeksband had gestopt, was koud tegen haar huid. Plotseling voelde Marian Dahle dat ergens achter de preekstoel een groot gevaar loerde. Achter de grote glazen wand met de Verlosser in de armen van de Maagd Maria was de duisternis volkomen. Ze was gewapend, in een kerk. Ineens kreeg ze zin om het onschuldige kindje Jezus op Maria's schoot neer te knallen. Dat zou wat wezen! Een scheve grijns verscheen op haar gezicht. Het altaarhek deed aan tralies denken. Ze keek naar het ovale fluwelen kussen dat de gebogen balustrade van het altaarhek volgde; de omheining van het allerheiligste. Hier trouwden mensen, knielden ze neer en deden ze beloftes die ze niet konden waarmaken. Dat zou ze nooit doen. Wat voor vrouw was ze zelf? Gevangen in kleinburgerlijke middelmatigheid, conventies die alles overheersten, die bepaalden wat je kon doen.

De muziek was opgehouden. Intuïtief draaide ze zich om. Door het middenpad kwam een krachtig gebouwde, blonde vrouw aanlopen. Ze was waarschijnlijk begin twintig. Ze stelde zich voor als Lilly Hausmann. 'Ik ben de catecheet. Eigenlijk was ik het houtwerk aan het poetsen.' Ze knikte naar het glimmende altaarhek en pakte een pot boenwas van de vloer. Toen ze het deksel van de pot draaide, een poetsdoek uit haar zak haalde en begon te wrijven, nam Marian de sterke geur van het poetsmiddel waar.

'Er zijn hier al mensen van de politie geweest. Weten jullie wie de moordenaar is?'

Marian schudde haar hoofd. Ze probeerde zich iets te herinneren, maar het gleed weg. 'Er is een negatieve ontwikkeling in de zaak.' De stilte in de kerk veranderde het geluid van hun stemmen, alsof een geluiddemper het volume laag hield. 'Ik wil graag met Norma Winther praten,' zei ze. 'Ik stond hier alleen even na te denken over al die mensen die hier hun huwelijk hebben gesloten.'

Lilly Hausmann glimlachte. 'Bent u getrouwd?'

‘Ik ben nog maar zesendertig. Niemand hoeft vandaag de dag te trouwen, zoals twintig jaar geleden…’

‘Twintig jaar geleden hoefde ook niemand te trouwen.’

Marian dacht aan Emmy Hammer.

‘Wat brengt een jonge vrouw als u ertoe in een kerk te willen werken?’

‘Het is interessant. Ik heb jaren in een klein dorp gewoond. Nu woon ik in de stad. Mensen denken dat het saai is, maar ik ben een heel gewoon meisje dat ook ongewone dingen doet.’

‘Wat voor ongewone dingen?’ Marian keek Lilly Hausmann aan. Ze leek een boerenmeisje.

‘Ik kan het niet uitleggen. U begrijpt het niet.’

‘Probeer het,’ zei Marian.

‘Ik doe aan Israëlische vechtsport. Krav Maga.’

Marian slikte. ‘Dus je weet wat een wurggreep is?’ ontschoot haar.

‘Natuurlijk weet ik dat. We zijn op het moment bezig de wurggreep te oefenen. Sommigen vinden het raar dat ik een zelfverdedigingssport beoefen, omdat ik in een kerk werk. Nu zal ik u naar Norma brengen,’ zei ze.

*

Haar indruk van de predikant, had Cato gezegd. Maar hij had haar er niet op voorbereid hoe potig en flink ze was. Norma Winther was gekleed in een grijsgemêleerd vest. Ze maakte een vermoeide indruk. Ze bood Marian een stoel aan.

Marian wierp een blik uit het raam. Er was geen begraafplaats buiten. Het wapen drukte in haar buik toen ze ging zitten. ‘Jan Hagg wordt vandaag in hechtenis genomen,’ begon ze. ‘En we halen zijn vader, Werner, ook weer op.’

Norma Winther werd bleek. Ze schoof het dienblad met een leeg bord met ketchupresten aan de kant. ‘Ik weet niet wat ik moet zeggen.’

‘Herinnert u zich Emmy Hammer?’

Norma Winther tilde haar forse handen op en legde ze op de tafel. Ze boog een stukje naar voren. ‘Natuurlijk. Ik zag dat er was geschoten aan de Trosterudveien.’

‘Ze is niet dood. Nog niet,’ voegde Marian eraan toe en ze keek naar de grote handen van de predikant, die een mok vasthielden.

Norma Winther trok haar handen naar zich toe. ‘De eerste keer dat ik Jan zag, stond hij te roken bij het Welzijnsgebouw. Het was zomer, de gazons waren groen, de bomen vol blad. Hij had iets gevaarlijks, iets kwetsbaars. Hij was knap. Daar vallen jonge meisjes voor.' Ze glimlachte. 'Toen stierf Maike.'

'De moord verjaart over een paar dagen.' Marian zette haar vingertoppen tegen elkaar. 'Het meisje had lippenstift om haar mond toen ze werd gevonden. Dat hebt u ons niet verteld.'

Norma Winther bloosde. 'Dat moet u met Berit Adamsen bespreken.'

'Waarom met haar?' drong Marian aan.

'Omdat Berit Adamsen haar heeft gevonden. In elk geval heb ik het zo begrepen. Zij was erbij toen het ambulancepersoneel kwam.'

'En u?'

'Ik kwam later. Toen de kinderen en enkele personeelsleden zich bij de kelderdeur verzameld hadden en de ziekenwagen wegreed.'

'Emmy Hammer zegt dat u haar een tijd geholpen hebt toen ze vijftien was.'

'Ze was zwanger.'

'Ze wil niet zeggen van wie. Weet u dat?'

'Nee.' Norma Winther leek te verstrakken. 'En áls ik het had geweten, zou ik geheimhoudingsplicht hebben. Ik heb tegenwoordig niets met Emmy Hammer te maken.'

'De tweede zoon van Werner Hagg, Piet, heeft zijn naam veranderd. Hij heet nu Per Hansen.'

'Ik begrijp dit niet. Jullie moeten me niet om meer hulp vragen. Ik weet niets. Tot ver in de jaren negentig gebeurden er vreselijke dingen in Gaustad,' flapte ze eruit.

'Wat dan?'

Het was duidelijk dat de predikant spijt had van haar woorden.

'Psychiatrie wordt natuurlijk overgewaardeerd, het geloof dat er aan de menselijke geest te tornen valt. Eigenlijk is er veel algemene gestoordheid,' ging ze door. 'Neem bijvoorbeeld automutilatie. Dat gaat niet om pogingen tot zelfdoding, maar om het omgekeerde, namelijk een manier om het leven de baas te worden. De pijn oproepen, en verdrijven.'

'Deed iemand van de betrokkenen in deze zaak aan zelfverminking, bedoelt u dat?'

Norma Winther stond snel op. 'Ik heb in de loop der jaren zo veel gesprekken gehad met mensen, ik heb vaak het gevoel gehad dat ik tekortschoot. Sommige ochtenden kan ik haast niet naar m'n werk gaan. Dan denk ik dat als ik gewoon maar helemaal stil lig, ik wel zal verdwijnen. We stappen in elkaars cirkels. Allemaal. Dit is allemaal zo verwarrend. Nu moet ik echt aan het werk.'

Marian bekeek haar met haar smalle ogen. 'Ik heb nog één vraag voordat ik mijn hond uit de auto haal om hem hier buiten te luchten. Kunt u zich Ole Porat nog herinneren?'

Norma Winther ontmoette haar blik. 'Natuurlijk. Hij was Carl Hammers leerjongen. Een oppervlakkige vent, ik vond hem niet echt aardig. Hij mocht in het Ketelhuis wonen. Ik geloof dat hij zelfs geen huur hoefde te betalen.'

*

John Johnsen voelde machteloosheid en een woede die zich steeds meer opbouwde, maar Vanja zat aan dezelfde cafétafel op Oslo Centraal en staarde voor zich uit alsof er niets was gebeurd. En dat was er eigenlijk ook niet, dacht John Johnsen terwijl hij een stoel pakte en recht tegenover hem ging zitten. Hij zat een tijdje onbeweeglijk. Toen zei Vanja: '*Next time. Soon. Please go.*'

John Johnsen stak zijn hand in zijn zak en haalde een briefje met het mobiele nummer van de vrouw met de haviksneus eruit. 'Bel dit nummer wanneer de moord is uitgevoerd.' Hij schoof het briefje naar Vanja, die het aannam. De buurvrouw in de volkstuin was bereid om tussenpersoon te zijn, als het zover was. Ze wist natuurlijk niet waar het over ging, maar had het woord al op een gebloemd servet geschreven. 'Je krijgt dan een codewoord,' zei hij tegen de Litouwer. 'Dan weet je waar het geld ligt.' Hij stond op en ging weg.

Het rare was dat hij twee dagen zijn tabletten niet had genomen en nu al voelde hij een verandering. Mensen van hetzelfde kaliber als hij, verwarde personen op de vlucht, kwamen voorbij. Hij zag ze overal. Hij had niet gedacht dat er ook maar een greintje gevoel in hem over was, maar hij vervolgde zijn weg, kronkelde zijwaarts. Het was alsof een grote hand hem voortduwde. Maar hij wist niet zeker of het huisje in de volkstuin bewaakt werd. Hij had zonnebloempitten op de grond gestrooid en erop gestampt zodat ze op dode spinnen leken.

*

Op weg naar Bryn met de doos met de toga, de schedel en de ketting schoot Roger Høibakk iets te binnen. Emmy Hammer zei dat ze die avond toen ze thuiskwam uit het Theatercafé een man met een jachthond zag. Een auto stond geparkeerd langs de weg en een man met een jachthond liep voorbij. Ole Porat is jager. Hij heeft vast en zeker een jachthond. En hij woont ook vlak bij Emmy. Hij stuurde een berichtje naar Cato Isaksen, die in de rechtszaal was.

Jan Hagg werd om twee uur voorgeleid. Op hetzelfde moment zat zijn vader in een patrouillewagen op weg naar Oslo. Tijdens de zaak over de voorlopige hechtenis begreep Jan Hagg de hem ten laste gelegde feiten totaal niet, zoals de meeste moordenaars, dacht Cato Isaksen. Dat hij met zijn vader had samengewerkt, was je reinste onzin, hield hij vol. Hij werd niet geloofd en de voorlopige hechtenis was een feit, maar slechts één week en in volledige separatie, zodat hij niet de kans kreeg met zijn vader te spreken. Enkele minuten later hadden de internetkranten hun artikelen over de samenwerking van vader en zoon bij de moord en de poging tot moord al klaar. Zelf was Cato daar niet zeker van. Het bericht van Roger over Ole Porat en de jachthond kwam binnen. Een ongemakkelijk, pijnlijk gevoel zette zich vast in zijn gespannen nek.

De winterzon was zo fel dat Cato Isaksen de gordijnen dicht moest trekken. Daardoor leek de vergaderruimte donker en somber, alsof het al laat op de middag was. Het licht van buitenaf zorgde ervoor dat het gestreepte patroon in de gordijnstof duidelijk zichtbaar werd. De rechercheurs kwamen langzaam de vergaderruimte binnen. Cato Isaksen had de bijeenkomst één uur vervroegd. De zoektocht naar Per Hansen alias Piet Hagg stond op internet met een foto die de *Aftenposten* destijds had gemaakt, op een trap waar hij samen met zijn broer en vader en een aantal werknemers zat. Ze hadden geen foto van hem als volwassene kunnen vinden. Jan en Werner Hagg beweerden dat ze er geen hadden. De brand had de kinderfoto's verwoest en ze hadden hem niet meer gezien sinds zijn vijftiende. Algauw hadden ze alle achttien plaatsgenomen. Marian zat helemaal aan het andere eind van de lange tafel. In de broeksband zat nog steeds haar wapen. Cato keek naar de staf, drukte met zijn wijsvinger op *contacten* op zijn mobiele telefoon en toetste de letter T in, vond Karsten Tønnesen, belde hem op, zette de telefoon aan zijn oor en keerde de aanwezigen de rug toe. De mobiel ging maar over en over. Cato Isaksen wreef langs zijn voorhoofd. Uiteindelijk antwoordde een diepe stem: 'Ja, met Tønnesen.' Het klonk alsof hij vlak naast hem stond. 'Karsten,' zei Cato. 'Kun je wat eerder komen?'

'Ik kan nu komen. Ik neem wel een taxi.'

'Prima. Dan neem ik de laatste ontwikkelingen hier eerst met de staf door.' Hij schraapte zijn keel en begon: 'De verjaringstermijn voor de moord op Maike Hagg verstrijkt zeer binnenkort. Over vijftien dagen, om precies te zijn. Ik heb het hoofd van de afdeling gesproken en een verzoek ingediend voor een heropening van de zaak. We beginnen meteen. We moeten het zodanig in de media krijgen dat de moordenaar de jacht op Emmy Hammer staakt.' Hij tekende met een rode viltstift een paar grote cirkels op het whiteboard. 'Er is geen DNA-match in het politieregister. Dat betekent dat we niet te maken hebben met een geregistreerde crimineel. We mogen Jan

Hagg één week in voorlopige hechtenis houden, maar we werken tegelijkertijd gewoon door. Kunnen vader en zoon hebben samengewerkt? Werner Hagg heeft toegegeven dat hij de avond dat Aud Johnsen werd vermoord bij de plaats delict was. *Om te praten*, zegt hij. En bij Emmy Hammer. Ook *om te praten*. Is dat waarschijnlijk?' Hij keek naar de staf. 'De autorit van Werner Hagg naar de stad, de vingerafdrukken op de deurbel van Aud Johnsen en het bezoek aan Emmy Hammer zijn bevestigd. De afdruk van hetzelfde schoeisel is op beide plaatsen delict geïdentificeerd. De schoenmaat van Werner Hagg is zevenenveertig en dat komt niet overeen met het geïdentificeerde schoeisel. De schoenmaat van de zoon is dezelfde als de afdrukken, net als die van Ole Porat. We hebben de laarzen immers uit het ziekenhuis opgehaald.'

Cato Isaksen keek naar zijn collega's. 'We moeten ons richten op de zoon en op Porat.'

Hij krabde zich op zijn achterhoofd. 'Er zijn meer afdrukken gevonden en veiliggesteld naast het bospad achter het huis van Hammer, maar ze zijn slechts gedeeltelijk afgezet doordat er bladeren en zo op de bosgrond liggen, dus de technici zijn bezig om ze te vergelijken met de andere afdrukken. Uit onderzoek naar het schoeisel van John Johnsen is geen overeenstemming gebleken met de veiliggestelde voetafdrukken of monsters van de grond op de plaatsen delict,' zei hij. 'Ook op de laarzen van Jan Hagg zijn geen restanten van aarde van de plaatsen delict gevonden. Maar, zoals Ellen al aangaf, er zijn in de uitvaartonderneming middelen genoeg waarmee hij ze heeft kunnen schoonmaken. Hij kan plastic sokken over de laarzen hebben getrokken. Ole Porat heeft ook ruimschoots de mogelijkheid om plastic sokken te pakken, om het zo maar te zeggen. De chirurg kan bovendien dingen in Valdres hebben verstopt. De technische recherche heeft hulp gekregen van de lokale politie, die het vakantiehuisje heeft onderzocht en de plekken waar hij in die omgeving geweest is. Tot nu toe zonder resultaat. Maar we zijn er niet in geslaagd om hiaten in zijn alibi te vinden. Zodra hij morgen naar de stad komt, gaan we bij hem langs. Terug naar de sporen. De hond volgde het spoor naar het terrein van het psychiatrisch ziekenhuis Gaustad. De dader moet die weg hebben genomen. We vermoeden dat die persoon daar de tram naar het centrum gepakt heeft. Het verhoor van de tramchauffeur heeft tot niets geleid. Ik weet niet of we veel belang moeten hechten aan de rit van Berit Adamsen over de ringweg op de avond van de moord.'

Marian nam het woord. 'Ik kom nu rechtstreeks bij Norma Winther vandaan. Ze houdt vol dat Berit Adamsen degene was die Maike Hagg dood aantrof.'

Cato Isaksen keek naar haar. Er kroop een zonnestraal door de opening tussen de gordijnen, die werd gereflecteerd in een smalle spiegel bij de deur: er bewogen ruiten en prisma's in alle kleuren van de regenboog over de wand.

'Als Berit Adamsen niet snel komt, moeten we haar laten ophalen door onze collega's. Ik wil antwoord hebben op de vraag of het klopt dat zij Maike vond.' Hij maakte nog een paar rode cirkels op het whiteboard. 'We moeten verdergaan met de lippenstiftafdrukken op Maike Hagg. Ik groepeer de personen zodat het gemakkelijker is om een verband te zien.' Cato Isaksen zette nog een cirkel en schreef *Maike Hagg*. In de volgende *Aud Johnsen* en *Emmy Hammer*. Daarna maakte hij een cirkel met daarin *Werner Hagg*, *Jan Hagg* en *Piet alias Per Hansen*. In de volgende schreef hij *Berit Adamsen*, daarna *Ole Porat* in de volgende, *John Johnsen* in een aparte cirkel en *Norma Winther* in de laatste. Toen zette hij pijlen tussen de cirkels. Onder *Carl Hammer* zette hij een streep. 'Deze man is een centraal punt voor alle mensen hierboven.'

'Hoe zit het met Philip Hammer?' Asle Tengs krabde aan zijn kin.

'Wat is er met hem?' Cato Isaksen keek naar hem. 'De zoon van Emmy Hammer. We hebben een DNA-test bij hem afgenomen. De sigarettenpeuken van de plaats delict komen niet overeen met die van hem. Het vaderschapsprofiel moet voor de goede orde ook op Jan Hagg worden getest.' Hij keek naar Marian. 'Heb jij de DNA-test van Emmy Hammer ingeleverd om te laten analyseren?'

'Die is naar het Instituut voor Volksgezondheid gestuurd.' Marian schoof de stoel wat naar achteren en legde haar handen op haar bovenbenen.

Cato Isaksen ging verder. 'De munitie van het wapen dat werd gebruikt in de Trosterudveien is negen millimeter. Er zijn ook twee projectielen gevonden. Er zat er een in de muur en het andere raakte de auto van Emmy Hammer. Twee lege hulzen zijn aangetroffen aan de rand van het bos. We moeten ons volledig richten op het vinden van Piet Hagg alias Per Hansen. Er zijn nog geen betrouwbare tips binnengekomen, maar we hebben ook geen bruikbare foto van hem.'

*

Karsten Tønnesen arriveerde om 15.35 uur. De forensisch psychiater was een grote man van in de zeventig. Hij was zongebruind na een paar weken in Thailand te zijn geweest en droeg een blauwgeruit flanellen overhemd en een ouderwetse corduroybroek. De zilvergrijze bos haar was dik. Van zijn ene mondhoek en langs zijn hals omlaag had hij een breed litteken.

Cato Isaksen stelde hem voor, bedankte hem voor zijn komst en nam de zaak in grote lijnen door. Het was benauwd in de vergaderruimte. Het whiteboard sprak voor zich. De pijlen gingen alle kanten op. Hij bleef staan, wreef over zijn kin en keek de oudere man aandachtig aan. 'Er moet een link naar Gaustad zijn. Je moet ons helpen, Karsten.'

Tønnesen stond met zijn armen over elkaar. Hij had een diepe en aangename stem.

'Een dood kind, een vermoorde vrouw en een poging tot moord op de dochter van Hammer ziet er allemaal slecht uit. De aanknopingspunten die jullie onderzoeken zijn bijzonder en interessant. Ik weet niets over de kinderclub die je noemde. Ook niet over die secretaresse, Berit Adamsen.'

'Ik weet dat Carl Hammer en jij collega's zijn geweest,' zei Cato Isaksen en hij trok een stoel naar achteren om net als de rest van het team te gaan zitten. 'Carl Hammer is een strenge man, heb ik begrepen.'

Karsten Tønnesen nam het woord. 'Niet echt, eigenlijk,' begon hij. 'Er waren diverse krachten daar, om het zo maar te zeggen. Hammer was een zeer bekwame man en genoot aanzien. Dat is nog steeds zo. Hij durfde op een nieuwe manier te denken. Er heerste een zeer eenzijdige en mechanische denkwijze, waarbij de geest van de verschillende individuen werd beschouwd als puur chemische balans zonder sociale context. Hammer is in 1965 in Bonn afgestudeerd in de geneeskunde. Hij werd in 1972 specialist in de psychiatrie en kreeg hetzelfde jaar een baan in Gaustad. Dat een arts, een chef-arts bovendien, een dood meisje in de kelder vindt, is een zeer ernstige zaak.'

'Er staat niet in de map vermeld dat Hammer haar vond.' Cato Isaksen en de zeventien anderen staarden naar Karsten Tønnesen. 'Wij hebben vernomen dat zijn secretaresse het kind vond.'

'Ik meen me te herinneren dat Hammer dat was.'

'Dat staat zeer onduidelijk geformuleerd,' zei Roger Høibakk en hij schonk een glas water in.

'Na deze vergadering ga ik meteen terug naar Hammer,' zei Cato Isaksen.

‘De psychiatrie is het slachtoffer geworden van de verdoemenis van de specialisatie,’ ging Tønnesen verder. ‘Er heerst nogal wat arrogantie onder psychiaters. Er heeft een negatieve ontwikkeling van de kijk op de mensheid plaatsgevonden. Karaktertrekken, persoonlijkheid en algemene toestand worden automatisch vergeleken met de diagnosen die we denken te kennen. Het terrein komt bijna nooit overeen met de kaart.’

‘Naar wie zijn we op zoek?’ Cato Isaksen frunnikte aan een kopje. Hij nam een andere zithouding aan.

‘Iemand die iets te verbergen heeft. Maar vergis je niet. Wat betreft John Johnsen, hij werd gedwongen opgenomen en kreeg de diagnose eenvoudige paranoia. Een te lage diagnose, want het is een religieus en klaagzuchtig type. Werner Hagg was echter gewoon een moordenaar die niet in een gevangenis paste. Amazon.com bulkt van de boeken die geweld, agressie en slechtheid in de hersenen prenten. Lees *Anatomy of Violence*, dat de Britse psycholoog Adrian Raine een “manifest voor de neurocriminologie” noemt. Ik heb Hammer als psychiatrisch deskundige gezien en hem op de radio gehoord.’

Het was alsof er iets aan Tønnesen veranderde, niet veel, slechts een zeer kleine beweging in zijn gezicht. Alsof hij het ongemakkelijk vond om het te zeggen. Hij wreef met zijn hand over het litteken. ‘Officieel werd de laatste lobotomieoperatie uitgevoerd in 1974, maar ik heb op internet wat onderzoek gedaan. Hammer werd aangeklaagd omdat hij jaren nadat het verboden was nog patiënten lobotomiseerde. Maar dat is nooit uitgekomen. Het was iets wat iedereen intern wel wist. Hij dacht waarschijnlijk aan zijn school. Slechts enkele patiënten voelden dat ze baat hadden gehad bij de lobotomie, maar er waren er niet zo veel die hun bestaan nadien konden beschrijven. Ze verzwakten enorm en raakten gevoelsmatig afgestompt, ze hadden moeite om zich te concentreren en konden moeilijk leren, en bovendien konden ze in een sociale setting nauwelijks functioneren. Hij kreeg hulp van een jonge student die bij hem in de leer ging.’

De rechercheurs keken elkaar aan. ‘Ole Porat,’ zei Cato Isaksen en hij ging rechtop zitten.

‘Porat was Hammers loopjongen,’ vertelde Karsten Tønnesen. ‘Een jonge man die hersenspecialist zou worden. Lobotomie betekent, zoals jullie weten, een insnijding in de grijze substantie in de voorhoofdskwabben van de hersenen. Op die manier wordt de verbinding tussen de hersencortex, hypothalamus en thalamus verbroken. De rapportage naar het Noorse patiëntenregister schoot de laatste jaren dat hij werkte bijzonder tekort. Daar heeft Hammer een berisping voor gekregen.'

*

Cato Isaksen reed de straat uit met Karsten Tønnesen op de passagiersstoel en hij sloeg rechts af de Grønlandsleiret op. De nieuwe informatie maalde door zijn hoofd. Het begon al donker te worden. De dagen waren te kort. De gepensioneerde forensisch psychiater woonde in Nordberg.

'We moeten onderweg even langs Gaustad,' zei Tønnesen. 'Ik moet je de restanten van het Lobotomiegebouw laten zien. Maike Hagg werd niet ouder dan twaalf. Ik krijg een somber gevoel. Welk geheim nam Maike Hagg met zich mee? Wat wist Aud Johnsen? En wat weet Emmy Hammer eigenlijk?'

Cato Isaksen gaf nog meer gas.

'Jullie moeten in alle richtingen zoeken, maar soms is een pilaar gewoon een pilaar.' Karsten Tønnesen was serieus. 'Misschien kunnen jullie door de bomen het bos niet zien, Cato.'

'Wat voor soort mensen werden gelobotomiseerd, Karsten?'

'Dat waren vaak erg lastige, ongeneeslijk klaagzuchtige en gewelddadige patiënten. Ze werden daarna volgzaam. Het klopt niet dat er enkele honderden werden gelobotomiseerd, zoals ze in het openbaar de indruk hebben willen wekken; er was sprake van duizenden. Dit werd duidelijk toen een psycholoog de aanzet gaf tot een lobotomiedebat aan het begin van de jaren negentig. Hij neusde rond in de archieven van Gaustad en vond allerlei bewijzen.'

'Verdedig je lobotomie?' Ze reden langs het Ullevål Stadion. De rode achterlichten van de auto's voor hen leken op waarschuwingslampen in de schemering.

'Absoluut niet. Het werd vast rustiger op de afdelingen en tot op zekere hoogte nam de ontslagfrequentie ook toe. In de jaren tachtig werd de patiëntengroep die wij "manisch depressieven" noemden opgedeeld in twee groepen. Bipolaire stoornis of pure depressie. Daar lag geen wetenschappelijk onderzoek aan ten grondslag, er waren niet echt richtlijnen voor. En schizofrenen zijn bijvoorbeeld een brede groep mensen die niet in de maatschappij passen, maar de diagnose heeft geen specifieke criteria.'

*

Marian reed in haar eigen bestelbusje naar haar woning aan de Valdresgata, liet Birka wat rondrennen op de binnenplaats, waarna ze haar boodschappen naar binnen bracht en in de badkamer andere kleren aandeed. Ze trok de wollen trui uit en schoot een blauwe blouse aan. Toen waste ze haar gezicht en kamde haar haar. Make-up was niet aan de orde. Erik zou lachen als hij haar met make-up zou zien. Ze opende een fles witte wijn met schroefdop en nam een paar grote slokken rechtstreeks uit de fles. Er stonden alleen nog maar een bed en een bureau in de kleine kamer. Overal lagen kledingstukken en papieren. Kartonnen dozen met dingen erin stonden boven op elkaar gestapeld tegen de wand. Ze dekte de campingtafel en pakte de glazen. Toen ging ze met de laptop op het bed zitten en logde in op het politiesysteem. Ze moest controleren wat Tønnesen hun had verteld over lobotomie. Maar er was iets wat ze de volgende keer dat ze Cato zag met hem moest bespreken, iets over Norma Winther, een gedachte die ze maar niet kon loslaten. Ze legde haar hoofd in haar nek en sloot haar ogen, zag de meisjes voor zich als twaalfjarigen, rondrennend op het ziekenhuisterrein. Hoe zat het met vrouwen die kinderen schade toebrachten? Berit Adamsen en Norma Winther. Dat was lastig te ontdekken, want zulke vrouwen hadden vaak goede kennis van medische begrippen en ziekenhuisprocedures. Ze hielden vast aan hun verhaal. Als ze werden ontmaskerd, zouden ze alles ontkennen. Er was niet veel bekend over de oorzaak van de stoornis. Wanneer moeders hun kind schade toebrachten, heette dat münchhausen by proxy. Mensen met münchhausen hadden in de regel ook een ernstige persoonlijkheidsstoornis. Maar hoe zat het met andere vrouwen? Er moest toch een uitgebreid begrip bestaan? Vrouwen die andermans kinderen haatten, hadden een grote wens om ze schade te berokkenen en pijn te doen.

Norma Winther dekte de tafel in de grote eetkamer met een servies met een goudkleur langs de randen. Twee van elk. Wanneer ze de borden en glazen neerzette, klonk het als tromgeroffel. Ze hoorde haar eigen stem in haar hoofd. Hoe ze praatte over solidariteit met de zwakken en dat haar keukenkastje altijd vol stond met ingrediënten als bloem, suiker, rijst en instantstoofpotjes. Ze moest altijd snel een maaltijd kunnen klaarmaken als er iemand langskwam die behoefte had aan een gesprek en iets te eten. Gelukkig gaf ze op dit moment geen catechisatie. Die kinderen deden haar aan de Gaustad-tijd terugdenken. Maar nu kon ze zich richten op de toekomst en niet meer op het verleden. Ze had vannacht een enge droom gehad, dat ze een van de kinderen had geprobeerd te vangen. Met uitgestoken handen greep ze in de donkere, lege lucht.

*

Emmy pakte het speelgoedpistool van Piet af. Norma zag het door het raam. Emmy rende door de openstaande deur van het Ketelhuis naar buiten en trok het uit zijn handen. Ze rende op haar sokken het park in. Het was een van de eerste dagen van november. Op het gras lag her en der sneeuw. Maar vandaag scheen de zon. De anderen renden achter haar aan. Jan voorop en Piet erachter. Plotseling zag ze dat hij een padvindersmes in zijn riem had zitten. Nu trok hij dat uit de schede en hield het voor zich. Het was levensgevaarlijk om te rennen met een mes. Aud giechelde met haar handen voor haar gezicht. Maike was niet te zien.

Norma voelde zich opgelucht toen Ole Porat met een vishengel naar buiten kwam alsof er niets was gebeurd. Hij stond vaak op de Tyskerbrug over de Gaustadbeek te spelen door zijn vislijn in het water te gooien. De witte lijn vloog schoksgewijs in de richting van het water. Berit was eerder bij het Ketelhuis dan zij. Ze was rechtstreeks vanaf de afdeling gekomen en tussen haar wenkbrauwen zat een bezorgde frons-

rimpel. Alsof het de schuld van Norma was dat ze ruziemaakten: wie is schuldig aan wat er gebeurt? Norma had niets te zeggen. Ze nam de geur waar van Berit door de dikke cardigan die ze over het witte schort droeg: bitterzoete parfum vermengd met zweet. Norma besefte dat de pijl de boog aan het verlaten was, dat het geschreeuw van de kinderen uit het park veranderde in een pijnlijke kakofonie van iets anders. En dat ze zelf moeite zou krijgen om vannacht in slaap te vallen. Omdat de onrust van Berit als een scherpe rots was. En omdat Maike ergens anders was en al niet meer op zichzelf leek.

*

Cato Isaksen parkeerde de auto weer buiten het smeedijzeren hek en Karsten Tønnesen trok de rits van zijn donsjas weer omhoog. Er kwam een sms binnen. *Ole Porat jogt 's avonds met zijn jachthond. Asle heeft zijn buren gesproken. Roger.*

Ze liepen in het donker snel langs het hoofdgebouw, door de passage en langs het café, de kerk en het Ketelhuis. Er kwam een nieuw bericht binnen op de mobiel van Cato Isaksen. Deze keer van Randi. *Werner Hagg heeft toegegeven dat we inderdaad zijn auto op de beveiligingscamera voor de sportschool bij Myrens Verksted zien.* De wind blies de bladeren in kleine wervelstormen over de keien van het smalle pad tussen de gebouwen. In een fietsenrek stonden twee fietsen. Ernaast een witte scooter en een busje van autoverhuurbedrijf Bislet. Karsten Tønnesen stond stil. 'Er zitten catacomben hier onder de grond; ondergrondse gangen.'

'Dankjewel, ik heb al een rondleiding gehad.'

Ze liepen verder. Cato Isaksen voelde de spanning in zijn voorhoofd steken. Daar had hij geen tijd voor. 'Is het een voordeel voor een psychiater om dingen in patiënten te herkennen?' Hij dacht aan Marian, aan hoe ze uitlegde dat ze dingen in de daders herkende.

'Mogelijk. Het meest bemoedigende wat er op dit moment gebeurt, zijn de nieuwe DSM-5-diagnosen. Een nieuwe handleiding, een nieuwe manier van denken. Het Lobotomiegebouw is hier vlakbij. Rechtsaf.'

'De tbc-huisjes daar zijn beschermd,' zei Tønnesen. 'Hier zie je het Lobotomiegebouw. Eén vleugel is afgebroken. De Lobotomievleugel.'

Cato Isaksen staarde naar het litteken op de bakstenen muur, een grijze muur met witte nuances op de plaatsen waar de muren van de vleugel hadden gestaan. Er zaten enkele kleine rechthoekige kelderramen met tralies ervoor in de muur bij de grond.

'Daar beneden voerden Hammer en de geneeskundestudent de ingrepen uit. Je moet hem ook vragen naar de elektroshockbehandelingen. Kijk in een nieuwe richting.'

'Jij vindt dat we in een andere richting moeten kijken, Karsten?'

'Iemand die in koelen bloede moordt bezit vaak de volgende eigenschappen: psychisch ziek, slecht, gewiekst, toneeltalent.'

'Instabiel,' zei Cato Isaksen.

'Niet per se.'

'Probeer je te zeggen dat we op zoek zijn naar een lobotomiepatiënt?'

'Verre van. Ze waren eigenlijk verpest, sommige werden vergeleken met zombies.'

'Johnsen is een zombie. Kan hij een lobotomie hebben ondergaan?'

'In dat geval moet hij zichtbare littekens bij zijn slapen hebben.'

'Die heeft hij niet. Waarom is de aanbouw weggehaald?'

'Het was een schandvlek. Ik denk dat hier wel wat meer mensen zijn gestorven dan er geregistreerd zijn, om het zo maar te zeggen.'

*

Toen Cato Isaksen Karsten Tønnesen naar huis had gebracht, voelde hij zich veel te moe om met Carl Hammer te spreken. Misschien was het verstandig om eerst een praatje met Ole Porat te maken, om zijn uiteenzetting van het geheel te horen. Onderweg stopte hij bij een benzinestation om een hamburger te kopen, die hij in de auto opat. Daarmee kon hij nog een paar uur aan het werk. Toen hij rond negen uur zijn auto wilde pakken om naar huis te gaan, verliet ook Roger net de parkeergarage. Hij draaide zijn autoraam naar beneden. 'Er is net een bericht binnengekomen van de technische recherche dat Porat op het tijdstip van de moord op 31 oktober geregistreerd is bij een gsm-mast in het gebied Vinderen-Riis. Ik heb het nog even nagevraagd bij een van zijn jachtvrienden. Hij was die dag wel op jacht, maar om zeven uur 's avonds vertrok hij uit Valdres.'

'Mooi zo,' zei Cato Isaksen zonder enthousiasme.

'En nog iets, Cato. Je moet bij Marian langs, voordat dit naar buiten komt. Ze heeft het wapen niet ingeleverd zoals de regels voorschrijven. Ik sprak toevallig iemand van de wapenkamer. Ze woont op Valdresgata 3. Benedenverdieping, zonder naambordje op de deur.'

Marian opende de deur en de hondenkop van Birka stak snuivend naar buiten, als een duveltje uit een doosje. Ze keek hem verbaasd aan.

'Hallo, Marian,' zei hij langzaam en hij greep de deurpost beet. Hij voelde zich niet lekker. 'Mag ik binnenkomen?'

*

Ze liet hem binnen. Hij trok de deur achter zich dicht. Aan het plafond hing een ouderwetse bolvormige lamp, die de kamer een kille en hygiënische uitstraling gaf. Een vrouw op de televisie verwijderde een moeilijke vlek uit een jurk met een supervlekkenverwijderaar. De kamer was bezaaid met rotzooi. Het wapen lag op de gedekte campingtafel, die bij het bed stond. Daar stond ook een halfvolle fles witte wijn.

Hij staarde naar het wapen en leunde op zijn andere been. 'Verdomme, Marian, je kunt je baan hierdoor kwijtraken. Het wapen moet volgens de regels achter slot en grendel worden opgeborgen.' Hij duwde de hond met zijn voet weg.

'Ja, ik weet het wel.' Ze legde haar handen tegen haar slapen. 'Maar ik moet morgenochtend vroeg naar dat rottige schuiladres. Dan is het een kwestie van inleveren en weer ophalen.' Ze pakte het pistool, opende een keukenla, legde hem erin en schoof de la met een klap dicht. 'Niemand weet het.' Ze raapte een stapel papier bij elkaar en pakte wat kledingstukken op, die ze in een kartonnen doos gooide.

'Jawel. Roger en nog meer mensen weten het. Hou toch op elke keer de grenzen op te zoeken, Marian. Hierover heb ik het al honderd keer met je gehad. Je moet morgen weer naar Emmy Hammer om meer informatie uit haar te trekken. Verwacht je gasten?' Hij keek naar de twee wijnglazen op de campingtafel.

'Nee.' Ze wierp een blik op de klok en haalde een hand door haar haar. 'Je ziet er slecht uit, Cato.'

Hij stak zijn handen in zijn zakken en keek haar aan. 'Ik zit niet lekker in mijn vel.'

'Heb je er misschien aan gedacht dat je depressief bent?'

'Jawel, lieve Marian, dat heb ik wel gedacht. Maar daar mag ik me niet aan overgeven, niet nu.' Hij had zin om haar op het bed te duwen en boven op haar te gaan liggen.

Marian deed een stap naar achteren. 'Ik moet natuurlijk nog een fornuis en een koelkast hebben. Ik heb alleen nog geen tijd gehad.'

'Wij wonen slechter dan in een film, Marian.' Hij glimlachte vermoeid.

'Je moet even vijf minuten op het bed gaan zitten. Ik heb net op internet onderzoek gedaan naar lobotomie. Er werd een aparte lobotomiecommissie benoemd en daarnaast kwamen er schadevergoedingen voor de enkele nog in leven zijnde lobotomieslachtoffers. De laatste officiële operatie in Noorwegen is in 1974 geweest, staat er. Gedwongen behandeling van patiënten kan tegenwoordig alleen nog plaatsvinden door het toedienen van medicijnen. Porat is niet alleen hersenchirurg, Cato. Hij is ook een van de weinigen die nog steeds gebruikmaken van elektroshockbehandelingen. En hij is specialist in psychoses. Psychose, weet je hoe dat voelt?' Ze wachtte zijn antwoord niet af. 'Alles dringt feller door, alsof een schijnwerper zijn lichtstraal door scherp ijs of glas laat schijnen. Een goede misdadiger is iemand die zijn eigen beperkingen kent. Emmy Hammer zei dat ze zich als een derde persoon voelde. Xiao San. Misschien moeten we haar onder hypnose laten brengen. Zodat ze het zich kan herinneren.'

'Xiao San?'

'Dat betekent "kleine derde persoon".' Ze bleef staan en keek op hem neer.

'Emmy Hammer kan ons een reconstructie geven van de gebeurtenissen van vijfentwintig jaar geleden. Wie wil tevreden zijn met zijn schaduwbestaan? Is het een maniak die methodisch te werk gaat? In zekere zin is Emmy Hammer een soort getuige. Ze weet het alleen zelf niet. Aud Johnsen las immers op internet over dissociatieve amnesie vlak voordat ze werd vermoord. Geheugenverlies na grote spanningen en stress als kind, dat ligt voor de hand. En ja, Piet Hagg moet ergens zijn. In de atmosfeer, als een bodemdier, een gladde massa die wegglipt.'

Marian keek naar hem.

'Wat vind je eigenlijk van de predikant?'

Marian grijnsde. 'Ze zegt dat ze niet weet wie de vader is van de zoon van Emmy Hammer en dat we Berit Adamsen naar de lippenstift moeten vragen. Catecheet Lilly Hausmann doet aan een Israëlische vechtsport.'

'En?'

'Dat is gewoon zakelijke informatie, maar ze weet alles van houdgrepen. Je wordt toch gek van dit heftige onderzoek. Je ziet spoken op klaarlichte dag. De persoon aan de zijkant op de foto, de persoon met het duivelsmasker op.' Ze zuchtte. 'Qua lichaamshouding kan het Lilly Hausmann geweest zijn. Ik weet dat jij wilt dat het team collectief van mening moet zijn dat intuïtie grote onzin is, maar er is iets met haar aan de hand. En met Norma Winther. Ze is lesbisch. Dat kun je al van verre ruiken.'

'Er waren geen sporen van seksuele mishandeling, Marian.'

'Lesbisch betekent toch niet pedofiel, Cato.' Ze keek nerveus naar de klok. 'Ik heb het gevoel dat de predikant iets verbergt.'

Op het moment dat ze dat zei, werd er aangebeld. Een hard geluid. Birka stond op en rende naar de deur.

*

Erik Haade stond voor de deur met zijn handen in de zakken van zijn grote donsjas. Cato Isaksen kwam overeind voordat hij binnenkwam. 'Dan stap ik op,' zei hij en hij liep langs de korpschef en snel de binnenplaats over.

Daarna bedacht hij dat hij iets had moeten zeggen, maar het ging allemaal zo snel.

Toen hij bij zijn auto was aangekomen, ging zijn mobiele telefoon. Het was Marian. 'Wat ben jij een idioot, Cato,' riep ze. 'Zit niet in mijn leven te neuzen. We crossen. Daarom kwam Erik. De landelijke recherche heeft driehonderdveertig personen in vijftien landen gearresteerd na het oprollen van het grote pedofielennetwerk.'

'Ik ben er ook totaal niet in geïnteresseerd om in jouw leven te neuzen.'

Ze ging verder: 'Bijna vierhonderd kinderen zijn gered. Er zijn zesendertig Noren opgepakt. Een Canadees bedrijf verkocht dvd's en gestreamde filmpjes van naakte kinderen en markeerde ze als naturistenfilms,' kletste ze verder.

Hij opende het portier en keek om. Ze ging verder: 'Waarom denk je dat Erik mij met jou liet werken? Ik denk niet omdat jij dat zei. En hij wilde het niet. Ik ben een zelfstandig individu,' riep ze. 'Ik wílde met jou werken.'

Hij nam plaats en startte de auto. 'Neuk je met Erik Haade, Marian?'

'Nee, hij neukt met mij.'

Piet was aan het rommelen in het schuurtje van het vakantiehuis. Hij had een werklamp neergezet die een fel licht gaf, zag ze door het keukenraam. Hij leek zo onrustig. Hij was bezig met houtsnijden. Hij was hier weer naartoe gegaan. Hij had vannacht in het appartement in Majorstua geslapen. Het gehakt had hij gelukkig bij de vuilnis gegooid. De avond ervoor had ze veel moeite gehad om in slaap te vallen. Terwijl ze in bed lag, had ze haar eigen hartslag gehoord. Haar zachte lichaam was warm. Ze had de houtkachel aangestoken en in het licht van het nachtlampje liggen nadenken. Ze wist dat als ze in slaap zou vallen, de beelden alleen maar sterker zouden worden en in een droom alles op een groteske manier zouden oproepen. Ze dacht aan die dag in november van vijfentwintig jaar geleden. Enkele weken voordat Maike in de catacomben verdween. Meteen achter de houten deur was ze naar links gegaan. Het was zo smal dat je er zijwaarts moest lopen. En gebogen. Maike was een heel uur in de ondergrondse gangen. Ze riep haar vader. Haar stem klonk hol en doodsbang. De reus was te groot voor de ondergrondse gangen. Bovendien zat hij opgesloten. Berit Adamsen moest haar zelf gaan zoeken. Als Hammer dit zou ontdekken, zou het afgelopen zijn met de Kinderdagen. Een maand later was Maike dood. Ze lag op de betonnen vloer met opengesperde ogen en was rond haar mond besmeurd met lippenstift, als een lichtgevend signaal van gevaar op haar gezichtje.

*

Cato Isaksen reed razendsnel. Even verderop ging hij aan de kant van de weg bij een bushalte staan. Hij bleef stil zitten, waarna hij zijn handen op het stuur legde en zijn voorhoofd erop liet rusten. Hij voelde de behoefte om te huilen. Hij baalde ervan dat het hem zo veel deed, shit. Erik Haade en Marian. De geruchten klopten. In haar leven neuzen, had ze gezegd. Marian deelde het bed met wie ze wilde.

Hij ging weer rechtop zitten en keek naar zichzelf in de achteruitkijkspiegel. Hij voelde zijn hart bonzen. Hij dwong zichzelf om aan de zaak te denken: Berit Adamsen, Jan Hagg, Werner Hagg, Norma Winther, John Johnsen. En Carl Hammer. Hammer moest iets weten. Wat Karsten Tønnesen had gezegd: *Iemand die iets te verbergen heeft*. Het moordwapen, dat moest ergens zijn. Duivels hadden duivelsmaskers, hoorns en staarten. Hij dacht aan mogelijke plekken: Berit Adamsens vakantiehuisje in Krokskogen, het huisje van Johnsen op de volkstuin, daar werd bij de huiszoeking niets aangetroffen, de uitvaartonderneming en de kleine boerderij van Werner Hagg. De chirurgische afdeling in het Ullevål. Plekken die geheimen konden bevatten, details die ze over het hoofd hadden gezien. En wat Marian over Norma Winther had gezegd. Hij moest naar die verdomde pastorie. Nu.

*

Lilly en Norma zaten in hun badjas, verstopt achter de gehaakte gordijntjes voor het keukenraam. Er werd aangebeld. Lilly Hausmann rende de trap op, de badkamer in en trok een broek en een trui aan. Toen rende ze weer naar beneden en verdween door de achterdeur naar buiten.

Norma Winther opende langzaam de voordeur en staarde over de schouder van de rechercheur naar Lilly Hausmann, die over het terrein sloop en op het pad achter de kerk verdween.

Cato Isaksen draaide zich om, maar hij zag niemand. 'Waarom deed je de deur niet open? Mag ik binnenkomen?' zei hij.

'Ja.' Norma Winther trok de badjas dicht over haar borsten. 'Dat zal wel moeten. Ik wil me eerst aankleden. Kom maar even mee naar de keuken.'

Cato Isaksen liep achter haar aan. Hij hoorde de stem van Marian in zijn hoofd. *Niet in mijn leven neuzen*. 'Je hebt bezoek gehad?' vroeg hij. Norma Winther schudde haar hoofd. Er stonden maar één bord en één glas op tafel, samen met de restjes van een taart. Hij voelde plotseling hoeveel honger hij had. Een enorme bordenkast besloeg de ene wand. Hij dacht aan de borden van Bente, met een blauw patroon en een geribbelde rand. De eenpansgerechten die ze vaak maakte, de lekkere bruine saus met de gaargekookte wortels.

Hij dwaalde door de woonkamers. Ze waren deftig geweest, maar nu waren ze vooral sleets, maar de kroonluchter hing in de grote eetkamer en op de stoelen zat een bleekroze fluwelen bekleding.

Norma Winther kwam achter hem aan. Hij draaide zich naar haar om. 'Waar woont Lilly Hausmann?'

'Vooralsnog in haar camper.' De predikant keek hem strak aan. 'Achter de kerk.'

Een goede misdadiger is iemand die zijn eigen beperkingen kent. Dat was weer een opmerking van Marian. 'Mag ik even gebruikmaken van het toilet?' vroeg hij.

'In de gang.'

Hij bedankte en voelde dat ze achter hem aan kwam, maar toen liep ze toch weer de woonkamer in. Hij sloop over de brede trap naar de eerste verdieping, keek bij een kamer naar binnen waarvan de deur openstond. Dat was de slaapkamer. Het bed was niet opgemaakt. Er hingen grote stapels kleding over een staande kapstok.

Hij kwam bij de deur waarvan hij vermoedde dat het de badkamer was. De deurklink was niet geverfd en zat los. In de lichtgroene badkamer bleef hij staan luisteren. Hij hoorde alleen zijn eigen hart, het suizen van zijn bloed, zijn hart dat bonkte in zijn keel. Er lag make-up op een glazen plank. De porseleinen wasbak was vies. De onregelmatigheden in de wanden waren zichtbaar door de afgebladderde verflaag. Er hing een ouderwetse badmuts over de rand van de douchecabine. Cato Isaksen pakte instinctief een zakje uit zijn zak, legde de badmuts erin en borg hem op. Toen hij daarna beneden kwam, stond Norma Winther hem onder aan de trap op te wachten. Haar blik stond op onweer.

De volgende ochtend voelde Cato Isaksen zich mogelijk nog slechter. Norma Winther was gisteren niet vergevensgezind geweest. Ze wees erop, terecht, dat hij geen huiszoekingsbevel had. Hij had zich gisteravond onprofessioneel gedragen. En nu voelde hij iets wat deed denken aan een kater. Hij verdween in zichzelf en het was alsof hij vervaagde. Ze zaten in de auto onderweg naar het Ullevål Ziekenhuis om met Ole Porat te praten. Hij reed. Langs de Toftes gate en verder over Ring 2. Cato Isaksen was stil.

'Wat is er met jou aan de hand?' Roger keek hem vragend aan.

'Heeft Marian gisteren het wapen ingeleverd?'

'Nee, want ze is vanochtend weer naar het schuiladres vertrokken. Hou hier nou over op, Roger. Ik ben moe, verdomme, nu moeten we ons concentreren op Porat.'

Dat Marian zou kunnen denken dat hij jaloers was, kon hij niet uitstaan.

De rit duurde nog geen tien minuten. Ole Porat was gebracht door de lokale politie van Valdres, maar voordat hij beschikbaar was voor de politie, moest hij een bijzonder belangrijke operatie uitvoeren. Het was een kwestie van leven of dood voor deze patiënt. Bij het rode ziekenhuis parkeerde Cato Isaksen de auto voor de hoofdingang en hij legde het politiebewijs achter de voorruit. Toen kwam er een sms binnen op de mobiel van Roger. Hij opende hem. 'Ellen meldt dat er geen enkel spoor van wat dan ook gevonden is op de jassen, geneesmiddelen of laarzen van Jan Hagg die we bij de vrijmetselaarsloge vandaan hebben. Shit.'

Cato Isaksen haalde onverschillig zijn schouders op.

'Porat is getrouwd en zijn kinderen zijn al tieners,' vertelde Roger verder. 'Zijn jachtvrienden geven hem een alibi voor 31 oktober. Maar ze liegen, want zijn mobiele telefoon is hier ergens geregistreerd door een gsm-mast op het betreffende tijdstip. Zijn vrouw geeft nu toe dat hij die middag laat thuiskwam en dat hij 's avonds ging hardlopen.

Hij bleef een tijdje weg, zegt ze. Ze zitten elkaar niet op de lip, zegt zijn vrouw.'

'Wie zitten er tegenwoordig nog op elkaars lip, Roger?'

'En hij rookt, Cato.'

'Rookt? Een arts die rookt.'

Binnen bleven ze bij de receptie staan, waar hun werd uitgelegd hoe ze bij de afdeling Chirurgie A kwamen. Een man die de rechercheurs herkenden als een journalist van de krant *VG* kwam hun tegemoet lopen met een fotocamera om zijn nek.

'We zijn op privéziekenbezoek,' zei Cato Isaksen resoluut en hij wuifde hem weg.

De journalist gaf niet zomaar op.

'Verdwijn alsjeblieft. Hierover schrijf je geen woord, anders zal ik ervoor zorgen dat je ontslagen wordt.'

Ze namen de lift naar de afdeling Chirurgie en liepen snel door de witte gang naar de operatiekamers. Een vrouw in een rolstoel reed langs hen heen.

Er was een groen zitje aan het eind van de gang geplaatst onder een van die spierwitte tl-buizen. Twee agenten uit Valdres zaten daar te wachten. Ze begroetten elkaar kort en kregen te horen dat Porat elk moment uit de operatiekamer kon komen. Enkele minuten later kwam de hersenchirurg door de stalen deuren naar buiten. Alleen zijn ogen waren zichtbaar boven het mondkapje. Cato Isaksen en Roger Høibakk stonden tegelijk op.

Ole Porat droeg een operatiemuts en een groen schort met druppels bloed erop. Hij had een gemiddelde lengte. Deze man was dus de boodschappenjongen van Hammer geweest en hersenspecialist geworden. Hij trok het mondkapje af. 'Ja, ik weet dat ik verhoord zal worden. Morgen. Op het Hoofdbureau van Politie.'

'U gaat nu met ons mee. U weet waar het om gaat,' zei Cato Isaksen en hij stuurde de agenten uit Valdres naar huis. De afdeling Geweldsdelicten van het politiedistrict Oslo had de chirurg nu overgenomen.

Ole Porat nam zijn muts af, verfrommelde hem en stopte hem in zijn zak. Het halflange haar was nog steeds blond, afgezien van enkele grijze haren bij zijn slapen.

'U moet ons uw mobiele telefoon geven,' zei Cato Isaksen tegen hem.

'Ik snap het. Aud Johnsen is vermoord.' Porat stak zijn hand in de zak van het schort en pakte zijn telefoon eruit. 'Ik ben natuurlijk niet van plan om te ontsnappen. Dit is geen misdaadfilm. Mijn patiënt is onder narcose,' zei hij geïrriteerd en hij gaf de telefoon aan Cato. 'Ik heb een vrouw en kinderen. Mijn jachtvrienden hebben me een alibi gegeven. Jullie hebben mijn kledingkast uitgeplozen en van alles meegenomen.'

'Het alibi klopt niet. Emmy Hammer heeft u de avond dat Aud Johnsen werd vermoord opgebeld, maar u wilde niet met haar praten. We wachten,' zei Cato Isaksen, maar hij veranderde van mening zodra Ole Porat was verdwenen. 'Ik ga nu naar Hammer,' zei hij afwezig tegen Roger. Hij moest daarna Bente bellen om haar uit te nodigen om te praten. Dit kon hij niet meer aan. De studio was verschrikkelijk. Die idiote Marian Dahle. 'Jij wacht hier, Roger, en zorg ervoor dat er een auto komt die Porat en jou straks naar het politiebureau kan brengen. Dan zien we elkaar daar.' Haastig controleerde hij de mobiel van Porat. 'Ik zie hier dat Emmy Hammer op de avond van Halloween om 20.50 uur naar Porat heeft gebeld. En een paar dagen ervoor heeft hij, inderdaad, een gemiste oproep van Aud Johnsen.'

Carl Hammer had een wit overhemd aan en zat voorovergebogen in de fauteuil, net als de vorige keer. 'Mijn vrouw ligt te rusten en Philip maakt een wandeling,' zei hij.

Cato Isaksen moest zich inspannen om zijn woorden goed te kiezen.

Carl Hammer tilde zijn hoofd op; hij leek op een oude hond. 'Wanneer kan Emmy thuiskomen? En hoelang moeten we die politieauto hier nog buiten hebben staan als bewaking?'

'We zoeken nog steeds naar Piet Hagg. Emmy is veilig.'

'Piet Hagg? Hij moet nu zo rond de veertig zijn. Waar Berit destijds geen rekening mee hield was dat de patiënten tijdbommen waren en dat hun kinderen ook schade hadden opgelopen. Werner Hagg vermoordde zijn vrouw met een bijl.'

'Ik wil het met u hebben over Maike Hagg,' zei Cato Isaksen. 'Wie trof haar dood aan?'

'Zoals ik de politie in november 1988 heb verteld, moest ik in de kelder iets uit het archief halen. De deur stond op een kier en ik zag het bloed, dat in een streep onder de deur door liep, maar toen was Berit daar al. Ze stond over haar heen gebogen en was hysterisch. Dus ík moest de politie bellen. En Berit stopte die dag met werken. Ik heb haar gevraagd om terug te komen, maar dat wilde ze niet.'

Carl Hammer keek hem van onder de zware oogleden aan.

'En Norma Winther stopte ook?'

'Ja, dat was eigenlijk nog niet zo erg. We hebben wat meer evenwichtige personen aangesteld, om het zo maar te zeggen.'

'Kunt u daar iets meer over vertellen?'

'Nee.' Hij deed zijn mond demonstratief dicht.

'Elektroshockbehandelingen. Hielden jullie je daarmee bezig?' Cato Isaksen keek Hammer onderzoekend aan.

'Uiteraard. Het is tot op zekere hoogte gevaarlijk om langere tijd depressief te zijn,' zei Carl Hammer. 'Schizofrenen hadden baat bij deze behandeling. Het is een veilige, milde en goed geteste methode.

Geen enkele andere behandeling werkt zo snel en je ontkomt aan de bijwerkingen van geneesmiddelen.'

'Wat is het verschil tussen de medicijnen van die tijd en nu?'

Carl Hammer glimlachte kort. 'De medicijnen waren niet zo geschikt als tegenwoordig. Vandaag de dag kunnen individuen zich tot op zekere hoogte prima redden met behulp van geneesmiddelen.'

'En lobotomie?'

Carl Hammer keek Cato Isaksen uitdrukkingsloos aan. 'Lobotomie was een futiliteit in de Noorse psychiatriegeschiedenis. Alles moet in historisch perspectief worden gezien. Het ging maar om een paar honderd patiënten en het was voor mijn tijd.' Hij corrigeerde zichzelf. 'O nee, slechts enkelen werden ook in mijn tijd geopereerd. De samenleving is erin geslaagd om het te doen voorkomen dat het helemaal verkeerd was. Wat volgens de normen van die tijd absoluut niet het geval was. Dingen veranderen.'

'Enkele duizenden, hebben we begrepen. De rapportages die u in de laatste jaren dat u werkte uitbracht aan het Noorse patiëntenregister waren behoorlijk ontoereikend. Daarvoor hebt u een uitbrander gekregen. U paste lobotomie toe nadat het illegaal was geworden.'

'Komen die kletspraatjes van Berit Adamsen?'

'Nee.'

'Berit Adamsen is voor mij persona non grata.'

'Waarom?'

'Ze was een hysterisch gevoelsmens, enorm onprofessioneel. De hersenen zijn gewoonweg onderdeel van de lichamelijke machinerie. Die kun je op verschillende manieren proberen te repareren, zodat je somatische ziektes kunt genezen. Dat is een prima gedachte, omdat het de stigmatisering van psychische ziektes uit de schijnwerpers haalt.'

Cato Isaksen was niet tevreden met het antwoord. 'Ole Porat,' zei hij.

Carl Hammer kwam moeizaam uit de diepe stoel omhoog, liep naar een groot, oud, goudkleurig houten bureau en trok de bovenste lade uit. Hij pakte een paar artikelen. 'Dat was een goede jongen. Gepast koel. Hij was een van mijn vele studenten.'

Op dat moment kwam Solveig Hammer de woonkamer in lopen met haar handen in elkaar gevouwen. Ze draaide zich om toen ze de rechercheur zag. Cato Isaksen wachtte tot hij haar voetstappen niet meer kon horen. Toen stond hij op om te vertrekken.

*

Ole Porat trok zijn grote Canada Goose-jas uit en ging zitten. Hij had te horen gekregen dat hij een kwartier moest wachten. Door het smalle raam van de verhoorkamer kon hij vaag de top van de kale boomkruinen zien. Hij dacht aan de vogel in de vitrine in Gaustad. Daarop waren die kinderen zo trots geweest. Het hadden verschillende figuren geleken: aan de ene kant zorgeloze kinderen, aan de andere kant belast met een lusteloos stilstaande duisternis. Vooral Maike had het zwaar te verduren: *Wat heb je nou weer voor broek aan?* Nu waren twee van hen dood. De dochter van Werner Hagg en die van John Johnsen: Maike en Aud. Waar was Emmy en waar waren de jongens? De vogel zou daar nog honderd jaar staan, in het nest in de vorm van een beker. De politie doorzag hem niet. Ze wisten niet waarin zijn misdaad bestond. Hammer en hij hadden een pact gesloten. Hij was eigenlijk niet goed genoeg, maar Hammer bezorgde hem een diploma. Bijna elke keer dat hij een scalpel de hersenen in schoof en het bloed begon te lopen, dacht hij aan die tijd. Niemand mocht het weten. Hij wilde zijn naam nu niet in de media hebben. Zijn carrière kon op het spel komen te staan. Hij moest voorzichtig zijn.

*

'Wilt u iets drinken?' vroeg Cato Isaksen vriendelijk en hij trok zijn jas uit. Ole Porat was gepast koel, had Carl Hammer gezegd. Hij sloeg het water af.

Roger Høibakk regelde het technische deel. Het verhoor kon beginnen. In zijn hoofd hoorde Cato de diepe stem van Karsten Tønnesen zeggen: *Ik denk dat hier wel wat meer mensen zijn gestorven dan er geregistreerd zijn.*

'Ik kom meteen ter zake,' zei Cato Isaksen en hij keek Porat aan. 'U woonde in het Ketelhuis.'

'Ja, in een klein appartement op de eerste verdieping. Eigenlijk was het van de conciërge.'

'Klopt het dat u tegen Emmy Hammer zei dat u in de bergen was, toen ze u de eenendertigste opbelde?'

'Ik had gewoon geen zin om met haar te praten. Ik was op dat moment net onderweg naar het ziekenhuis om bij een patiënt te kijken.'

'U vertrok om vijf uur vanuit Valdres en was rond half negen thuis. Klopt dat?'

Hij knikte. Porat had rechtstreeks vanuit het ziekenhuis naar de

Sandakerveien kunnen rijden. Zodra het verhoor was afgelopen, zouden vingerafdrukken en DNA worden afgenomen.

'Ik ben nog gaan hardlopen,' vertelde hij verder, 'maar dat was veel later. Misschien om half elf.'

'Ging u met de hond hardlopen? U hebt toch een jachthond?'

'Ja.'

'Emmy Hammer zag een man langsrennen met een jachthond toen ze die avond uit de stad kwam. Toen belde er iemand aan de deur.'

'Dat was ik niet. Ik heb nergens aangebeld, maar ik kan wel die hardloper zijn geweest.'

'U zei dat u haar niet wilde spreken toen ze belde.'

'Ik verbrak de verbinding. Al dat ziekelijke wat ze insinueerde, dat ik in het bezit zou zijn van informatie dat de zoons van Werner Hagg destijds hun moeder hadden vermoord, dat is pure nonsens. Voor zover ik weet, heeft Werner Hagg zijn vrouw vermoord, niet de zoons. Emmy Hammer kwam zo hyper over. Ze zei dat Aud Johnsen een artikel over mij wilde schrijven. Achteraf ontdekte ik ook een gemiste oproep van Aud Johnsen van een paar dagen ervoor. Dat zag ik pas toen jullie contact met me zochten in de bergen. Wanneer ik aan het jagen ben, dan jaag ik.'

'John Johnsen, de vader van het slachtoffer. Kunt u zich hem herinneren?'

'Uiteraard. We hebben hem met riemen moeten vastbinden.'

'Dat staat niet in zijn dossier.'

'Het kan zijn dat dat niet voldoende is gerapporteerd. Isolatie en riemen moesten we van de leiding zoveel mogelijk vermijden. Ik kreeg destijds te horen dat ik niet alles in de dossiers moest schrijven.'

'Van wie?'

'Van Carl Hammer.'

Cato Isaksen bekeek hem. 'U was als het ware in de leer bij Carl Hammer?'

'Noem het maar zo.'

'Wat deed u?'

'Alles van het assisteren van Hammer tot het zelf proberen. De psychiatrie is een terrein waarvan de meeste mensen het idee hebben dat ze het niet begrijpen. Het heeft allemaal iets verhevens en onbekends. Daarbij komt dat veel mensen psychische problemen hebben en daarmee wekt het interesse. Somatische medicijnen zijn bekend bij de mensen, die hebben niet dezelfde status.'

'Vertel eens over de elektroshocktherapie die u nog steeds geeft.'

'Elektroconvulsieve therapie werkt goed bij zeventig procent van de manische of depressieve patiënten. Bij sommige treedt geheugenverlies op, maar voor de meeste is dat slechts van korte duur. Het is een controversieel gebied en er bestaan geen nationale richtlijnen. Het is aan de arts om die te bepalen.' Ole Porat keek naar Cato Isaksen. 'Vooral vrouwen hebben er veel profijt van.'

'Hoe zit het met lobotomie?' Cato Isaksen hield zijn blik vast. 'Hammer paste lobotomie toe tot ver in de jaren tachtig, toch?'

'Nee,' zei hij snel.

'En u assisteerde hem. U mocht oefenen.'

Ole Porat schudde zijn hoofd. Het was een halve minuut stil. Roger Høibakk zuchtte.

Ole Porat zei: 'Het tijdsaspect klopt niet. De laatste operatie werd in 1974 uitgevoerd. Voor mijn tijd.' Hij dacht na. 'Ik heb natuurlijk zwijgplicht.'

'Daarvan kunnen we u vrijstellen. Hoe zou u Carl Hammer willen omschrijven?'

'Dat is lastig. Wat misschien al een omschrijving op zich is.' Hij deed zijn mond dicht.

'Waar was u op de dag dat Maike Hagg overleed?'

'Ik weet niet of de dienstroosters van toen nog te vinden zijn, waarschijnlijk niet, maar ik was die dag niet aan het werk.'

'Waarom weet u dat nog zo precies?'

'Dat een meisje overleed in de archiefkelder was vrij bijzonder. Natuurlijk weet ik dat nog. Mensen onthouden toch waar ze waren toen prinses Diana overleed, om het zo maar te zeggen.'

'Emmy Hammer kreeg op haar zestiende een zoon.'

Ole Porat zette grote ogen op. 'Wat heeft dat met deze zaak te maken?'

*

Na het verhoor bracht Roger Porat naar een ruimte om vingerafdrukken en een DNA-test af te nemen. Die moesten vergeleken worden met de sigarettenpeuken en ook met het DNA van Philip Hammer. Cato Isaksens mobiel ging over toen hij weer op zijn kamer was. Het was Marian niet, maar Deidrée, van psychiatrisch ziekenhuis Gaustad. 'Ik heb een map gevonden die een deel van de behandeling van patiënt John Johnsen betreft. Zal ik het voorlezen?'

'Doe maar.' Hij keek naar de stapel documenten op zijn bureau.

'Hij onderging met enige regelmaat elektroshocktherapie. Dat gold ook voor Werner Hagg. Eerder werden de elektroshocks zonder narcose toegediend; de heftige krampen die ze teweegbrachten, konden zowel botbreuken als scheuren in de wervelkolom veroorzaken wanneer de patiënten tijdens de behandeling gebogen stonden. Bent u daar nog?'

'Jazeker. Dankuwel.' Toen hij oplegde, belde Bente. Hij nam op. Zij was ook moe. Zelf had hij veel moeite om zich te kunnen concentreren. Maar ze wilde dat hij naar huis kwam. Tijdens hun gesprek moest hij er plotseling aan denken dat Ole Porat had gezegd dat hij niet aan het werk was geweest toen Maike Hagg dood werd aangetroffen in de kelder. Maar hij woonde toch in het Ketelhuis, dus hij was wel op het terrein. Hij zei tegen Bente dat hij ervandoor moest en ze rondden het gesprek af. Cato Isaksen stak zijn telefoon in zijn jaszak en liep met resolute passen door de gang. Langs de glazen wanden waarachter zijn collega's uit alle macht aan het werk waren. De lift in. Op de begane grond eruit, door het atrium, langs mensen die in de rij stonden om hun paspoorten op te halen. Marian had niet gerapporteerd vanuit het schuiladres. Dertig jaar werkte hij bij de politie en nu wist hij niet meer hoelang hij dit nog trok. Hij hoorde het verkeer op straat. Het gras langs het wandelpad was zacht en verrot. Hij had het koud, net als alle andere mensen.

Het onderzoek verliep te traag. Vijf dagen later waren ze nog geen stap verder gekomen. Het was inmiddels maandag 11 november. Werner Hagg was terug op zijn kleine boerderij. Het Instituut voor Volksgezondheid had de resultaten van de DNA-onderzoeken nog niet laten weten. De zaken hadden zich opgehoopt want het Instituut had meer geld nodig dan was berekend. De financiën van de afdeling werden een kwestie. De pers smulde ervan. Het afdelingshoofd vroeg Cato Isaksen om naar haar kantoor te komen. Marian bevond zich nog steeds op het geheime adres met Emmy Hammer.

'Hoor je wat ik zeg, Cato?' Ingeborg Myklebust keek hem bezorgd aan.

'Ja.' Hij ging rechtop zitten en concentreerde zich. Haar rode haar zat niet zo netjes als anders. Ze had kringen onder haar ogen.

'Ik vraag het nog een keer. Korpschef Haade en ik hebben elkaar gesproken. Nu hebben we een overzicht van Johnsen, Werner Hagg en Ole Porat. Jan Hagg zit nog steeds vast. Is het dan nodig om Emmy Hammer nog te beveiligen?'

Cato Isaksen keek haar aan. 'Nee. Afgezien van het feit dat we Piet Hagg nog niet hebben kunnen opsporen. Morgen is er een nieuwe zitting over Jan Hagg. We moeten hem misschien vrijlaten. Er is natuurlijk geen risico dat hij Emmy Hammer iets zal aandoen. Hij staat immers in de schijnwerpers. Ole Porat kan geen stap doen zonder dat wij weten waar hij naartoe gaat.'

'Emmy Hammer is geen potentiële getuige meer, de Maike Hagg-zaak is immers heropend.'

'Ja, Ingeborg,' zei hij vermoeid. 'Maar het gaat hier misschien om iets anders. Het betreft immers niet een rationeel persoon.'

'Marian heeft toestemming om een wapen te dragen. Ze kan Emmy Hammer een nacht op haar woonadres bewaken. Haar ouders hebben nu geen bescherming meer nodig. Dat is mijn inschatting. Wat vind jij?'

'Prima,' zei hij.

‘Jij belt naar Marian om haar op de hoogte te brengen.’

Hij liep terug naar zijn kantoor. Toen Marian opnam, zei hij snel: ‘Je moet morgenochtend vroeg met Emmy Hammer terugrijden. Dat is een bevel van het afdelingshoofd in overeenstemming met de intenties van de korpschef. Je blijft tot nader order bij haar in de portierswoning. Je houdt het wapen tot de opdracht is uitgevoerd.’

Marian werd wakker terwijl de regen op de brandtrap van de schuilplaats roffelde. Ze lag in foetushouding. Het zou kouder gaan worden. De regen zou in de loop van de dag overgaan in sneeuw. Emmy sliep in de kamer ernaast. Ze waren hier nu zes dagen en ze waren uitgepraat. Klaar. Ze waren elkaar zat. Ze hadden te veel gedronken. De bewaker had pakken wijn gebracht, volstrekt in strijd met de instructies. De aanvaring met Cato vorige week had indruk op haar gemaakt. Toen hij haar gisterochtend belde, hoorde ze een gebroken stem, alsof hij zijn tranen moest onderdrukken. *Tot de opdracht is uitgevoerd*, had hij als laatste gezegd, voordat hij de verbinding verbrak. En nu moest Marian Emmy Hammer naar huis rijden en haar daar vannacht bewaken. De laatste nacht. Eindelijk. Ze had tegen Erik gezegd dat ze een pauze wilde. Hij was kwaad. Ze was bang dat Cato niets meer met haar te maken wilde hebben. Haar psychiater had gezegd dat een afwijzing het ergst voor een kind is. Ze was ermee opgegroeid, daarom beschermde ze zich om dat gevoel niet weer te hoeven hebben. De aanval was de beste tactiek. Cato was, net als zij, een hoogsensitief persoon, iemand die dingen sorteerde op nuanceverschillen en een groter besef van subtiele indrukken had. Hij had het alleen zelf niet in de gaten, maar het was een onaangename toestand om altijd paraat te moeten staan. Niets rond deze toestand maakte het gemakkelijk om als rechercheur te werken. In een bejaardentehuis misschien, om de gevoeligheid te gebruiken om onzin uit te kramen en zich in te leven in de beelden van aflopende levens vol herinneringen. Of in een kinderdagverblijf. Nee, niet in een kinderdagverblijf, ze kon kinderen niet uitstaan. In een dierenkliniek misschien. Nee, daaraan zou ze kapotgaan. Het maakte een grotere indruk op haar dat dieren stierven dan mensen. Dat was ziekelijk.

Ze leunde op haar ellebogen en keek naar Birka, die tegen de wand aan lag en zich niet verroerde. Heel even dacht ze dat er iets mis was, maar toen deed de hond de ogen open en keek haar aan. 'Rotmeid,' zei ze glimlachend en ze gooide haar benen over de rand van het bed.

Ze maakte een ontbijtje klaar, gaf Birka een beetje leverpastei, poetste haar tanden. Ze had geen puf om te gaan douchen, trok haar spijkerbroek en de zwarte hoodie aan en keek kort in de spiegel, waarna ze haar tas controleerde: het wapen, strips in plaats van de gewone handboeien, pepperspray, een oude kam en een pasjeshouder. Ze moest Birka uitlaten op het fabrieksterrein voordat Emmy wakker werd. Daarna zouden ze vertrekken.

*

Berit Adamsen was in 1988 niet de enige verpleegster op de forensische afdeling voor mannen. Er lag een overzicht op het kantoor van Cato Isaksen. Randi was begonnen aan het doornemen van de namen. Behalve Berit Adamsen waren er nog twee in leven. Randi was al bij een van hen op bezoek geweest. Ze was behulpzaam geweest, maar dacht niet dat ze iets kon betekenen. Carl Hammer had veel van de medewerkers verlangd, had ze gezegd, maar dat was zo omdat hij zich bekommerde om zijn patiënten. De andere verpleegster was blind en verbleef in verpleeghuis Capralhaugen in Bærum. Randi zou ernaartoe gaan zodra ze daar tijd voor had. Er waren voldoende andere dingen te doen, zoals het samenstellen van een soortgelijke lijst van de artsen. Hammer had twee andere artsen onder zich gehad, een ervan was psychiater. Allebei hadden ze zich lovend uitgelaten over hun vroegere baas en gezegd dat hij de basis had gelegd voor hun verdere carrière. Ze werkten nu in privéklinieken, waar de een anorexiapatiënten behandelde en de ander plastische chirurgie beoefende.

John Johnsen schoof de ladekast opzij, ging op zijn hurken zitten, tilde de plank op en haalde het dagboek tevoorschijn. De regendruppels rolden over het glas van de verandadeuren. Hij moest het laatste plan ten uitvoer brengen. Hij had al een taxi gereserveerd, die zou over twee uur komen. Hij zou met de hond en het dagboek naar de kleine boerderij van Werner gaan. Hij twijfelde aan de tabletten, want hij voelde zich eigenlijk beter nu hij ze niet innam. Schoten ze hun doel voorbij: zat er lithium in? Lithium was een alkalimetaal dat in batterijen werd gebruikt. Hij was hypomaan, maar er was iets gebeurd. Alsof er een wit licht zijn hersenen was binnengedrongen en hem had genezen. Nadat zijn dochter was vermoord, had hij een nieuw zelfbeeld ontwikkeld, dat hij in zijn eigen hoofd had gecreeerd. Hij was gegroeid, hij was niet meer de magere, terughoudende en kwade man. Hij had iets te wreken. Vanaf het moment dat de politie hem opzocht in het huisje op de volkstuin tot nu was de langste wachttijd ooit voor hem geweest. De catastrofe was compleet, want Aud was dood. De begrafenis was over enkele dagen. Ze lag in de koeling te wachten. Waanideeën en misvattingen van de werkelijkheid waren vervangen door realiteit. Hij kwam overeind. De hond stond meteen naast hem. Hij had hem elke dag meegenomen naar Oslo Centraal. Elke dag. En hij was aan de tafel van Vanja gaan zitten. Gisteren was de Litouwer eindelijk verschenen, iets bleker en iets magerder. Hij was ziek geweest, had bijna veertig graden koorts gehad, legde hij uit, maar nu was hij weer paraat. De moord zou worden gepleegd. Werner zou hem bedanken dat hij het regelde. John Johnsen bewonderde alles aan Werner. Hij was groot, sterk en rustig. Alles wat hij op dit moment niet was. Ze hadden naast elkaar voor het hoge, smalle raam naar hun dochters staan kijken: Aud en Maike, die op de veranda aan het hinkelen waren. Ze waren trotse vaders. Ze liepen samen de eetzaal in. Aten aan dezelfde tafel. Zeiden even weinig. Hij was nog steeds dezelfde Johnsen van die tijd. Hij zat op zijn bed naar de wand te staren totdat er iets in hem gebeurde en de woede kwam. Die woede vulde hem, stroomde door zijn borst en schoot omhoog als vuur in het koude gezicht. Werner keek hem elke keer even rustig aan wanneer ze hem kwamen ophalen. En hij deed alsof er niets was gebeurd wanneer hij terugkwam. John Johnsen had een beetje gekletst met de dame met de haviksneus. Ze heette Miriam. Ze was vriendelijk. Hij had nu naar Berit Adamsen kunnen gaan, dan had ze het dagboek zelf kunnen lezen. Hij had haar adres. Ze woonde in Majorstua. Maar hij kon maar beter naar Werner gaan. Werner was een reus die op een moment van verstandsverbijstering zijn vrouw uit de weg had geruimd, maar zijn kinderen behandelde hij als breekbaar porselein. Hij had een porseleinen klomp met een blauw geschilderd bloemmotief. Die was voor Maike. Dat had hij verteld toen ze bij het raam stonden, terwijl de zon tussen de bladeren aan de boom schitterde.

*

Marian stopte de auto bij de winkel in Slemdal. Ze moesten boodschappen doen. Op de versafdeling pakte Emmy Hammer een paar lichtgele stukken hartige taart met tomaat en broccoli. In de metalen rand van de vrieskast zag ze een vervormd spiegelbeeld van zichzelf. De wond op haar voorhoofd was ingedroogd tot een roodachtig litteken. Ze vond een ambachtelijke aardappelsalade met maïs en prei, kocht een bakje perziken en een spuitbus met slagroom. Wijn had ze. Ze gingen weer in de auto zitten. 'Wanneer krijg ik mijn mobiele telefoon terug?'

'Zodra ze die hebben gecontroleerd, Emmy. Over een dag ben je vrij,' zei Marian en ze voelde zich onrustig. Zou ze vanaf morgen op de vijfde verdieping bij Erik gaan werken of bleef ze bij Cato op de vierde verdieping tot de zaak was opgelost?

*

Solveig Hammer stond voor het raam in de kamer van Philip, stil achter het lichte gordijn. Het vertrek voelde klein aan, en het geluid van de tv in de woonkamer stond te hard. Er waren geen mensen van de politie meer in de tuin. Er stond geen politieauto voor de ingang geparkeerd. Het afzetlint, dat nog steeds aan de bomen en om het huis was gebonden, was zwaar van de regen. Het hing naar beneden langs de boomstammen. Nu kwam er een witte auto aanrijden, die voor Emmy's woning bleef stilstaan, achter haar Golf. De agente met het Aziatische uiterlijk stapte uit het bestelbusje. Haar boxer sprong er ook uit. Toen kwam hun dochter uit de auto. Het witte haar hing als een aureool rond haar gezicht. Knappe, knappe Emmy. Solveig Hammer voelde een warme rust. Alles zou nu op zijn plek vallen. Er waren dingen die ze niet begreep. Ze kon zich mensen niet meer herinneren wanneer ze hen op straat of in de winkel tegenkwam. Maar ze deed alsof ze het zich kon herinneren en niemand had in de gaten hoe ze eraan toe was. De overweldigende eenzaamheid en de leegte. Nu lag de nevel als chiffon tussen de huizen. En de appels aan de bomen waren verschrompeld.

*

Emmy Hammer keek naar het huis van haar ouders. De gordijnen waren half dichtgetrokken. Er was geen beweging te zien. Philip was teruggereisd naar Krakau. Ze gingen de portierswoning binnen. Haar grijze tas kon tot morgen in de auto blijven staan. Ze had de puf niet om nu te gaan uitpakken. Marian zette het eten in de koelkast. Emmy wilde het witte schilderij afmaken. Daaraan had ze de hele week zitten denken: het witte schilderij. 'Jan heeft dit schilderij trouwens voor de uitvaartonderneming besteld,' zei ze. 'Ik maak het nu af. Acrylverf droogt meteen op en het stinkt niet. Dan kunnen we het morgen naar Vita brengen.'

'Laten we dat maar niet doen, Emmy. Jan Hagg zit nog steeds in voorlopige hechtenis.'

Emmy keek Marian indringend aan. 'Daarom juist. Hij is er immers niet. Dan is het niet gevaarlijk. Zijn vrouw, Ingrid, moet het hebben. Ik ben een volwassen vrouw, jullie kunnen niet alles bepalen.'

Marian keek haar vermoeid aan. 'Het zal niet lang meer duren of je bent weer alleen, Emmy,' zei ze en ze voelde zich onrustig worden. Misschien zou ze doodgeschoten worden, onder een vrachtwagen vermorzeld worden, aan handen en voeten worden vastgebonden en met hetzelfde gereedschap doodgestoken als waarmee Aud Johnsen was vermoord. Dat zou niet haar schuld zijn. Zij volgde gewoon het bevel van Cato op.

*

Ellen meldde dat de laarzen van Jan Hagg mogelijk niet volledig overeenkwamen met de voetafdrukken die ze hadden gevonden voor het raam van Aud Johnsen en bij het terras van Emmy Hammer. Dezelfde maat, maar met een ander profiel, had Ellen laten weten. Hoewel het vaag was, hadden ze nu wel een profiel in de zool kunnen vinden. Daarmee hadden ze niet voldoende bewijs tegen Jan Hagg. Dat neigde naar vrijlating. Ze vonden ook niets over Ole Porat. De mobiel van Cato Isaksen ging. Hij nam op en liep naar het raam van zijn kantoor. Hij keek naar de Grønlandkerk en voelde zich zo verloren dat het overging in lichamelijke pijn. Op 22 juli 2011 had hij op precies dezelfde plek gestaan toen de bom in de regeringswijk was ontploft. Het raam had getrild. De persvoorlichter belde voor een update. Hij sprak op de automatische piloot. 'Er werken nu drieëntwintig rechercheurs aan de zaak, als het nodig is kunnen we er meer mensen op zetten.' Hij herpakte zich en ging verder: 'Alle mensen die verhoord zijn, hebben toestemming gegeven om alle in- en uitgaande telefoongesprekken te controleren en DNA af te nemen. We hebben nog niet overal een antwoord op gekregen. Er zijn ongeveer vierhonderd tips binnengekomen. De verjaringstermijn is opgeheven, want we hebben een nieuw formeel onderzoek ingesteld naar het overlijden van Maike Hagg. Hier moet je de media maar mee voeren.'

John Johnsen betaalde de taxichauffeur met een stapel briefjes en stapte uit op het erf. De lichtbruine hond sprong er onwillig achteraan. Hij keek uit over de weidse akkers, ze waren zwart. Hij vond het moeilijk om Bruff tegen de hond te zeggen, ook al was hij degene die de naam had bedacht. Charles Bruff was de eerste klinisch chemicus van Noorwegen. Hij werd geboren in 1887 en schreef een autobiografie met de titel *Silent Witness*. John Johnsen had er in alle mogelijke antiquariaten naar gezocht en uiteindelijk had hij het werk gevonden.

Werner was verrast dat hij was gekomen. Hij verontschuldigde zich voor de vieze borden op het aanrecht, maar daar had Johnsen geen aandacht voor. Hij hield zijn jas aan, ging op een eetstoel zitten en begon over haat te praten. 'Ik wil gewoon dat je weet wat er in werkelijkheid is gebeurd.' Hij legde de nadruk op 'in werkelijkheid'. 'Wraak wordt sterk onderschat.'

Werner Hagg keek naar hem. 'Ik heb even vastgezeten, maar ze hebben geen bewijzen die tegen mij gebruikt kunnen worden.'

'Dit boek is voor jou.' John Johnsen pakte het uit zijn grote binnenzak. Het was een bibliotheekboek met een plastic omslag. *De Kleine Prins*. Johnsen bladerde erin en las voor: 'Als je van een bloem houdt die op een ster woont, dan is het heerlijk om 's nachts naar de hemel te kijken – dan zijn alle sterren met bloemen versierd. Je mag deze hond van Aud ook hebben,' zei hij en hij gaf hem de riem. 'Hij heet Bruff.'

Werner Hagg had overwogen om een hond te nemen, niet alleen om gezelschap te hebben, maar ook om de kinderen weg te jagen die over het erf liepen. Hij had wel een kennel, maar deze hond wilde hij eigenlijk niet. Hij serveerde een paar plakjes elandenworst en wat droog brood, maar Johnsen stak hem een vaalroze kladblok toe. Werner pakte het aan en schonk voor Johnsen wat brandewijn in een oud glas.

*

Het was donker geworden. Emmy Hammer was nog steeds aan het schilderen. Ze had haar kogelvrije vest uitgedaan en op een stoel gelegd. Marian lag op de bank, ze had het hare nog steeds aan. De portofoon in haar borstzak knetterde. In de broeksband zat haar wapen. Birka zat naar haar te kijken. Emmy legde het penseel neer, liep de gang in en wierp een blik op zichzelf in de spiegel. Ze ging naar de keuken om een fles wijn, een kurkentrekker en twee glazen te halen. Ze zette alles op tafel en liep naar de boekenkast.

Marian ging rechtop zitten, opende de fles wijn, deed het voorzichtig, als iemand die zijn wapen laadt, want diep vanbinnen wist ze dat Emmy haar iets belangrijks over de zaak wilde vertellen.

Het onderste deel van de boekenkast stond helemaal vol met albums. Emmy zat op haar hurken en trok er een uit, opende het en keek naar de kinderfoto's van Philip. *Vier jaar op de fiets*, stond er onder een, *vijf jaar op het kerstfeest van Gaustad*, stond er onder een andere.

'Philip was een knap kind, maar ontzettend kwetsbaar. Moet je hier eens zien,' zei ze tegen Marian, die gaapte en wijn inschonk.

'Kwetsbaarheid kan gevaarlijk zijn,' zei Emmy.

Marian knikte. 'Mijn grote probleem is dat ik niet kan omgaan met kwetsbaarheid. Mijn eigen, oké, maar niet die van anderen. Ik word pisnijdig op kwetsbare mensen.'

'Ik snap dat mechanisme, Marian. Maar ik ben opgegroeid in een evenwichtig gezin met een vader die het meeste wel begreep. Hij is immers psychiater. Ik denk dat het heel belangrijk is om gelukkige ouders te hebben. In de relatie met mijn zoon heb ik daar het hardst aan gewerkt, gelukkig zijn. Kijk eens naar deze kerstfoto.'

Marian gaapte nog eens. Het was duidelijk wie de kerstman bij de boom was: een jongere Carl Hammer.

Emmy sloeg het album dicht. 'Ik kan hier niet alleen zijn.'

'Nee. Je zult een bewaker krijgen, maar ik ben dat niet. De zaak heeft een wending genomen. Dit is mijn laatste nacht. Ik moet terug naar het team. Wil je je laten hypnotiseren? Misschien kun je je iets herinneren.' Ze nam een slok wijn.

Emmy Hammer haalde haar schouders op. '*Why not*,' zei ze verdrietig.

Marian ving haar stemming op. 'Ik heb een pruik bij me,' zei ze en ze haalde hem tevoorschijn, zette hem op en ze zagen allebei het grappige van de situatie in. Ze leken op elkaar als twee druppels water. In het donker zou niemand het verschil kunnen zien. '*Twins*,' zei Marian en ze glimlachte.

'*Twins*.' Emmy schaterde het uit en pakte haar glas. 'Proost,' zei ze en ze nam twee grote slokken.

*

Werner Hagg zat in het kamertje in het vaalroze kladblok te lezen. Het was afgrijselijk. Hij kon zich de bitterzoete geur van zijn dochter herinneren en haar voor zich zien in de gang van de kelder. Hij zat een ogenblik roerloos, waarna hij zich ertoe dwong om aan iets anders te denken: morgen zou hij de dakgoot van de schuur legen. Voordat het begon te vriezen. Hij stond op, balde zijn vuist en sloeg hem tegen de wand. Zijn knokkels gloeiden van de pijn. Er had iets in de brievenbus gezeten toen hij thuiskwam na zijn voorlopige hechtenis, een briefje van Tilde, *lieve opa* en verder wat lieve woorden. De woorden van zijn oudste kleinkind hadden angstgevoelens bij hem opgeroepen, want ze deed hem denken aan Maike. *Lieve opa* kroop steeds verder zijn lichaam in, boorde zich in zijn vlees en bezorgde hem een ziek gevoel. Herinneringen waren niet welkom. Maar nu was Johnsen hier. Met enorm belangrijke informatie. Johnsen was niet de meest frisse persoon, maar ze waren vrienden. En hij had hem de hond gegeven. En hij zou wraak nemen.

Hij liep weer naar de keuken, waar Johnsen en de hond zaten. De twee mannen keken elkaar zwijgend aan. Johnsen kreeg zijn kladblok terug. Werner pakte nog wat meer te eten: brood, boter, een stuk oude kaas die een beetje sterk rook, peper en koffie. Ze praatten over Auds begrafenis. Of liever gezegd: Johnsen praatte erover. De dame met de haviksneus zou hem helpen om er iets moois van te maken, zei Johnsen. 'Miriam heet ze,' zei hij trots. 'Miriam vindt dat ik zachte, paarse bloemen moet kiezen, niet rode. En jij moet komen, Werner. Je bent mijn oudste vriend.'

Het was donker geworden toen Johnsen een taxi belde om naar de stad terug te keren. John Johnsen nam het dagboek onder zijn arm en liep het donker in om daar te wachten. Hij liep schuin over het erf en bleef bij de schuur stilstaan. Bij de hooibrug lagen de harde, platte stelen die de regen in de grond had gedrukt. Werner aanschouwde het vanachter het raam. Het schijnsel van het boek dat Johnsen tussen zijn arm en zijn bovenlichaam drukte, was een roze vierkant in het donker. De hond piepte een beetje en Werner keek hem hulpeloos aan. De auto kwam. De staart van Bruff hing recht naar beneden. Johnsen ging op de achterbank zitten en smeet het portier dicht. De taxi reed van het erf de weg op. De rode achterlichten leken in het donker op signalen van gevaar.

*

Marian gaapte. 'En hoe zit het met vrienden, Emmy?'

'Ik heb er niet zo veel. Daar heb ik geen behoefte aan. Jan is een vriend. Dat klinkt misschien raar, maar zo is het wel.' Ze haalde haar schouders op. 'Ik heb er nooit zo over nagedacht, maar wanneer ik het mezelf nu zo hoor zeggen, realiseer ik me dat ik niet echt veel vrienden heb. Maar het is genoeg voor mij.' Ze stond op en liep naar de keuken om eten te halen.

'Dat geldt eigenlijk ook voor mij,' riep Marian haar na. Ze liet haar schouders zakken. Het geluid van de afwasmachine maakte de sfeer alledaags. 'Ik kom een heel eind met mijn hond.' Ze keek naar Birka, die op de grond lag, en zette het glas op tafel. Ze stond op en liep naar de tuindeur. Haar ogen namen een beweging aan de rand van de tuin waar. Ze dronk uit het wijnglas. Bij de dichtbegroeide dennenbomen rende iets weg. Vast een hond. 'Het komt wel goed, Emmy,' zei ze.

'Zet die pruik nog eens op,' zei Emmy glimlachend. 'En ga weg bij dat raam.'

Vanja liep over het smalle pad van het ziekenhuisterrein. De gebouwen gingen in duisternis gehuld. Er reed een auto van het beveiligingsbedrijf het terrein af. Hij keek omhoog naar de lucht. De Grote Beer was niet te zien. Dezelfde Grote Beer als thuis in Litouwen. Hij liep langs het kleine huis met de hoge pijp en verder langs de grote huizen richting het bos. Het was helemaal stil en duivels koud. Er zat weer regen in de lucht, die weldra zou worden omgetoverd tot sneeuw. En sneeuw maakte sporen zichtbaar. Hij droeg de tas op zijn rug met een hamer en de Glock erin. Hij voelde een beklemming op de borst toen hij over de brug het bos in liep en bleef staan bij het grote witte huis. Voor de ramen hingen dikke gordijnen. Hij liep over het grasveld naar het kleinste huis en liet zijn nagel over zijn zilveren tand glijden. Nu zag hij twee blonde vrouwen door het raam die proostten. Een ervan stond op en trok de gordijnen met een ruk dicht. De regen ging geleidelijk over in sneeuw. De witte draden daar boven in al het zwart kwamen zijdelings omlaag en smolten op de dakpannen. Nu hoorde hij een hond blaffen op de hoofdweg en het geluid kwam dichterbij. Hij was bang voor honden.

*

Emmy Hammer sliep in de slaapkamer. Marian bleef naar het witte schilderij staan kijken. Ze zette de gekke pruik af en deed het geluid van de tv zachter. Dat was het laatste journaal. Ze legde de afstandsbediening op tafel en keek naar de lege borden die op de salontafel stonden met langs de rand een streep opgedroogde saus. Ze liet Birka naar buiten. Het was donker in de tuin. De hond liep een paar rondjes op het grote terrein. Hij blafte driftig en kwam hard grommend teruglopen met opstaande nekharen. Marian legde haar hand op het wapen en liep voorzichtig naar buiten. De rotspartijen in de tuin waren door het vocht begroeid met mos. De bomen en struiken belemmerden een deel van het zicht. Tot hoe laat gingen mensen hardlopen op het pad? In de hoofdwoning waren alle ramen donker. Ze greep de hond vast aan de halsband, trok haar mee naar binnen en gooide de deur dicht. 'Je bent een stadshond, Birka. Kalm maar.' Ze meldde aan Cato dat het allemaal rustig was, maar er kwam geen reactie. De gedachte aan hem voelde ze in haar lichaam. Niet dat ze van hem hield, dat was waarschijnlijk niet zo. Het was eerder een gevoel van onmacht, dat de trein was vertrokken. Ze deed de tv en de lamp uit en ging met haar kleren aan op de bank liggen. Het was doodstil. Lang. Ze was in slaap gevallen, maar heel licht. Nu hoorde ze een geluid, iets wat zacht kraakte en daarna weer ophield. Er was geen beweging in de tuin. Het was ongeveer half een. Ze liep naar de slaapkamerdeur van Emmy en deed hem voorzichtig open. De contouren van Emmy onder de deken lichtten wit op. Ze deed de deur dicht, liep terug naar het woonkamerraam en trok het ene gordijn voorzichtig opzij. In de verte, helemaal rechts achter de struiken, kon ze vaag een dunne, onduidelijke streep waarnemen: de verlichte kerktoren van Riis.

Op het moment dat ik de deur van het Ketelhuis open, zie ik de spin. In de ruimte achterin. Ze – want ik beschouw het dier als een vrouw – balanceert op de rugleuning van de pluchen bank, langs het gebogen glimmende stuk hout. De laatste keer dat ik er was, liep ze over de grote rieten mand die tegen de wand staat. Wat ik kom ophalen ligt op het rek, onderaan op de rand, dus ik hoef niet te zoeken. Ik heb maar weinig tijd. Als spinnen geen geluksbrengers waren, had ik haar vermoord. Met een dodelijk bruin krachtveld om zich heen, spinnend aan een web dat zich als een deken van slechtheid over je heen kan leggen. Ik roep het gevoel van de dikke draden op, die zich in donkere, warme stralen over me heen verspreiden. Ik moet de spin weg krijgen.

Ik weet dat er in een van de smalle laden van de werktafel van de conciërge een bijbel ligt. Kan ik de spin daarmee doodslaan? Dat kan ik niet. Alleen al de gedachte aan al het zachte dat uit het doodgeslagen lichaampje met pantser zal sijpelen, maakt me misselijk. Ik moet haar in een doos of zoiets zien te krijgen en haar dan mee naar buiten nemen. Er staat zo'n ouderwetse metalen kist onder het bed. Die ga ik van boven halen. Hij is leeg. Ik heb hem eerder opengemaakt.

Wanneer ik weer terugkom, zit ze nog steeds op dezelfde plek. Alle individuen willen leven. Het eigen wezen bepaalt het hele bestaan. Hoe groot zijn de hersenen van zulke schepsels eigenlijk? Wat krijgt de spin mee van bewegingen in de ruimte, van de visuele signalen die ik uitstraal? Al het levende is samengesteld uit gecompliceerde processen, die afstemmen, vergelijken, analyseren en het vermogen tot creatieve synthese laten zien. Cellen functioneren op een logische manier, net als letters die worden gecombineerd met zenuwwoorden, die op hun beurt gerangschikt worden tot perceptie. Zo is het: ieder individu is een sensorische specialist, en wij meer gecompliceerde individuen opereren duidelijk met behulp van vernuftige inwendige programma's. Dat weet ik. Daarom ben ik bang voor de spin en daarom is ze bang voor mij. Wij zijn gelijk, wij tweeën. Geen van ons wil deze plek verlaten, maar dat moet ik misschien zo meteen wel doen.

Piet Hagg liep met de scooter aan de hand. Het was heel vroeg in de ochtend, dinsdag 12 november. *De laatste dag.* Hij dacht er op die manier aan, want hij had nu de beslissing genomen. Het was nog maar tien over acht. Grote, losse sneeuwvlokken vielen schuin uit de hemel en langs de toppen van de sparren naar beneden. Op zijn rug droeg hij de tas met het materiaal. Ook wat hij in het schuurtje had gemaakt. Hij was vannacht laat teruggekomen om met Berit te praten. Maar ze lag te slapen, dus hij maakte haar niet wakker. Het was net alsof ze hem in een vacuüm hield. De rook uit de schoorsteenpijp van het vakantiehuisje hing als een sluier achter hem aan. Hij kon zich de geur uit zijn jeugd herinneren: sterk zoet. Die pikzwarte geur die alles kapot had gemaakt: de meubels op afbetaling, de muren, het dak en het geborduurde schilderij. En zijn moeder. Hij kon het niet aan om te denken aan alles wat er was gebeurd. Er lag een lege duisternis over heen. De nachtmerrie.

Een kraai kraste door al het witte. Het geluid spleet het landschap in tweeën. Hij startte de motor en gaf voorzichtig gas. Op sommige plekken moest hij stoppen en de scooter naast zich meetrekken. Dat was geen probleem zolang de sneeuw niet bleef liggen. Hij zigzagde tussen de sleuven. Hij was boos op Berit. Hij was toch een man van negenendertig jaar die niet achterlijk of onbruikbaar was. Hij had veel meer capaciteiten dan zij hem toebedacht. Als ze zijn gedachten had kunnen lezen, had ze begrepen dat hij zowel analytisch als actief was. Eenvoudige beslissingen over de vraag of hij een stoofpotje of pizza zou gaan eten, waren de afgelopen week moeilijker te nemen geweest. Als hij voor het ene koos, vroeg hij zich af of hij niet voor het andere had moeten kiezen. Die ontbrekende besluitvaardigheid droeg bij aan de onrust die bezig was hem kapot te maken. Haar handen konden frambozen veranderen in thee, gelei en jam. Het deed hem pijn tot diep in zijn ruggenmerg. Berit was nu aan het pakken. Ze wilde vanavond naar huis, had ze gezegd. Hij had geprobeerd om haar dat uit het hoofd te praten. Hij had gezegd dat hij alleen wilde zijn in Majorstua. Toen kreeg ze tranen in haar ogen. Ze was zo gek als een deur, dat stond vast. 'Je zult een longontsteking oplopen, Piet,' zei ze voordat ze wegreed. 'Ik heet geen Piet,' had hij geantwoord en hij had haar het liefst uitgescholden.

Hij had gezien hoe de politie die dag in de tuin van Hammer aan het werk was geweest. Berit wist niet dat hij werd gezocht. Het had op de voorpagina van de *VG* gestaan: WAAROM VERANDERDE PIET HAGG ZIJN NAAM? Hij had het koud, ook al had hij zich goed aangekleed en handschoenen aan. Hij kwam in de buurt van Sollihøgda en reed de E16 op. In de berm hing het gras in zware bogen naar beneden. Over de grote appelboomgaarden lag nog steeds een zweem van de witte dag. Hij kende het adres van de uitvaartonderneming uit zijn hoofd. Een aantal keren was hij erlangs gereden en had hij naar de binnenplaats gekeken. Hij had de ingang gezien met de cirkels op de muur en de hoge, ouderwetse ramen op de eerste verdieping met de glazen vlakken in de kozijnen: *Vita* stond er in het wit gedrukt.

*

Marian stond in de keuken van de portierswoning met de kleine portofoon te prutsen die vastzat aan haar borstzakje. Het was droog, maar de lucht was metaalgrijs, het wolkendek hing laag boven de tuin, en het zwarte dak van de hoofdwoning was wit van de rijp. Het was negen uur. Ze was moe. Ze had licht geslapen. Op het aanrecht lag haar legitimatiebewijs aan een koord boven op haar tas. Ze hing hem om haar nek. Ze had de hele nacht de wacht moeten houden, maar toch een beetje gedommeld. Een stem van de Centrale Post Ambulancevervoer zei krakend: 'Rustige nacht hier', en meldde zich af. 'Ontvangen,' zei de politiestem in de meldkamer.

Emmy kwam uit de badkamer. Ze leek wat stilletjes. Marian had vaker kwetsbare vrouwen bewaakt en die waren in de regel dankbaar, maar Emmy was duidelijk boos. De volgende uren besteedde ze aan het afronden van het schilderij. Een terpentinelucht verspreidde zich in de woonkamer. Het doek werd steeds meer bedekt met nuances van lichte kleuren en het leek uiteindelijk op een wolk.

'Ik zie wel dat dit bij een uitvaartonderneming past,' zei Marian en ze maakte de halsband van Birka los. De hond had een paar rondjes door de tuin gerend.

'Kunnen we nu niet het schilderij naar Ingrid brengen? Jan zit immers nog steeds in voorlopige hechtenis.'

‘Nee!’ zei Marian. ‘We moeten hier blijven.’

‘Nee. Nu is het afgelopen. Het is niet mijn schuld dat Aud Johnsen dood is. Nu moeten jullie die moordenaar maar eens zien op te sporen. De onderneming ligt in de Welhavensgate.’

Marian sloeg haar armen over elkaar en keek naar haar. ‘Piet Hagg is nog niet gevonden, Emmy.’ Ze pakte de pruik, die op een stoel was gegooid.

‘Piet is niet gevaarlijk. Hij is de minst gevaarlijke van allemaal. Isaksen hoeft het toch niet te weten, als je daar bang voor bent.’

Marian keek haar aan. Het was ochtend. Licht. Overal mensen. ‘Oké dan,’ zei ze. ‘Snel heen en weer. Doe wel je kogelvrije vest weer aan.’

Emmy kwam terug in een lange broek en een groene trui, waardoor haar gezicht er nog bleker uitzag. Ze deed het vest eroverheen en trok een blauwe donsjas aan. ‘Het schilderij is onderaan nog niet droog, dus we moeten oppassen dat het niet afgeeft.’

Ze droegen het schilderij naar buiten en tilden het in de auto, zoveel mogelijk rechtop. ‘Het begint kouder te worden,’ zei Emmy en ze nam plaats op de passagiersstoel. Solveig Hammer kwam door de tuin aanslenteren. Emmy stapte weer uit en vertelde dat haar schilderij was gekocht door een uitvaartonderneming en dat ze het alleen maar even gingen wegbrengen, dan kwam ze daarna terug. Haar moeder was bleek. ‘Papa slaapt nog,’ zei ze stil. ‘Heb je ontbeten?’

‘We hebben gegeten, mama. Ga maar weer naar binnen, naar papa, dan kom ik straks wel langs.’

Marian zette de hond op de achterbank en gooide de pruik lukraak naar binnen, hij belandde op de grijze tas van Emmy. Het witte bestelbusje reed naar de Trosterudveien en sloeg daar links af.

‘We gaan koffiedrinken bij Hønse-Lovisas hus,’ zei Emmy toen ze langs het Tåsenwinkelcentrum reden. ‘Dat is hier in de buurt. Ik ben dat isolement zat. Ze hebben de beste wafels ter wereld.’

‘Ik ben er wel vaker geweest.’ Marian reed over de rotonde bij de kerk van Sagene en verder rechtdoor. De verflucht hing in de hele auto. Ze keek in de achteruitkijkspiegel, zag niets verdachts en vond een parkeerplaats tegenover het park bij de rivier. Het inparkeren ging bewonderenswaardig goed. Ze glimlachte trots, zette de motor af, en ze stapten uit. ‘Ik probeer Birka mee naar binnen te nemen. Ze zijn hier niet zo streng.’

Ze staken over. Het geruis van de Akerselva klonk boven het verkeerslawaai uit. Ze liepen in de richting van het kleine rode houten gebouw. In de deur zat een grote ouderwetse sleutel.

Marian trok de riem van Birka aan. 'Denk je dat Maike destijds sleutels van de kelder had, Emmy?'

'Dat kan best.' Emmy trok haar jas uit. 'De sleutels hingen in het Ketelhuis. Af en toe vergat de conciërge of Ole om de deur dicht te doen.'

*

Cato Isaksen liet zijn hoofd in zijn handen rusten en keek naar het computerscherm. Er was beloofd dat ze vandaag de uitslag van de DNA-analyses zouden krijgen. De politie had een nieuwe analyse bekendgemaakt. De media smulden ervan. *Noorse politie is afwezig en veel te duur*. De minister van Justitie had ervoor gezorgd dat de hulpdiensten en de meldkamer geen noodoproepen meer per sms konden ontvangen. De districten konden zelf nog niet eens de eenvoudigste zaak oplossen. Hij stond op. Een gevoel maakte dat hij naar het raam liep. Daar beneden stond een vrouw. Ze leek op Bente, maar zij kon het toch niet zijn? Ze draaide zich om en liep snel over het wandelpad tussen de gazons. Het leek Bente wel. Hij liep vlug zijn kantoor uit en door de gang, draaide manisch het koord van zijn legitimatiebewijs om zijn vinger. Toen hij beneden kwam, was ze verdwenen. Vlak nadat hij weer in zijn kantoor was, kreeg hij het bericht.

*

Ze hadden ieder een wafel gegeten en hun koffie opgedronken, waarna ze weer terugliepen naar de auto. Dunne draden regen gingen over in natte sneeuw voordat ze op het asfalt belandden. Er kwam een bericht binnen op Marians telefoon. Het was van Cato: *Jan Hagg zal vrijgelaten worden. De grondslag voor de gevangenneming is komen te vervallen. Hij komt vrij zodra de formele papieren in orde zijn. Ik bel je later.*

Alles rustig hier, antwoordde Marian. Ze was blij iets van hem te horen, maar ze zei niets tegen Emmy over de rechterlijke uitspraak, en ze meldde Cato Isaksen niet dat ze onderweg naar de uitvaartonderneming waren. Het zou nauwelijks tijd kosten. Ze zouden gauw weer terug zijn in de portierswoning.

Marian en Emmy droegen het witte schilderij tussen hen in over de binnenplaats aan de Welhavensgate. Rondom stonden mooie, oude gebouwen. Ze liepen snel, zodat het schilderij niet nat zou worden. De eerste transparante sneeuw lag als een stuk doorzichtige stof over het asfalt. Een luid gebrom kwam naar buiten door een uitwendig ventilatiesysteem; een buis vastgemaakt aan de stenen muur. De hond zat in de auto. De deur was gelukkig open. Emmy hield hem tegen met haar hak. Marian liep achter haar aan. Ze had de strips uit haar tas gepakt en in haar zak gestopt. De hal was leeg. De lift was beneden, maar het doek was te groot, dus ze moesten de brede trap met gedraaide leuning en zwarte en witte treden nemen. Marian steunde met haar ene hand tegen de muur en liep achteruit tree voor tree de trap op. Ze had witte verf op haar vingertoppen gekregen. *Vita* stond er op de brede, ouderwetse deur met de twee ruiten matglas op de eerste verdieping. Die stond ook open en ze kwamen in een soort foyer. De deur viel achter hen dicht. Ze zetten het schilderij voorzichtig op de vloer.

'Hallo!' riep Emmy Hammer, maar niemand antwoordde. Het rook er zoet en schoon, en het voelde merkwaardig warm. Het plafond was gestuukt. Er hing een kroonluchter boven de tafel bij de bank. In een vaas stonden verwelkte bloemen. Twee ronde zwarte leren stoelen stonden met de rugleuning naar de ruimte gekeerd. Ze schoven het schilderij tegen de stoelen aan en keken de kleine gang met drie deuren in; twee stonden half open naar de kantoren met bureaus.

De wanden waren beige en kaal, afgezien van een ingelijste poster tussen twee deuren. Die deed Marian aan iets denken. Aan de tijd van voordat ze naar Noorwegen kwam: bomen, mild groen buiten het raam, zoals ze alleen maar in het vroege voorjaar zijn. De middagzon die de schaduwen over de vloer in een grote zaal bewoog. Veel mensen. Eenzaamheid. Angst. Het kindertehuis.

'Hallo!' riep Marian nog een keer. Aan de kapstok hing een jas. Eronder stond een paar herenschoenen. 'Hier mag eigenlijk niemand komen. Er hangt een post-it op die deur daar.' Emmy liep ernaartoe. Ze las hardop: '*Hé jongens. Ik ga Jan ophalen. Hij komt nu vrij. De kist is klaar, haal hem maar uit de ruimte voor het kistenmagazijn. Hij moet naar de kerk van Fagerborg.*'

Ze draaide zich snel om naar Marian. 'Komt Jan nu vrij?'

'Ja, hij wordt vandaag vrijgelaten. De grondslag voor de gevangenneming is komen te vervallen.' Marian veegde haar vingertoppen af aan een vel papier dat ze in een prullenbak vond. 'Zullen we het schilderij hier laten staan? Ze vinden het wel wanneer ze komen. We gaan ervandoor.'

Emmy opende de deur met het gele briefje erop. De ramen in de kamer waren mat. Het was een werkruimte met een stalen aanrecht, planken met flessen en een stalen tafel met gereedschappen en een krukje van hetzelfde materiaal dat omhoog en omlaag kon, zoals een tandartsstoel. Er stond een grenen kist op een verrijdbare tafel. Klaar om opgehaald te worden. Ze liep door het vertrek en ontdekte dat daar nóg een ruimte was. Ze keek naar binnen. Het was een kistenmagazijn zonder ramen. De glimmende linoleumvloer was grijs. Op een stalen deur hing een bordje: KOELRUIMTE.

'Kom nou!' riep Marian.

Emmy opende de zware stalen deur en keek naar binnen. Er hingen planken en er brandde een spierwit licht. Er lag een dode vrouw. Haar huid leek op die van een varken, hij was opgezwollen en glanzend. Het lichaam was voor de helft bedekt met een wit laken. Ze deed de deur dicht en liep terug naar Marian. 'Er ligt een dode in de koelruimte, Marian. Ik vind het gewoon wel leuk om te zien waar Jan werkt. Mijn vader zou het niet prettig vinden dat hij dit schilderij krijgt.' Ze glimlachte vlugjes. 'Hij wil niet dat ik met mensen omga uit de Gaustad-tijd. Uitvaartondernemingen zijn vast niets voor hem. Hij beschouwt het ongetwijfeld als iets wat niet te genezen valt: sterven.' Ze glimlachte.

'Dat is toch ook zo.' Marian keek naar haar. Er was iets bijzonders aan de manier waarop ze over haar vader praatte. Een soort trots. 'Weet je zeker dat Jan Hagg niet de vader van je zoon is, Emmy?'

'Daar heb ik toch nee op gezegd. Stel je voor dat Ingrid je had gehoord.'

'Ingrid is hier toch niet. Er is hier niemand.' Marian spreidde haar armen. 'Ik heb het gevoel dat je iets voor me verzwijgt.' Ze gooide de leren jas over een van de lichte stoelen en trok de hoodie beter over het wapen in de broeksband. Door het dragen was de trui omhoog gekropen. Ze hoorde buiten een geluid en liep naar een van de hoge ramen en keek boven het bevroren glas waarop *Vita* stond uit het raam. Birka lag netjes op de achterbank van de auto. 'Dag gaan we maar,' zei ze afwezig. Want er gebeurde iets. Een Vespa reed de poort binnen en parkeerde naast het bestelbusje.

De man schoof het vizier omhoog, deed zijn helm af en woelde met zijn handen door zijn bruine haar. Hij had een rond gezicht en warrige, in elkaar overlopende wenkbrauwen. Toen zette hij zijn vervoermiddel op de standaard en stapte af. Hij had een beige, ouderwetse donsjas aan en zwarte legerlaarzen aan zijn voeten. Op zijn rug droeg hij een tas.

Marian zag dat Birka op de achterbank stond en naar de man blafte.

'Wat is er, Marian?' Emmy kwam naar het raam.

De man deed de tas af, zette hem op het zadel en haalde er iets bruins uit, iets waarvan ze niet kon zien wat het was. Emmy stond vlak naast haar, Marian voelde haar adem tegen haar wang.

Op datzelfde moment kreeg Marian een vaag gevoel, iets wat ze niet had moeten vergeten. Iets wat haar hersenen niet aan haar geheugen konden koppelen. Toen zei Emmy hardop: 'O, dat is Piet. Het is een eeuwigheid geleden dat ik hem heb gezien. Wat heeft hij in zijn hand?'

Marian staarde naar de man, die iets onder zijn jas verborg. Hij draaide zich om naar het gebouw en keek omhoog. Ze trok zich snel terug en duwde Emmy opzij. 'Is dat Piet Hagg? Weet je het zeker, Emmy?'

'Heel zeker. Maike en hij leken heel veel op elkaar, maar ze waren niet zo knap als Jan.' Emmy Hammer hield haar adem even in. 'Dat is Piet Hagg. Had hij een wapen?'

*

De stadslucht was vochtig van de uitlaatgassen. Bij het in- en uitademen ontstond er een ijle damp. Piet keek naar de auto's die op de binnenplaats stonden geparkeerd, in een wit bestelbusje zat een hond op de achterbank. De natte sneeuw smolt zodra de grijze vlokken op het asfalt landden. De hond keek hem aan en blafte fel. Hij keek weer omhoog naar de ramen van de uitvaartonderneming. Hij was hier eerder geweest. Een paar keer. Hij had zijn broer daar boven heen en weer zien lopen. Hij kon overkomen als een vijand. Piet had lange tijd een intens gevoel van razernij ervaren, maar nu was dat voorbij. Hij moest actie ondernemen. Hij liep over de binnenplaats in de richting van de deur.

*

Plotseling kwam er een suizend geluid uit de liftschacht. Het ging allemaal heel snel. Marian voelde een ijzige angst. Ze hadden op de Trosterudveien moeten blijven. Emmy Hammer trok de deur met de gele post-it open. 'We verstoppen ons in het kistenmagazijn achter de werkruimte.'

Terwijl ze daarnaartoe liepen hoorde Marian achter zich een zacht vallend geluid. Ze draaide zich snel om en zag haar jas van de stoel af glijden. In de ene zak zat de portofoon, in de andere haar mobiele telefoon. Die stond op stil. Ze hoorden stappen bij de deur. Ze liepen langs de tafel met de kist het magazijn in, waar de witte kisten op elkaar naar grootte langs de wanden stonden gestapeld. In het midden van de wand zat een stalen deur. Piet Hagg was duidelijk in de foyer. Marian trok de deur zacht achter hen dicht en wierp snel een blik op de kist van onbehandeld hout, die midden in de ruimte op een verrijdbare, stalen tafel stond. Ze zag dat er een papier aan de zijkant van het deksel hing.

Emmy fluisterde: 'Daar is een bezemkast, een heel kleine, helemaal in de hoek. Is hij gevaarlijk? Is Piet gevaarlijk?'

Marian voelde haar hartslag door haar hele lichaam. Ze trok de kastdeur open. Er stonden enkele emmers in elkaar gestapeld en lange bezems langs de wand. 'De kast in!' zei ze commanderend. Ze gingen allebei naar binnen. Op een plank hoog bovenin stonden flessen en dozen, en er lag een stapel doeken en slordige hoezen om over de stelen in de hoek te trekken. 'Ga zitten,' fluisterde Marian en ze trok de kastdeur dicht. 'Ik ben bewapend, Emmy.' Ze trok het wapen uit haar broeksband.

*

Cato Isaksen liep naar de koffiemachine. Irmelin had er net nieuwe capsules in gedaan. Hij maakte twee kopjes en liep naar zijn collega.

Roger Høibakk wreef moe over zijn voorhoofd. 'Ik denk dat het winter wordt.' Hij veegde de sneeuw van zijn schouders. Cato Isaksen reikte hem een kop koffie aan. 'De vingerafdrukken of het DNA van Ole Porat zijn niet aangetroffen op het materiaal van de plaats delict. Over een paar uur komt het antwoord of Porat of Hagg de vader van Philip Hammer is. Philip Hammer leek niet op een geneeskundestudent, eerder op een rijke knul die dol is op een feestje.'

'Hoe ziet een geneeskundestudent er dan uit, Cato?' Hij gaf zelf antwoord: 'Als een jonge Ole Porat eigenlijk.'

'Ik snap er niets van dat ze Werner Hagg hebben vrijgelaten. Hij heeft toch zelf toegegeven dat hij er op de avond van Halloween naartoe is gereden. Zijn vingerafdrukken zijn gevonden op de deurbel van Aud Johnsen en zijn auto is te zien op de bewakingsvideo, maar de persoon met het duivelsmasker helemaal aan de zijkant hebben we niet kunnen identificeren. Hij ging daarna naar de Trosterudvei en om met Emmy Hammer te praten. Waarom dit niet voldoende is om hem vast te houden, begrijp ik niet. We moeten bezwaar aantekenen.'

'En nu wordt Jan Hagg ook nog vrijgelaten. Piet Hagg is op vrije voeten. De drie Hagg-mannen.'

Roger nam een slok koffie. 'Er is een uitgebreid onderzoek uitgevoerd waarbij ze een bijzondere agressieproteïne denken te kunnen aantonen bij criminelen.'

'Oninteressant,' zei Cato Isaksen moe. 'Een goede misdadiger is iemand die zijn eigen beperkingen kent.' Hij hoorde zelf hoe vermoeid hij klonk.

'Een forensisch psychiater en een onderzoeker verbonden aan het universitair medisch centrum in Akershus hebben bloedmonsters verzameld van gevangenen in de Ila-gevangenis.'

'Hou toch op, Roger. Moeten we Jan Hagg, Werner Hagg, John Johnsen, Piet Hagg alias Per Hansen, Ole Porat, Norma Winther, Philip Hammer en Berit Adamsen bloedmonsters gaan afnemen om dat te gaan controleren of zo?'

Roger slurpte de koffie op. 'Maar het is toch donders interessant dat bepaalde typen mensen blijkbaar kandidaten zijn die hieraan voldoen? De agressievelingen onderscheiden zich duidelijk van de anderen. Sommigen zijn experts in het verbergen van wie ze zijn, komen beheerst en rustig over.'

'Nu gaat het er vooral om Piet Hagg te pakken te krijgen,' zei Cato Isaksen.

*

Ze zaten op de vloer met hun knieën tegen elkaar aan in het donker en zagen het sleutelgat hoog boven zich, als een geel dierenoog. Ze luisterden. De donsjas van Emmy nam veel ruimte in. Het stonk er naar terpentine. Marian voelde de kou van achteren, die verspreidde zich over haar rug, helemaal tot in haar nek. Maar door de angst verschenen er zweetparels langs haar haargrens. Ze kneep haar ogen dicht om het prikkende zweet weg te knipperen en hield het wapen in haar handen stevig vast. Ze overwoog of ze op moest staan, de deur open moest gooien, het wapen op Piet Hagg richten en hem dwingen op de vloer te gaan liggen. Maar ze voelde zich verlamd, alsof ze besmet was geraakt met de angst van Emmy. Piet Hagg was een gevaarlijke moordenaar. Hij was bewapend. Aud Johnsen was in koelen bloede en gehaast uit de weg geruimd. Als hij maar niet ontdekte dat ze hier waren, als hij maar gewoon weer wegging, dan zou ze zich meteen melden via de portofoon.

*

'Jij moet mij toch beschermen,' fluisterde Emmy met trillende stem. De aanblik van Piet had slechte herinneringen in haar losgemaakt. In alle groepen was het zo, iemand moest de zwakste zijn. Toen Emmy bedacht had dat Maike wormen had en de terpentineolie had gepakt die ze haar vervolgens hadden gegeven, had Piet haar slechtheid doorzien. Piet beschermde zijn zusje. Hij droeg altijd een mes bij zich, realiseerde ze zich nu. Hij ontleedde namelijk insecten. Ze dacht aan het vogelnest in de glazen vitrine in de hal van Gaustad. De vogel zag er levend uit, maar was al decennialang dood en zou er altijd zo uit blijven zien. Die vogel was het symbool van alles. Hoe bang kon je eigenlijk worden?

Er klonk een geluid. Marian voelde plotseling elke hartslag in haar slapen. Ze vervloekte zichzelf. Ze had haar jas met de portofoon en haar mobiele telefoon in de hal laten liggen. Dat je zo onprofessioneel kon zijn.

Emmy Hammer hield zich even stil, toen fluisterde ze met een droge, krakende stem: 'Ik ben bang. Nu komt hij. Hij doet nu de deur van het kistenmagazijn open.'

De sneeuwvlokken probeerden vat te krijgen op het lichtgroene dak van de kerktoren van Fagerborg. Norma Winther stond in de deuropening. De auto's waren naar de achterdeur gereden, er waren bezorgers met bloemen en kransen in grote dozen gekomen. Het was belangrijk om alles netjes neer te zetten, Lilly hielp Ingrid Hagg ermee. Ze droeg grote groene rubberlaarzen. Het sneeuwde zo hard dat de lucht grijs leek, als een dichte deken. De sneeuw bleef in de struiken en bomen om het parkeerterrein hangen, maar de vlokken smolten wanneer ze op de grond kwamen. Norma Winther ging naar binnen en legde het condoleanceboek op het tafeltje in de hal klaar. Ze zette er een foto van de overledene bij, een oudere vrouw met gepermanent haar. Nu ontbrak alleen de kist nog. De jongens waren onderweg om hem op te halen bij uitvaartonderneming Vita. Ingrid Hagg kwam aanlopen met een vaas met witte bloemen met kopergroene bladeren. Ze leek wat afwezig en dat was niet zo vreemd, want ze zou hierna haar man ophalen na zijn voorlopige hechtenis. Norma Winther liep door het middenpad, naar haar kantoor. Ze moest zich omkleden en zich concentreren voordat de ceremonie over een uur zou beginnen.

*

Op het Hoofdbureau van Politie namen Cato Isaksen en Roger Høibakk alle documenten van de zaak door. Cato keek door de glazen wand naar het kantoor van Irmelin Quist, die zich over een aantal papieren boog. Haar witgrijze haar zat netjes. Hij stond op en deed de jaloezieën naar de gang dicht. Hij kon het plotseling niet meer aan om haar te zien. Hij ging weer zitten en keek naar Roger Høibakk. 'Wanneer deze zaak is opgelost, ga ik weg,' zei hij. 'Een lange tijd. Misschien kom ik niet meer terug.'

'Je laat me wel schrikken, Cato. Ik maak me verdorie zorgen om je. Heb je Bente gesproken?'

'Ja, maar ze wil niet meer praten.' Hij pakte een pen. 'Ik heb al moeite om op de been te blijven. Ik heb nagedacht over wat je zei over vrouwen. Hoe zit het met de moeders?' Hij sloeg met zijn pen tegen de rand van de tafel.

'Welke moeders?' Roger keek naar hem. 'Ik heb niets over moeders gehoord.'

'Dat is het nou net. Ze zijn afwezig. Het universum van Gaustad bestond uit de patiënten en de kinderen. En de patiënten waren mannen. Dat van die wurggreep en de snede bij de sinus caroticus, zoals in het sectierapport van Aud Johnsen staat, zegt dat de moord professioneel is uitgevoerd.'

'Ole Porat is arts,' zei Cato Isaksen. 'Philip Hammer is geneeskundestudent. Jan Hagg werkt met dode mensen. Werner Hagg weet alles over gereedschappen, aangezien hij kisten maakt. En die predikant, wat is er met haar?' Hij antwoordde zelf: 'Niets waarschijnlijk. Piet Hagg alias Per Hansen. Hij droeg altijd een mes bij zich, en Berit Adamsen was verpleegster. We gaan naar Majorstua.' Hij sloeg met zijn handen op tafel. 'Berit Adamsen is een aanknopingspunt.'

'Nu?' Roger keek hem moe aan. 'Waarom?'

'Ik wil in haar appartement rondkijken.' Hij stond op. 'Ze is een persona non grata, zei Hammer.'

'Wat bedoel je daarmee?' Roger schoof zijn stoel naar achteren.

Cato gaf geen antwoord. Hij pakte gewoon zijn jas en zwaaide die over zijn schouder. Berit Adamsen was op de hoogte van alles wat er gebeurde. Ze had controle over de archieven. Marian was op de Trosterudveien om Emmy Hammer te bewaken. Ze had gezegd dat Berit Adamsen zo'n dame was die met de lichten uit in de keuken zat. In het donker. Elke avond. 'Ze kan iets hebben weggehaald uit de archiefkelder op de dag dat Maike Hagg overleed, wat dan ook. Ik weet het niet, maar ik heb het gevoel... dat met die vrouwen. We nemen Randi mee. Er is iets wat we over het hoofd zien, Roger. Een zijspoor. Wie schoot er op Emmy Hammer in de tuin? Wie verstopte zich in de piste?'

*

Ze hoorden kalme passen dichterbij komen, die voor de deur van de bezemkast stil bleven staan. Hij was in de koelruimte geweest. De stalen deur kraakte toen hij hem opende en daarna weer dichtdeed. Nu werd het sleutelgat een moment bedekt door het donker. Stilte. En gezucht. Het duurde lang. Ze kropen nog dichter tegen elkaar aan. Marian hield haar ogen op de deurklink gericht voor zover die zichtbaar was in het licht van het sleutelgat. Ze voelde de ademhaling van Emmy tegen haar wang. Zelf had ze piepkleine afdrukken van haar tanden in haar lippen staan. Ze beet altijd in haar lippen wanneer ze bang was. De stilte duurde maar voort, maar plotseling hoorden ze stemmen, meerdere. Nog twee mannen. Ze praatten met Piet. Iets over een afspraak met Ingrid. Toen hoorden ze wat metaal rammelen. Ze namen de kist op de verrijdbare tafel mee en duwden hem over de drempel. Marian stond op. Moesten ze nu naar buiten komen? Maar voordat ze een beslissing kon nemen, werd het weer helemaal stil. Misschien had ze het verkeerd gehoord?

Emmy zat nog steeds op de vloer. Marian drukte het licht van haar digitale horloge in. Ze hadden hier nu een kwartier gezeten. Er viel plotseling een doek van de plank hoog boven hen naar beneden. Even leek het op een spook in vrije val. Snel pakte ze de doek op en legde hem weer op de plank. Ze begrepen allebei dat het geen gewone doek was, maar een die je over het gezicht van een overledene legt om het toe te dekken. Er klonk een luide snik uit de mond van Emmy Hammer.

'Doe eens rustig, Emmy!' Marian fluisterde. 'Sta op! Hou je mond en wees stil. We blijven hier nog even.'

'Ik moet eruit. Jij hebt geen kinderen. Je begrijpt het niet. Ik word gek,' fluisterde Emmy Hammer.

'Ik heb een hond.' De woorden ontglipten Marian. Tegelijkertijd voelde ze hoe een zwart vlak zich achter haar ogen uitbreidde. Ze had niets. Alleen het wapen dat ze fijnkneep in haar hand.

*

Plotseling zag Norma Winther Piet Hagg. Ze herkende hem meteen. Hij was niets veranderd. De jongen met het bruine haar was verdwenen en vervangen door deze man met de felle blik. Hij stond bij de kerkdeur, enigszins weifelend, alsof hij niet zeker wist of hij de kerk binnen moest gaan of dat hij beter kon vertrekken. Hij droeg een helm onder zijn ene arm en zijn jas was nat van de sneeuw. Hij werd gezocht. Dat wist iedereen. Ze keek naar hem, maar ze richtte haar ogen snel ergens anders op. De jongens reden de kist naar binnen. De geur van de bloemen was veel te zoet en week. Norma Winther liep naar Ingrid Hagg, die op haar hurken de kransen netjes neerlegde. 'Je zwager is hier.'

Ingrid stond meteen op en draaide zich om. Ze haalde vlug een hand door haar korte blonde haar en liep snel naar Piet. Norma moest met haar verhaal dat ze straks zou gaan houden rust en troost bieden, maar de dood, wat was daar eigenlijk voor goeds aan, behalve dat hij iedereen zal inhalen, groot en klein, schurk en engel, de mensen die willen loslaten en de mensen die niet willen loslaten. De dood was een straf, maar het kon ook een bevrijding zijn. De mensen hadden geen idee wat voor onbehagen een predikant kon voelen. Ze zag dat Ingrid Piet een hand gaf. Ze begroette hem beleefd, alsof het een onbekende was. Dat was hij misschien ook wel. Toen ze een keer moest voorgaan in een begrafenis van een baby, was ze verlamd door verdriet. De aarde was modderig, de ouders stonden onder een paraplu met de armen om elkaar heen, gedoemd tot een voor eeuwig kapotgemaakt leven. Norma was gaan huilen. Predikanten mochten niet huilen. Predikanten moesten veiligheid bieden, uitdragen dat de dood vrede is. Ze had hun de rug toegekeerd en was teruggerend naar de kerk. Die gebeurtenis was onvergeeflijk. Dat had ze ook gevoeld toen ze voorging in de begrafenis van Maike. Piet Hagg stond op en liep de kerk uit. Ingrid liep achter hem aan, maar ze kwam weer terug. Norma voelde hoe alles zwart werd. Misschien moest ze binnenkort maar op reis gaan. Samen met Lilly. Lilly Hausmann klapte de katafalk in en droeg hem naar de auto. Ze bracht ook de kandelaars, de bloemenvazen en de rekken die ze niet meer nodig hadden naar buiten. Norma keek naar haar. Haar bewegingen waren snel en sterk. Ze had rondgereisd in Europa en kathedralen bezocht. Ze had alleen gereisd, maar haar leven was nu veranderd. Ze zou uit de pastorie moeten verhuizen. Eerlijk zijn, zich laten uitschrijven bij de predikantenbond. Naar een klein appartement verhuizen. Maar de witte pastorie zou haar blijven achtervolgen. Alsof het huis haar boven het hoofd was gegroeid. Ze droeg het op haar rug, als een slakkenhuis.

*

Het was lange tijd stil geweest. Marian stond met het zweet in haar handen. Het wapen was glad geworden. Ze deed de deur op een kier en keek naar buiten. Ze keek recht in een halfopen kast met verschillende soorten urnen. Die deur was eerder dicht geweest. De kist op de verrijdbare tafel was weg, maar was Piet Hagg hier nog steeds? Misschien stond hij te wachten? De deur naar de werkruimte stond op een kier. Ze boog haar knieën en hield haar armen omhoog, hield beide handen stevig om het wapen. Hij kon zich schuilhouden in een van de kantoren. Misschien had hij haar jas achter de stoel gevonden? Ze liep zachtjes naar buiten, hoorde dat Emmy achter haar aan liep. De deur naar de foyer was iets open. Ze zag dat de jas nog op dezelfde plek lag, verborgen achter het schilderij, dat tegen de rugleuningen van de stoelen leunde.

Zo stond ze even, waarna ze overeind kwam en het wapen in haar broeksband stopte. Ze liep snel naar de deur en draaide hem op slot. 'Rustig, Emmy. Hij is weg. We moeten hiervandaan zien te komen.' Ze liep naar het raam en keek uit op de binnenplaats. De Vespa was weg. Ze voelde dat Emmy vlak achter haar stond. 'Piet is geen frisse man,' zei die. 'Heb je weleens gehoord van goedaardig masochisme? Hij vond het fijn om insecten te vermoorden.'

Marian gaf geen antwoord, draaide zich gewoon om en liep langs het schilderij de kleine gang in. De deuren van de twee kantoren stonden nu helemaal open.

Emmy kwam achter haar aan lopen. 'Dat is wanneer je er plezier aan beleeft om negatieve gevoelens te hebben. Om je bloot te stellen aan gematigde gevaren. Zo was Piet. Dat kan ik me nog herinneren.'

Marian liep naar het kantoor dat van Jan Hagg moest zijn. Het was een mannelijk kantoor. Het zwakke gele schijnsel van de tafellamp, die nu brandde, lag in een cirkel over het tafelblad. Er hingen een paar krantenknipsels en een paar witte briefjes op een prikbord van donker hout achter het bureau. Marian bleef even op de drempel staan. Een ordelijk man, dacht ze. Er lag geen enkel papier op het bureau. Ze liet haar blik over de krantenknipsels op het bord glijden, een glimlachende persoon in een donkere, kleine ruimte, maar wat ze zag hangen aan de muur bleef niet hangen in haar bewustzijn. Ze liep verder.

Emmy bekeek haar nieuwsgierig. 'Heeft Piet Hagg naar iets gezocht, denk je?'

'Het ziet er hier heel netjes uit.' Marian keek naar een ingelijst diploma, dat bevestigde dat Jan Hagg de een of andere ridderorde had gekregen. Op de vloer achter het bureau stond een kartonnen doos. Die was duidelijk geopend, maar het dikke touw was weer op zijn plek vastgemaakt. Ze trok de doos naar het midden van het kantoor en haalde het touw weg, ging op haar hurken zitten en haalde alles een voor een eruit: een plastic pop met een gat in het hoofd, een paar kleine ronde stenen en een speelgoedpistool.

Ze reden in twee auto's. Randi en Roger samen. Cato Isaksen reed alleen. De sneeuw plakte tegen de voorruit. De ruitenwissers stonden op de hoogste stand. De sneeuwvlokken deden hun uiterste best om het asfalt te bedekken. Ze parkeerden de auto's een blok verderop en liepen samen naar het appartementencomplex waar Berit Adamsen woonde. 'De ramen zijn donker, zoals altijd,' zei Randi. Hoewel het midden op de dag was en misschien helemaal niet logisch om het licht aan te hebben. Het was één uur.

'We bellen aan,' zei Roger.

'Als ze thuis is, nemen we haar mee,' zei Cato Isaksen. 'Als ze niet thuis is, moeten we sowieso binnen zien te komen.'

Er deed niemand open. De rechercheurs konden in de portiek komen door bij iemand aan te bellen die de deur voor hen opende. Door de kier van de brievenbus zagen ze dat hij geleegd was. Ze bleven voor de deur van Berit Adamsen staan luisteren. Ze belden nog een keer aan. Randi voelde aan de deur. Hij zat op slot.

*

Emmy's adem stokte. 'Piet moet die kinderspullen hebben gevonden. Dat is de pop van Maike, de stenen van Jan en het speelgoedpistool van Piet,' fluisterde ze.

Marian dacht een moment aan zichzelf. Hoe ze als klein meisje had gespeeld dat ze een rockster was. Kinderen waren er dol op om op iemand anders te lijken. Ze voelde een steek in haar borstkas toen ze het andere kantoor binnenliep en naar de ladekast tussen de twee ramen. Emmy bleef nog een tijdje in het kantoor van Jan Hagg staan, waarna ze achter haar aan kwam. Marian pakte dingen uit de laden. Het wapen lag op het tafelblad. 'Wacht maar even in de foyer,' zei ze tegen Emmy. 'Ik ben zo klaar.'

'Maar hoelang gaat dat duren? Ik wil hier graag weg.'

'Geef me een paar minuten.' Marian trok de onderste la uit en leegde de inhoud ervan op het tafelblad. De technici hadden deze vertrekken doorzocht, maar misschien iets over het hoofd gezien. Pijlsnel nam ze de papieren door, legde ze terug en trok de volgende la uit. Haar onderbewustzijn werkte op volle toeren. Haar hersenen hadden iets in het kantoor van Jan Hagg geregistreerd, maar ze kon haar gedachten moeilijk op een rijtje houden, omdat ze moest opschieten met snuffelen; er zou iemand kunnen komen. Ze trok een kastdeur open.

*

Lilly Hausmann nam plaats in de auto van Norma. Ze moest naar de uitvaartonderneming om alles terug te brengen. Ingrid Hagg had haar de sleutel gegeven. Ze leek erg onder de indruk van de ontmoeting met de man met de helm. Nu moest ze haar man uit het gerechtsgebouw ophalen.

*

'Jij hebt Marian en mij geleerd hoe je deuren moet openen, Cato.' Randi frummelde aan iets in de zak van haar leren jas. Het was een bosje met lopers. Cato Isaksen voelde zijn irritatie toenemen. Dit zou tijd gaan kosten. Roger kreeg een sms en trok zich een beetje terug. Randi hield haar oor even tegen de deur, waarna ze aan de slag ging.

De deur ging met een klikje open. Het was sneller gegaan dan Cato had gedacht. Randi duwde hem helemaal open en ze liepen de smalle hal binnen. De geur kwam hun meteen tegemoet. Iets wat deed denken aan een lijkengeur. Ze wierpen elkaar een snelle blik toe. De vloerplanken kraakten onder hun voeten. Cato Isaksen deed een lamp aan die op de ladekast in de gang stond. De onderste la zat niet helemaal dicht. Er lag een stapel ongeopende brieven op. Een vleug van iets verrots kwam uit de keuken. Er stond wasmiddel op de tafel en de deur naar een soort voorraadkast stond half open. Er liepen een paar bruine diertjes langs de plint. De vuilnisbak was leeg, maar er lag bruinrood sap op de bodem van een emmer. Dat was duidelijk de oorzaak van de stank.

*

Emmy zat op de leren bank. Ze verplaatste het schilderij, zodat het steviger tegen de rugleuningen van de stoelen stond.

Haar hersenen kraakten, maar het net van gedachtespinsels kon geen geheel vormen en haar het gevaar doen inzien, want plotseling kwam de lift weer in beweging. Ze stond op. 'Er komt iemand, Marian.' Ze rende naar haar toe. Marian greep het wapen, dat op het bureau lag, stopte het weer in haar broeksband en keek haar bang aan. Emmy was bleker dan ze zonet was geweest. Het bureau lag vol met papieren. 'Terug naar de bezemkast, Emmy!' schreeuwde ze.

*

Er kwam een sms binnen. Cato Isaksen keek ernaar. Hij kwam van Norma Winther: *Piet Hagg was zojuist bij de kerk. Ik weet niet of hij nog buiten is. Hij reed op een witte Vespa. Hij droeg een beige donsjas en een bruine broek, aan zijn voeten had hij zwarte legerlaarzen en hij had een witte helm op. Ik heb een begrafenis die nu begint.* Cato Isaksen probeerde haar meteen te bellen, maar ze had haar mobiele telefoon uitgeschakeld. 'We moeten ons naar de kerk van Fagerborg haasten,' riep hij naar de twee anderen. Roger reed. Randi was in de portiek van Berit Adamsen achtergebleven. Met de deur naar het appartement op een kier. Ze moest zich melden zodra Berit Adamsen kwam. Cato Isaksen voelde hoe de kou zich door zijn lichaam verspreidde. 'Waarom heeft Piet Hagg in hemelsnaam de predikant opgezocht? Wat had Jan Hagg tijdens het eerste verhoor over zijn broer Piet gezegd? *Het was goed om afstand te nemen. Ik weet dat het een fout antwoord is, maar het is de waarheid.*'

'Ik wil dat Piet Hagg naar de verhoorkamer wordt gebracht. En ik zal de waarheid uit hem slaan. Ik zal ervoor zorgen dat hij breekt.'

'Doe eens rustig, Cato.' Roger keek naar links en scheurde over de Bogstadveien. Het blauwe zwaailicht op het dak doorkliefde de vroege middagduisternis. 'Als je instort, lossen we de zaak nooit op. Er is een rapport van tweehonderd pagina's verschenen over verhoormethoden. De problemen met valse bekentenissen...'

'Hou je bek, Roger.'

'De verhoorder moet neutraal zijn. En we hebben hem nog niet, Cato.'

'Dat geloof je toch zeker zelf niet, Roger. Dat leugenaars opzij kijken wanneer ze praten en dat soort onzin. Het is net als met sport voor kinderen: meedoen is belangrijker dan winnen.'

Lilly Hausmann stond in de lift met de twee zware messing kandelaars die ze niet nodig hadden tijdens de ceremonie. De stalen deuren schoven opzij en ze begaf zich naar de deur van Vita, zette een van de kandelaars op de vloer, ging op de tast op zoek naar de sleutel in de zak van de paarse mantel en stopte hem in het slot. Ze droeg groene rubberlaarzen. De natte sneeuw gleed ervanaf. Binnen was het warm. Er stond een groot schilderij in de hal. Er lag een zwarte leren jas achter een van de stoelen. Ze stond stil en luisterde. Ze keek in het kantoor van Jan. Daar stond een open kartonnen doos op de vloer. In het andere kantoor lagen papieren verspreid over het bureau. Was hier iemand? Ze kreeg een gevoel. Begon het koud te krijgen. Ze moest een beetje om zichzelf lachen. Ze had geleerd hoe ze zichzelf moest verdedigen, alsof dat hier aan de orde was. Ze was niet in een of ander donker achterafstraatje, maar in het bedrijf van Jan en Ingrid. Er was hier toch niemand, behalve misschien een paar dode mensen in de koelruimte. Zachtjes liep ze met de kandelaar in haar handen door de werkruimte, het kistenmagazijn in. Ze luisterde en zette de kandelaar op een plank. Ze riep nog een keer hallo. En wachtte.

*

De civiele politieauto nam in volle vaart de bocht naar het parkeerterrein voor de kerk van Fagerborg, waar hij hard remde. De rechercheurs sprongen uit de auto. De sneeuwvlokken smolten op hun gezichten. Ze hoorden dat er binnen een psalm werd gezongen. Wat had Johnsen gezegd? *Dit is alles wat ik te zeggen heb. Jullie moeten allemaal begrijpen dat de duivel verkleed is als een engel.* En Norma Winther had gezegd: *De dood die twee keer toeslaat. Ik kom door mijn werk veel in aanraking met de dood, ik ben er niet bang voor.*

Norma Winthers grijze lok bedekte haar voorhoofd als een dik gordijn en onder aan de witte lange mantel zat een rand met vieze sneeuw.

Er waren niet veel nabestaanden, maar ze zaten verspreid door de kerk.

Cato Isaksen en Roger Høibakk namen iedereen onderzoekend op. Geen van hen kon Piet Hagg zijn.

'Piet Hagg rook vast onraad,' zei Cato Isaksen toen ze weer buiten waren. 'Hij reed op een witte Vespa.' Hij knikte naar een scherp, smal spoor, dat als een duidelijke witte streep in de natte sneeuw tussen de autosporen op het parkeerterrein sneed.

*

Marian voelde de adem van Emmy Hammer tegen haar wang. Een vrouwenstem riep nog een keer hallo. Dit was waanzin. Misschien was het gewoon Ingrid Hagg. Ze stak haar hand in haar zak om er zeker van te zijn dat de strips erin zaten. Emmy Hammer leek zowel afwezig als geconcentreerd, ze drukte haar handen tegen haar wangen. Haar donsjas zag eruit als een ballon. Marian hield het wapen stevig in haar hand. Het was alsof deze scène zich ergens anders afspeelde, alsof ze met iets besmet was. Met een irrationele vorm van angst. Een waanzin waarin ze niet wilde verkeren. Ze moest begrijpen wat ze had gezien. De krantenknipsels, haar gedachten, alles. Marian stond voorzichtig op en keek door het sleutelgat naar buiten. Ze voelde de hand van Emmy onder op haar rug. Ze zag een schaduw. Het licht van het sleutelgat ging als een witte ring over haar ene oog liggen. Het was Ingrid Hagg niet. Het was een onbekende vrouw in een paarse mantel. Ze zag eerst niet wie het was, maar toen had ze het in de gaten. De catecheet liep het kistenmagazijn uit en trok de deur achter zich dicht.

'Dat is Lilly Hausmann,' fluisterde ze.

'Wie?'

'Ze werkt samen met Norma Winther. Weet je wat een wurggreep is, Emmy?'

Emmy Hammer schudde haar hoofd. 'Wat zag je op dat prikbord, Marian? Je zag iets.'

'Niets. Alleen een artikel uit een oude krant.' De informatie maalde door haar hoofd. Marian voelde zich plotseling onwel worden, maar het gevoel ging over in een klamme warmte, want plotseling was ze in staat om de herinnering aan de geur die ze had waargenomen in de kelder van Gaustad te koppelen aan het bewustzijn. Toen Deidrée hen rondleidde en ze de deur openden en de kale ruimte in keken. Waar de natte voetsporen liepen. Een *middel.*

'Jan is niet gevaarlijk,' fluisterde Emmy met een iele stem.

Cato Isaksen en Roger Høibakk waren snel terug in het appartement van Berit Adamsen. Er was opnieuw een uitvoerig opsporingsverzoek naar Piet Hagg uitgezonden via de meldkamer. Patrouillewagens moesten naar hem gaan uitkijken in de omgeving. Nu wisten ze dat hij op een Vespa reed en hoe hij was gekleed.

Randi wachtte in de portiek en met zijn drieën gingen ze de woonkamer van Berit Adamsen binnen. Op de ovale salontafel stond een spelcomputer en ernaast lag een open zak naturelchips. Onder de tafel waren een paar herenpantoffels neergegooid.

'Er woont hier ook een man,' constateerde Randi.

'Dat klopt verdomme.' Cato Isaksen ging midden in de kamer staan en keek langzaam om zich heen. Er stonden zware meubels tegen elkaar aan gedrukt in de krappe woonkamer. Het vertrek was klein, maar met een hoog plafond. In de vensterbanken stonden bloempotten met rode bloemen erin. De aarde was droog en gebarsten. Aan de wanden hingen schilderijen, ingelijste borduursels en foto's. Hij kwam dichterbij om een van de foto's aan de wand beter te bekijken en hij herkende de plek meteen. Er stonden drie meisjes op de trap van de kapel in psychiatrisch ziekenhuis Gaustad op. Ze zaten achter elkaar langs de leuning. Emmy Hammer bovenaan met haar witte haar tot over haar schouders, onder haar Aud Johnsen met haar donkere blik en op de onderste trede zat Maike Hagg, die met beide handen de leuning vasthield. Achter hen in de deuropening stond een jongere en slankere uitgave van Norma Winther.

De foto had iets verontrustends. Toen viel hem er nog een op, naast de spiegel, genomen op een andere trap. De vier werknemers stonden bovenaan: Norma Winther, Berit Adamsen, Carl Hammer en een bijzonder jonge Ole Porat. Beide mannen droegen witte artsenjassen. De twee patiënten zaten op de trede ervoor: Werner Hagg en John Johnsen, in beige overhemden. Helemaal onderaan zaten kinderen: Hammers dochter Emmy en Aud Johnsen, Werner Haggs zoon Jan en een onbekende jongen, die Piet moest zijn. Er stond ook nog een kind in de struiken, van wie je alleen de benen kon zien, met aan de voeten rode meisjesschoenen.

*

In de badkamer van Berit Adamsen lag werkkleding in de wasmand. Een legergroene jas, een stapel T-shirts, een versleten spijkerbroek en een gore-texbroek. Cato Isaksen opende de slaapkamerdeur. Het zijden dekbed op het bed was lichtpaars met kant en bloemetjes. 'Hier is haar slaapkamer.'

'Maar hier is er nog een.' Roger riep vanuit de keuken. Tegenover de voorraadkast was een kamertje met een hoog smal raam. 'De bediendenkamer van vroeger,' zei hij en hij opende een kastdeur. 'Daar hangt wat versleten mannenkleding.' Hij trok de lades van de kleine kast uit. Hij deed het snel en schoof ze met een klap weer dicht. Hij bladerde door de papieren in de lades. 'De man die hier woont, is blijkbaar een jager op klein wild. Hier liggen een aantal verordeningen over pelzen en handboeken over taxidermie. Het opzetten van kleine dieren.' Hij pakte een akte. 'Een naamswijziging, van het ministerie van Justitie.' Hij hield hem omhoog. 'Een overheidsformulier van de belastingdienst. *U hebt hierbij uw naam gewijzigd van Piet Hagg in Per Hansen.*'

Er vlogen allerlei gedachten in omgekeerde volgorde door haar hoofd. Ze stonden in de foyer. Marian liep weer het kantoor van Jan Hagg binnen. Het krantenknipsel op het prikbord glom haar tegemoet. 'Ik moet dat andere kantoor opruimen,' zei ze snel. De vrouw op het knipsel had een lange plastic jas aan. En op de stenen wand achter haar kon ze vaag iets zien: een duivelsmasker. En een kleine sikkel. Ze zag wel wie er bij de schildersezel stond en ze zag het masker dat op de achtergrond aan de muur hing en de laarzen die er netjes onder stonden, maar toch kwam ze er niet uit. Er was iets wat niet klopte. Het duivelsmasker veranderde achter haar oogleden in een roodachtig troebel vlak.

*

Cato Isaksen voelde een beklemming op zijn borst. 'En dat met die snede bij de sinus caroticus... Piet Hagg jaagt op klein wild.' Hij dacht aan de opgezette eekhoorns in het vakantiehuisje. Berit Adamsen woont samen met Piet Hagg. Hij woont verdomme hiér.

'Er ligt een brief in de ladekast,' riep Roger plotseling vanuit de hal. 'Hij is in 1988 op een typemachine geschreven. Hij is ondertekend door Carl Hammer.' Hij gaf hem aan Cato Isaksen. Randi Johansen ging naast hem staan.

Psychiatrisch Ziekenhuis Gaustad
27 november 1988

Lieve Berit,

Wat er een week geleden gebeurd is, is verschrikkelijk. Dat Maike Hagg maar twaalf jaar is geworden, is gruwelijk. De politie is hier geweest en heeft me verhoord en ik weet dat ze ook bij jou thuis zijn geweest. Wat had dat meisje in

de archiefkelder te zoeken? De Kinderdagen zijn bij dezen afgeschaft. Hoe verstandig was het om te denken dat kinderen van psychiatrische patiënten behoefte hebben aan contact met lotgenoten? De mannen op de forensische afdeling zijn gevaarlijke patiënten. Dat weet je. Hoe heeft Maike de sleutel te pakken gekregen? Je hebt de kinderen beneden rondgeleid, ze de afgesloten ruimte met de oude houten banken en de leren riemen laten zien. Je hebt ze meegenomen naar de onderaardse gangen, ze de catacomben in laten lopen, en je hebt ze de elektroshockkamer en de archiefkelder getoond. Was Maike misschien op zoek naar iets in de archieven, misschien in opdracht van haar vader?
Waarom blijf je thuis? Je moet terugkomen op je werk! Ik heb analyses en onderzoeken met je besproken. Je hebt zelf onwettig gehandeld en patiënten meer verteld over hun diagnose dan ik als chef-arts heb gedaan. Dat heb ik niet aan de politie verteld. Van nu af aan verbied ik je om patiënten nog langer met je persoonlijkheid in te palmen, onder het mom van zorg. Hierna zullen Norma en ik degenen zijn bij wie de patiënten hun persoonlijke problemen kwijt kunnen. Zij is predikant. Jij bent secretaresse, Berit.
De lippenstift rond de mond van het meisje maakte de politie erg achterdochtig. Daarvoor moet jij verantwoording afleggen. Op dit moment is het belangrijk om de andere kinderen te beschermen en voor ze te zorgen. Vooral Maikes broers Jan en Piet, maar ook Aud en mijn Emmy.

Groet,
Carl

'Die zin daar,' zei Cato Isaksen en hij liet zijn vinger langs de regel glijden: '*Je hebt zelf onwettig gehandeld.*' Hij keek naar de twee anderen. 'Wat bedoelt Hammer daarmee?'

De vraag bleef in de lucht hangen.

'*De andere kinderen beschermen en voor ze zorgen*, staat er, *maar ook Aud en mijn Emmy*,' ging hij verder. 'We gaan snel door de rest van het appartement, daarna bel ik Marian.' Cato Isaksen liep de woonkamer weer in. Op dat moment ging zijn telefoon. Het was Deidrée vanuit Gaustad. 'We hebben een anonieme archiefmap gevonden uit de jaren negentig. Eigenlijk is het geen map, eerder een aantekening in een dichtgeplakte envelop. Wellicht is het geschreven door een collega van Hammer. Het gaat over een selectie van lastige patiënten, de weinig zorgzame behandeling van de verwanten en ook beschrijvingen van de fatale effecten na de ingrepen die in de kelder van het Lobotomiegebouw werden uitgevoerd. Na 1974. In een cel die jarenlang niet was gebruikt. Klein. Geluiddicht en vochtig. Er werden diverse pogingen gedaan met elektroshocks en lobotomie, ook nadat het illegaal was geworden.'

'Ik moet die papieren hebben.' Cato Isaksen keek Roger ernstig aan.

'Je zult ze krijgen. Ik kan ze door een koerier laten brengen. Maar er is nog meer. Het ziet ernaar uit dat Hammer een aantal deskundigenrapporten heeft gemanipuleerd. Vooral wanneer er vrouwen bij waren betrokken. Er ligt hier een aantekening dat Ole Porat, een geneeskundestudent, op heterdaad werd betrapt toen hij documenten uit de archieven probeerde mee te nemen. Hij verontschuldigde zich door te zeggen dat hij het in opdracht van Hammer deed. Sommige vrouwelijke patiënten beweerden dat Hammer hen misbruikte, maar de beschuldigingen zijn niet serieus genomen. De laatste officiële lobotomieoperatie werd immers in 1974 of 1975 uitgevoerd, maar hier staat dat een onbekende vrouw in 1991 werd gelobotomiseerd. Uitgevoerd door Carl Hammer. Hij kreeg hulp van Ole Porat.'

*

'We moeten nu terug naar de Trosterudveien,' zei Marian met een kille stem. 'Ik ga hier problemen mee krijgen.' Er ratelde een tram langs. Marian friemelde zenuwachtig aan het legitimatiebewijs dat ze om haar nek had hangen en keek Emmy kort aan.

'Je bent veranderd, Marian,' zei Emmy. 'Je kijkt me aan alsof we elkaar nooit eerder hebben gezien.'

Marian voelde een duistere pijn in haar buik. De opname van de bewakingscamera bij de sportschool in de voormalige fabriek Myrens Verksted. Dat masker. Een kronkelende gifslang gleed door haar lichaam. Het alarm lichtte rood op.

'Ik sta op dat krantenknipsel, Marian. Maar waarom reageer je daar zo op?' Emmy Hammer bleef haar recht aankijken, indringend. 'Jan had gezegd dat hij dat artikel had opgehangen. Dat hij trots was mij te kennen.'

'Waar is die foto genomen?' Marian tikte zichzelf op de heup. Ze had het wapen in de bezemkast laten liggen. Het was er vast uit gegleden toen ze daar zaten. Het speelgoedpistool dat ze als kind graag had willen hebben, was niets meer dan het geluid van haar eigen hartslag in de nacht. 'Waar is de foto genomen?' herhaalde ze.

'In mijn atelier,' zei Emmy. 'Voordat ik een tentoonstelling had.' Ze probeerde te glimlachen, maar haar mond veranderde in een scheve, trillende streep.

'Ik wist niet dat je een atelier had,' zei Marian rustig. *Thuis kun je niet met olie verven.*

'Toch heb ik er een.'

'Waar?'

'In het oude Ketelhuis. In Gaustad.'

Marian keek haar aan. 'De moordenaar is in je atelier geweest, Emmy. Om het masker en het moordwapen op te halen. Wie heeft er behalve jij toegang tot die plek? We gaan hem vinden, Emmy. Dat beloof ik je.'

*

Cato Isaksen toetste het nummer van Karsten Tønnesen in en hoorde de diepe stem aan de andere kant van de lijn. Hij legde in het kort uit wat Deidrée had gezegd. In hem nam het gevoel van chaos toe. Wat kon een gelobotomiseerde vrouw te maken hebben met deze moord?

'Dat verbaast me helemaal niets, Cato. Veel artsen leefden zich uit op de patiënten. Het kwam vaak voor dat de patiënt zelf niets werd gevraagd voordat de ingreep plaatsvond. Ik kan me vooral een vrouw herinneren die eigenlijk niet bijzonder abnormaal was, ze was alleen iets te gefixeerd op mannen. Ze hebben haar als het ware verdoofd met die lobotomie. Ik wist dat het verkeerd was, dat het niet menselijk was, maar ik had geen mogelijkheid om het te laten stoppen. Dit gebeurde in de jaren zestig. Lobotomie was als een zwaar tankschip dat over het water gleed. Niemand kon het schip afremmen. Als je het vermoeden hebt dat die Porat iets weet, moet je hem ermee confronteren.'

*

Het wapen lag niet in de bezemkast. Marian draaide zich snel om, wrong zich langs Emmy Hammer, liep naar de hal en boog zich voorover om haar jas van de vloer op te pakken. Maar Emmy zat vlak achter haar en was sneller; ze zette haar voet op de jas en stak iets in haar rug. Het wapen. Marian bleef gebogen staan. Van haar nek langs haar ruggengraat naar beneden voelde het als schrikdraad.

'Ga rechtop staan!' Emmy Hammer wees naar haar met het wapen. Marian rechtte haar rug en deed een paar passen terug naar de deur met het matglas. Automatisch stak ze haar handen omhoog. Emmy haalde haar lege hand door haar haar en maakte een denkbeeldige knot op haar hoofd. Haar stem veranderde, werd iel en geaffecteerd, meisjesachtig. Alsof er een twaalfjarig kind voor haar stond. 'Je zei: "We gaan hem vinden, Emmy. Dat beloof ik je." Maar nee,' fluisterde ze, 'jullie zullen haar nooit vinden.'

Berit Adamsen kwam de trap op lopen in een lange broek en een bruine donsjas. Ze liep langzaam. Keek op naar de rechercheurs. 'Waar is Piet Hagg?' vroeg Cato Isaksen. Berit Adamsen zuchtte. 'Piet woont hier. Ik ben zijn pleegmoeder. We hebben de officiële papieren nooit geregeld. Hij is gewoon bij mij ingetrokken.'

'Waar is hij?'

'Ik weet het niet.'

'Hij is zojuist bij Norma Winther in de kerk van Fagerborg geweest. Waarom heeft hij zijn naam gewijzigd?'

'Dat was een manier om te ontsnappen, maar alleen op papier. Hij noemt zich geen Per.'

Cato Isaksen keek haar aan. Hij knikte naar de woonkamer. 'Kom binnen en neem plaats, ik moet een telefoontje plegen.'

*

Ole Porat stond voor de deur van de operatiekamer. Hij was het gedram van de politie meer dan zat. Nu belde die Cato Isaksen weer. Zijn stem was hard.

'Wie is de onbekende vrouw die in 1991 gelobotomiseerd werd?'

Ole Porat keek door de lange gang. Hij voelde dat hij bijna door iets werd ingehaald. Als jongeman had hij Carl Hammer bewonderd. Hij was als een god voor hem. Als steen. Als een fel licht. Samen construeerden ze een toekomst; wat gezegd moest worden en wat niet gezegd kon worden. Wat ervoor nodig was om de beste chirurg te worden, die de meer hanteerbare ziektes en verwondingen heelde. Maar littekens waren zichtbaar. En de proeven die verborgen moesten worden gehouden ook.

'Het gaat om twee moorden en een poging tot moord,' zei de luide politiestem tegen hem. 'We moeten het nu tot de bodem uitzoeken. We zijn op jacht naar een moordenaar. U wordt aangehouden als u mij niet vertelt wat u weet.'

Er piepte iets in zijn borstzak. 'Er ligt een patiënt op de operatietafel,' zei hij. 'U wordt een moordenaar als u me nu aanhoudt. Criminelen zijn waardige tegenstanders. Jullie moeten weten wat jullie doen.'

'Na de operatie wordt u aangehouden. U zult buiten worden opgewacht door agenten.'

'Ik kan me er niet tegen verzetten, maar als arts heb ik zwijgplicht. Er zijn dingen die ik niet kan zeggen. Ik raad u aan om met Norma Winther te gaan praten, maar misschien allereerst met Berit Adamsen,' zei Ole Porat.

'We bevinden ons nu in haar appartement,' zei Cato Isaksen.

*

Het werd Marian langzaamaan duidelijk, als iets wat als ijs in elke zenuwdraad smolt, maar tegelijkertijd met de vaart van een snelheidstrein. Ze hield haar handen boven haar hoofd. Wanneer de dingen zo eenvoudig waren dat de politie ze niet kon zien, dan was je geniaal. Maar ze begreep het verband niet. Ze hoorde haar hart tegen haar borstbeen bonzen. 'Dat masker op de foto, aan de wand daar, achter de schildersezel. Dat leek enorm op het duivelsmasker dat door de bewakingscamera's werd geregistreerd voor de sportschool bij Myrens Verksted.' Marian wist dat ze te veel had gezegd. Op hetzelfde moment wist ze het, maar het was toch al te laat. Emmy kon Aud Johnsen echter niet hebben vermoord. Dat kwam niet overeen met de informatie van de telefoonmaatschappij. 'We zagen ook de Volvo van Werner Hagg op de film,' zei ze.

Emmy pakte de jas van Marian op en slingerde die over de stoel. 'Dat verdomde masker verborg mij en zorgde ervoor dat ik Aud niet in de ogen hoefde te kijken. Het kwam prima uit dat het Halloween was. Aud herkende mij natuurlijk. Ik duwde haar op de vloer, hield haar in de wurggreep en sneed haar keel snel door. Ik heb jarenlang op zelfverdediging gezeten. Wanneer de arm strak om de hals wordt geklemd, zullen de bloedvaten aan beide kanten van de hals worden dichtgedrukt, waardoor er te weinig zuurstof naar de hersenen gaat.'

Marian keek haar aan. Haar ogen waren vochtig van de schok die ze aan het verwerken was. 'Maar, ik begrijp niet...'

Emmy Hammer zei met een kinderstem: 'De balans was weg. Alles is al die jaren verzwegen. Ik heb niemand vermoord, Marian, dat zweer ik.' De meisjesstem was nu laag. 'Ik deed gewoon net als papa:

ik ontdeed me van de problemen. Kinderen doen hun ouders na, nemen hun gedrag over, zoals planten zuurstof opnemen. Door osmose. Door observatie en empathie.'

*

Cato Isaksen bekeek Berit Adamsen. 'Waar bent u eigenlijk bang voor?'

'Dit gaat niet om Jan Hagg,' zei ze. 'Niet om Werner of om mij. Ook niet om Ole Porat. Piet trok bij mij in. Hij kon het niet meer aan. En niemand kon Maike levend terugkrijgen. Maar dit gaat om Piet.'

'We vonden deze brief.' Roger Høibakk hield hem omhoog. '"Je hebt zélf onwettig gehandeld", zegt Carl Hammer. Wat bedoelt hij daarmee? Waarom stopte u met werken?'

Cato stond op.

'Kan Maike in papieren hebben gerommeld in de kelder? Gevoelige informatie over haar vader, over de moord op haar moeder? Dat soort dingen?'

Berit Adamsen gaf geen antwoord.

'Is het waarschijnlijk dat er dat soort papieren lagen? En wat moest ze ermee? Hoe zat het met de andere meisjes?'

*

Marian wierp een blik op de deur. 'Je hoeft er niet eens aan te denken. Cato Isaksen is nu onderweg hiernaartoe,' loog ze.

Emmy wees naar haar hoofd met het pistool. 'Nee, Cato Isaksen denkt dat we in de portierswoning zijn.'

'Dit gaat om Maike Hagg.' Marian trilde een beetje.

'Natuurlijk gaat het om Maike Hagg. De zaak heeft bijna vijfentwintig jaar stilgelegen. Aud wilde erover schrijven. Ze vroeg me om naar het Theatercafé te komen.' Emmy hoorde Auds glasheldere stem in haar hoofd. *Je vader is een slecht mens.* 'Aud keek me aan en zei: Je vader heeft me misbruikt. Hij heeft Maike vast ook misbruikt, in de kelder, op de Kinderdagen. Hij moest ons altijd iets laten zien, in de kelder, altijd een voor een. Hij moet Maike hebben vermoord. Ze zou vast haar mond voorbijpraten.

En ik had het allemaal duidelijk voor ogen, het werd me vlijmscherp duidelijk. Wat ik moest doen: de reddingsactie, het toneelspel en de uitvoering. Het was alsof ik een wit licht binnenliep. Alsof mijn geest werd verhelderd door een bliksem, een witte zigzag. Ik begreep niet wat papa hen misdeed.'

Marian bleef rustig. 'Maar Emmy, je was toch in Burns. Dit verhaal kan niet kloppen.'

'Ik construeerde een verhaal. Ik moest mijn familie redden.'

'Jezelf, bedoel je. Je verknalt nu alles voor jezelf.'

'Het komt wel goed,' zei Emmy met de meisjesstem. Toen trok ze een grimas die op een glimlach leek. 'Tot nu toe heb ik het prima gered, niemand heeft het verband gezien.'

*

Berit Adamsen boog haar hoofd. 'Ja, hoe zit het met de andere meisjes?' fluisterde ze.

'Wat hou je voor ons achter?' Cato Isaksen vond dat het te langzaam ging. 'Is er iets met Norma Winther?'

'Nee, nee, Norma Winther heeft hier niets mee te maken. Ook al...'

'Ook al wat?' Cato Isaksen hield zijn telefoon stevig vast, paraat om een of ander bericht naar de meldkamer te sturen.

Randi hield haar hand op de portofoon in het borstzakje van haar leren jas. Roger stond op.

'Norma Winther vertrouwde mij een keer toe dat ze gevoelens voor me had. Dat was afschuwelijk. Maar daar gaat het hier niet om.' Ze keek naar Cato Isaksen.

'Waar gaat het dan verdomme wel om?'

'Míjn lippenstift zat om de mond van Maike.' Ze legde haar hoofd in haar handen.

'Ik heb het erop gesmeerd, maar toen was ze al dood. Mond-op-mondbeademing. Ik probeerde haar te redden. Dat de lippenstift op haar had afgegeven, zag er verschrikkelijk uit toen de politie kwam. En het kon verkeerd worden opgevat. We raakten in paniek.'

'We?'

Cato Isaksen, Randi Johansen en Roger Høibakk keken naar haar.

'Carl Hammer vond Maike dood. Volgens zeggen na een val van een huishoudtrap. Natuurlijk was dat niet zo. Wat had Carl Hammer die dag in de kelder te zoeken?' Ze gaf zelf antwoord. 'Hij nam het op zich om met de kinderen te praten, zo noemde hij het.'

Cato Isaksen keek naar Berit Adamsen. 'Wat bedoel je eigenlijk? Je hebt zelf onwettig gehandeld, zegt Hammer.'

'Dat was gewoon manipulatie.'

Cato Isaksen verplaatste zijn gewicht naar zijn andere been.

'Carl Hammer vond haar,' herhaalde ze. 'Het bloed was in een streep over de vloer naar de keldergang gestroomd. Ik heb sindsdien nooit meer lippenstift gebruikt.'

Op Berit Adamsens schoongepoetste gezicht zat geen make-up. Haar ogen ontmoetten de zijne. 'Ik heb honderden keren nachtmerries over dat gevoel gehad, mijn lippen tegen de hare, het was alsof ik de dood kuste. Toen ik me omdraaide, was Hammer vertrokken. Maike Hagg was dood. Ik gaf over en rende naar boven. In het toilet waste ik het bloed en de lippenstift van mijn mond. We lieten Maike daar even liggen. Alsof we een time-out namen. Toen belde Carl Hammer naar de politie.'

*

'Ik bedacht een nieuw verhaal toen ik naar Burns rende. Het is net als schaken, je moet de hele tijd de juiste zetten doen en ver vooruitdenken. Zoals met de dierentemmer, de tijger en de piste, waarover jij het had.'

'Je bent ziek,' fluisterde Marian en ze dacht aan de strips die ze in haar zak had zitten. 'Het stonk naar terpentine in de kelder van Gaustad. In die ruimte.'

'Ja, ik loop vaak rond in die kelder. Mijn versie was zo: ik trof Aud in het Theatercafé. Ze vertelde mij dat niet Werner zijn vrouw vermoordde in 1984. Jan had het gedaan. En Piet stak het huis in brand om het te maskeren. Maike zou het verklappen, dus Jan moest haar ook vermoorden. En Ole Porat wist het. Ik belde naar Jan en Porat. Jan belde naar Werner. Ze lieten zich voor de gek houden. De politie ook.'

'Je mobiel,' zei Marian. 'De gegevens van die avond lieten zien dat hij maar door één gsm-mast was geregistreerd op de tijdstippen van de moord.'

'Dat was eenvoudig. Ik kwam om kwart voor zeven bij Burns aan, bestelde een paar drankjes en sloeg ze achterover, verstopte mijn mobiel onder een van de leren kussens op een zitbank achter in het café. Niemand zou hem ontdekken. Ik zette hem op stil.'

'Je had hem uit kunnen doen.'

'Ik ben niet achterlijk. Ik zet mijn mobiel nooit uit. De politie zou het opvallend hebben gevonden. Ik nam een taxi naar Gaustad om de benodigdheden op te halen uit het atelier. De taxi's stonden voor

Burns. Wie zou mij nou aan wat dan ook verbinden? Een vrouw die naar Gaustad werd gereden om iets op te halen. In het Ketelhuis haalde ik de regenjas, de handschoenen, de muts, de laarzen, het duivelsmasker. En de sikkel. Het paste allemaal in mijn tas en de taxi bracht me terug naar Burns. Vlak voor half negen was ik terug en ik nam nog een drankje. Ik maakte een praatje met de barman. Hij dacht dat ik er de hele tijd was geweest. Het was er stampvol met mensen. Om half negen belde ik Jan en begon ik met mijn leugens. Dat lukte. Hij belde naar Werner. Ik belde naar Ole Porat om ook verbinding met hem te maken. De politie zou zien dat het waar was dat ik hem had gesproken. Toen was het tien voor negen. Ik pakte een paar sigarettenpeuken uit een asbak voor Burns. Ik dacht dat het handig was om wat valse sporen achter te laten bij de woning van Aud. Ole Porat rookt. Ik vond op internet een foto van hem met een sigaret. Toen nam ik een taxi naar de Sandakerveien. Die rit duurde acht minuten. In de bocht stapte ik uit en ik trok de jas aan en zette het masker op. Het was toch Halloween. Waarschijnlijk heb je toen een glimp van me opgevangen op de bewakingscamera. Dat Werner naar Aud op de Sandakerveien ging en zijn vingerafdrukken achterliet op de deur, was alleen maar mooi meegenomen. Het was net alsof alles in scène was gezet door de regisseur van het kwaad. Door mij. Ik heb zelfs overwogen om de politie te bellen. Alleen om de kaarten goed te leggen, hetzelfde te zeggen wat ik ook tegen Jan en Porat had gezegd. Daarna gooide ik de mobiel van Aud in de Akerselva en om vijf over tien was ik terug bij Burns. Ik haalde mijn mobiele telefoon op voordat ik de tram naar huis nam, waar ik rond half elf aankwam. Ik belde Aud toen ik in de tram zat en de dag erna stuurde ik haar sms'jes. De politie kon ze traceren via de gsm-masten toen ze het controleerden bij de telefoonmaatschappijen. Toen ik naar de Trosterudveien ging, stond daar een auto. Ik rende door de tuin van de buren, omdat ik dacht dat er politie in burger stond te wachten. Ik was doodsbang. Verdomme, wat een bipolaire situatie. Ik wist immers niet dat het Werner Hagg was die met me wilde praten. Dat kwam perfect uit. En ik deed de deur natuurlijk niet open.'

Piet Hagg reed weer door de bocht van de Welhavensgate. Hij had een hamburger in een kiosk gekocht om de tijd te verdrijven. Jans vrouw Ingrid had in de kerk gezegd dat ze Jan uit de gevangenis zou ophalen, dan zouden ze een hapje gaan eten en daarna moest Jan even langs de uitvaartonderneming. Hij zou daarnaartoe kunnen komen als hij zijn broer wilde zien. Daarom was hij er weer. Hij parkeerde de scooter naast het bestelbusje, dat er nog steeds stond, deed zijn helm af en zette die op het zadel. In de tas zat een figuur die hij uit hout had gesneden. Die was voor Jan. Op dat moment reed er een auto van het beveiligingsbedrijf de binnenplaats op. Piet verroerde zich niet. De auto stopte midden op het terrein en er stapte een man in een blauw pak uit, die naar de hoofdingang liep.

*

Berit Adamsen keek naar de rechercheurs. 'Ik zal alles vertellen. Carl Hammer stond in de archiefkelder aan zijn broek te frunniken toen ik binnenkwam. Zijn gezicht was bleek. Maike lag op de vloer. Ze had kleren aan, maar ze lag met een lege blik recht omhoog te kijken. Ik knielde en probeerde haar te reanimeren. Hij herhaalde dat het een ongeluk was. Ik begreep dat we ons aan die versie moesten houden. Om me te waarschuwen schrijft hij in de brief dat ik óók onwettig heb gehandeld. Ik heb de patiënten nooit iets verteld wat niet mocht. Hij wilde me bang maken. En dat lukte hem.'

'Waarom hielp je hem die wandaad te verhullen?'

'Carl Hammer is een machtige man. Ik kon niet anders. Norma had het vast ook in de gaten. Ik ben nooit meer teruggekomen. Ik was bang om verdacht te worden. Het kwam door die hele sfeer. Ik dacht dat het net zo moest voelen als na een elektroshockbehandeling. Als een bliksem je heeft gehersenspoeld. Ik kreeg een psychose, dat is een ander woord voor overactieve zenuwen. Het lichaam gehoorzaamt, er zijn geen belemmeringen meer, het voelt alsof je hersenen opzwellen om zich aan de situatie aan te passen. Carl Hammer is ijskoud en intelligent. Hij stond bekend als de redder in nood van de zwakken. Mensen worden heus wel juist beoordeeld in de psychiatrie, maar er worden systematische fouten gemaakt. De zieken zijn niet altijd het ziekst.'

'Papa heeft Maike vermoord. Hij zal haar vast hebben geduwd. Ik moest mijn zoon redden. Stel je de krantenkoppen eens voor. BEKENDE PSYCHIATER MISBRUIKTE KINDEREN VAN PATIËNTEN. VERMOORDDE EEN TWAALFJARIGE. Ik had geen keus. Ik vermoordde Aud. En de dag erna maakte ik een spoor rond mijn eigen huis met dezelfde laarzen die ik aanhad toen ik Aud vermoordde, de oude van de conciërge uit het Ketelhuis.'

'Maar wie schoot er op jou in de tuin?'

'Niemand. Ze wilden waarschijnlijk papa vermoorden. Het ging vast om wraak. Johnsen of Werner. Wie weet.' Ze haalde onverschillig haar schouders op. 'En ik werd een opgejaagd wezen, een zielige, kwetsbare, lichtblonde vrouw die door de politie beschermd moest worden. Het probleem is alleen dat jij, takkepolitieteef, iets te veel op mij lijkt. Maar je bent geen goede bewaker. Ik ben vannacht door het raam ontsnapt. Ik rende door het bos naar het Ketelhuis om een tube olieverf te halen. Die ruikt sterk en droogt langzaam, maar ik had niet genoeg acrylverf om het schilderij af te maken. Jij lag te slapen op de bank en merkte niets. Ik had handdoeken onder de deken gelegd, zodat je zou denken dat ik daar lag.'

'Ik heb wel een geluid gehoord. Ik heb bij je gekeken.' Marians hart bonsde alsof ze had hardgelopen.

'Je hond is zo dom dat hij nergens op reageert. De tube lag op de rand van de schildersezel, die ik een statief noem, omdat hij van ijzer is gemaakt.'

Marian maakte een snelle beweging, passeerde Emmy Hammer en rende het kistenmagazijn in. Ze smeet de deur dicht en ging er met de rug tegenaan staan. Als het kistenmagazijn een vossenhol was, was de bezemkast nog erger. Daar moest ze niet in.

Emmy Hammer drukte de deur open, Marian viel voorover en kwam op de vloer terecht. Ze weerde zich af met haar handen. Haar polsen deden pijn.

Emmy Hammer stond boven haar met het pistool tegen haar hoofd. Ze ontgrendelde het wapen. 'Sta op!'

Marian kwam overeind, draaide zich om en liep achteruit. De donsjas van Emmy leek op vulling rond haar lichaam. Marian stootte haar rug tegen de op elkaar gestapelde kisten.

Emmy Hammer bleef haar in de ogen kijken. Er zat een soort zwarte glans in haar pupillen. Een donkere stip in het lichte, die deed denken aan steenkool.

'Doe je legitimatiebewijs af en geef het samen met de strips die je in je zak hebt aan mij,' zei ze. 'Ik vermoord je liever niet hier, maar misschien moet ik wel. Dat hangt helemaal van jou af.'

Marian trok de kaart over haar hoofd en gaf hem aan haar.

Emmy griste hem uit haar handen en stopte hem onder haar trui, stak haar hand in Marians zak en haalde de strips eruit. 'Loop langzaam naar de foyer. Achterwaarts.'

Marian liep achteruit, totdat ze bij het schilderij bij de stoelen stond. Het wankelde, maar ze pakte het vast voordat het omviel.

Emmy commandeerde haar om haar handen vooruitgestoken te houden. Ze draaide de strips met één hand om haar polsen en hield het pistool krampachtig vast in de andere. Marian wilde haar net gaan schoppen, haar been optillen en haar voet in haar buik zetten, toen ze plotseling weer het trillen van een bewegende lift in de muur hoorde. Enige opluchting verlichtte het hooggespannen zenuwstelsel. Er kwam iemand. De bewakingsdienst, natuurlijk was hier ook een bewakingsdienst. Er bestonden gegarandeerd gekken die ook in crematoria en uitvaartondernemingen inbraken. Emmy pakte wat keukenpapier uit een prullenbak. Ze propte het snel in Marians mond en trok haar aan haar haar een stuk naar achteren, bij de deur vandaan.

Ze stonden allebei stokstijf door het matglazen raam te kijken. Een vage figuur werd steeds groter. De loop van het pistool drukte tegen Marians hoofd. Emmy's ogen schoten geschrokken heen en weer tussen de deur en Marian. Ze stond in positie, met gebogen knieën, klaar om te handelen als dat nodig was. De waanzin gaf haar gezicht een rustige en koele uitstraling.

Marian kokhalsde. Het voelde alsof ze door het papier in haar mond bijna stikte. Ze probeerde haar polsen los te trekken uit de strips. Maar Emmy legde haar vrije arm om haar heen en hield het pistool tegen haar keel. Marian rilde en voelde de misselijkheid vanuit haar maag omhoogkomen. Emmy legde haar hand over haar gezicht. Ze rook de klamme hand over haar neus. Twintig seconden, dacht ze. Rustig aan, je kunt twintig seconden niet ademhalen. *Dead comes easily.*

De beveiliger floot een melodie. 'Let it swing'. Dat verdomde Eurovisie Songfestivalliedje waarmee Noorwegen in 1985 won. Hij stak de sleutel in het slot. Op dat moment ging zijn telefoon en het gefluit stopte ogenblikkelijk. Hij draaide zijn rug naar de deur. 'Hallo, ja.' Zijn schaduw werd steeds kleiner achter het matglas en zijn stem en gelach steeds vrolijker. Je had er geen intuïtie of fantasie voor nodig om te begrijpen dat hij met een vrouw praatte. Het licht in de hal werd uitgedaan. Hij liep de trap af. De portofoon in de jas die op de stoel lag begon te knetteren. Een metaalachtige stem riep Marian Dahle op. Emmy haalde de hand van haar gezicht en Marian haalde diep adem door haar neusgaten. Nu werd de voordeur beneden dichtgegooid. De klap van de deur sloeg binnen in Marians bewustzijn, steeds maar weer. En weer.

*

Marian nam haar telefoon niet op en ze reageerde ook niet op de portofoon. Cato Isaksen liep met grote passen door het appartement, opende de deur, rende de trap luid vloekend af en sloeg herhaaldelijk met zijn hand op de trapleuning. Beneden rukte hij de buitendeur open en liep de natte sneeuw in. Roger kwam achter hem aan rennen. Randi bleef bij Berit Adamsen.

Roger Høibakk schoof zijn kaak agressief vooruit en nam plaats achter het stuur, boog zich opzij en duwde de deur open voor Cato. 'Waarom wil iemand Emmy Hammer van het leven beroven?' Hij draaide de sleutel om.

'Emmy zegt dat ze niets weet wat van belang kan zijn, maar weet je nog wat ze over de tijd zei?'

'De tijd. Wat is daarmee, Cato?'

'Ze zei dat het ongeveer twintig jaar geleden was dat ze elkaar voor het laatst hadden gezien, Aud Johnsen en zij.'

'En?'

'Rij eens wat sneller. Naar de Trosterudveien. De verjaringstermijn voor moord is vijfentwintig jaar. Ze zei met opzet twintig. Misschien moeten we Emmy Hammer nader gaan onderzoeken? Als niet iemand had geprobeerd haar te vermoorden, had ik de schijnwerper op haar gericht.' Cato Isaksen vond een pen op de vloer en begon er ritmisch mee op het dashboard te tikken. 'Hoe betrouwbaar is ze?'

'Hou eens op met die pen.'

Op dat moment ging de mobiel van Cato Isaksen. Hij keek er snel naar. Het was niet Marian. Het was Ellen Grue. 'We hebben het resultaat van de twee DNA-onderzoeken binnen. Ole Porat heeft die sigarettenpeuken niet weggegooid. Het profiel komt gewoonweg niet overeen met iets wat we hebben. En er is nog iets.'

'Wat dan?'

'De vader van Philip Hammer.' Haar stem klonk helder.

'Ja?'

'We hebben geen DNA-sporen van de vader gevonden. Dat wil zeggen dat de vader familie van hem is, als je begrijpt wat ik bedoel.'

Hij staarde voor zich uit.

'Emmy Hammer is de moeder van Philip Hammer, en iemand in dezelfde familie is de vader.'

Het woord 'copycat' bleef maar door zijn hoofd spoken. Cato Isaksen voelde kramp in zijn maag. Het werd hem op datzelfde moment duidelijk. Copycat was niet echt het juiste woord. In 1988 was er een kind vermoord en bijna vijfentwintig jaar later een zevenendertig jaar oude vrouw. Iemand week af van zijn modus operandi. De poging tot moord op Emmy Hammer was *iets anders*. Niet zij, maar Carl Hammer was het doel. Had hij zijn eigen dochter zwanger gemaakt? De schoten in de tuin. John Johnsen of Werner Hagg had vast geprobeerd om Carl Hammer te vermoorden. Logisch. Ze hadden allebei iets om wraak voor te nemen. Hammer was de vader van zijn eigen kleinkind. 'Shit, Roger! Hoorde je wat Ellen zei?'

'Ja, ik hoorde het.'

Hij belde weer naar Marian en liet de telefoon deze keer langer overgaan. Ook nu nam ze niet op. 'De moordenaar wilde misschien niet Emmy Hammer raken, Roger, maar Carl Hammer.'

Cato Isaksen sloot zijn ogen. 'Toen John Johnsen zei dat de engel een duivel was, bedoelde hij niet Norma Winther, maar Carl Hammer. We zouden hem weer moeten laten bewaken, maar dat ga ik nu zeker niet regelen. Die grote klootzak. Nu moeten we Marian zien te vinden.' Hij wreef zich hard in zijn gezicht. 'We hebben immers alleen Emmy Hammers versie van wat er die avond in het Theatercafé werd gezegd. Dat kan een leugen zijn, Roger.' Hij keek opzij naar zijn collega. 'Emmy Hammer moest Aud Johnsen misschien gewoon verhinderen om de waarheid te schrijven.'

'Aud belde haar vader vlak voordat ze werd vermoord. Hammer heeft Aud Johnsen natuurlijk ook misbruikt. En Johnsen kwam erachter. Ik ga toch een patrouillewagen regelen om de wacht te houden. We krijgen later gedonder als we dat niet doen.'

*

Toen de twee rechercheurs waren vertrokken, staarde Berit Adamsen leeg voor zich uit en snikte luid. Ze stuurde haar pleegzoon een sms: *Je hoeft je niet meer te verstoppen, Piet. Als je dat doet. Kom maar naar huis.*

Randi Johansen maande haar tot kalmte. 'Wanneer hij komt, regelen we het wel,' zei ze.

*

Piet had geen zin om nog langer op Jan te wachten. Hij kwam toch nooit. Hij had het koud. Het was nog harder gaan sneeuwen. Hij was doorweekt. De beveiliger had de buitendeur op slot gedaan toen hij wegreed, dus hij kon niet de portiek in om zich op te warmen. Hij wilde net op de Vespa stappen toen hij hoorde dat de buitendeur openging. In een reflex vluchtte hij achter de container. Hij zette de Vespa ertegenaan. Toen keek hij voor zich en op dat moment zag hij dat het Emmy Hammer was. Het was een eeuwigheid geleden dat hij haar voor het laatst had gezien. Wat deed ze hier? Piet stond stil. Achter de container lag een stapel oud papier. Losse beelden vlogen door zijn hoofd: de meisjes die om de kleinste dingen giechelden en jurken in zachte kleuren, zoals mint, roze en wit, droegen. Het witte haar van Emmy, bijna als een schapenvacht, in een dikke paardenstaart die heen en weer vloog. Emmy, die het speelgoedpistool uit zijn handen trok. Emmy, die Maike een middel tegen wormen gaf. Emmy en haar boosaardigheid wanneer ze haar hoofd in haar nek gooide en lachte. Aud en zij, die Maike plaagden om haar pop, het enige wat ze nog had van toen ze klein was. De schaduwen van de grote bomen die zich over al het groen in het park bewogen. Maar het waren wel zijn gelukkigste jaren. Hij kon nu niet tevoorschijn komen, zij mocht hem nu niet zien. Hij had hetzelfde gevoel als toen hij als kind naar de kinderarts moest. Vaak in het bijzijn van een onbekende vrouw uit het kindertehuis. De dokter zei dat hij niet echt groot zou worden, hij zou nooit net zo groot en knap worden als Jan.

*

Emmy Hammer opende de achterdeuren van het bestelbusje en trok de grijze tas naar zich toe. Helemaal onder in de tas lag de grote ouderwetse sleutelbos. De verroeste sleutels van alle gebouwen van Gaustad. De sneeuwvlokken voelden ijzig koud tegen haar voorhoofd. De schemering trad in. Ze greep de pruik en pakte het legitimatiebewijs van Marian onder haar trui vandaan en stopte het in haar tas. De hond piepte, maar ze gooide de deuren dicht en liep op een drafje terug naar de deur, die ze op een kier had laten staan met de mat ertussen. Ze had Marian met het touw van de kartonnen doos met het speelgoed erin boven vastgebonden aan een van de deurklinken.

Toen ze weer boven was, zei ze tegen Marian: 'Deze moet je opzetten.' Ze trok de pruik over Marians korte haar. 'Jij bent mij,' zei ze zacht en ze haalde een dikke, zwarte hoodie uit de tas, trok de donsjas en de groene trui uit en de hoodie aan over het kogelvrije vest. 'Philips hoodie,' zei ze. Toen pakte ze de mobiele telefoon van Marian uit haar zak en stopte de politiejas in de tas. Ze bleef maar praten. 'Ik vertelde Aud over Philip, dat hij geneeskunde studeerde in Polen. Dat interesseerde haar niet. Nu begrijp ik wel waarom ze geen kinderen had. Ze was vast verpest. Ik vertelde hoe trots papa op zijn kleinkind was, omdat hij ook psychiater wilde worden. Toen zei Aud: "Je vader is een slecht mens", en toen kwam al het andere. Ik wist wel, diep vanbinnen, dat dat met Maike geen ongeluk was. Maike had vast gedreigd om alles te vertellen. Maar papa was de koning van Gaustad.'

*

De civiele politieauto reed met hoge snelheid door de Trosterudveien en draaide abrupt de oprit van de twee witte huizen op. Door de schemering zagen de sneeuwvlokken er anders uit. Het leken net veren uit een dekbed dat iemand stond op te schudden. 'Ik denk dat Norma Winther een relatie heeft met Lilly Hausmann, Roger. Misschien straalt ze het alleen maar uit. Een slecht geweten.'

De auto stopte voor de portierswoning en Roger liet de motor stationair draaien met de ruitenwissers aan. Cato Isaksen liep de drie bakstenen treden op en bonsde op de deur van de portierswoning. Er werd niet opengedaan. Ze spoedden zich naar Carl en Solveig Hammer.

Cato Isaksen probeerde onnodige gedachten weg te wuiven. Het duurde lang voordat ze de sloffende passen van Carl Hammer hoorden. Toen opende hij de deur.

'Waar is je dochter?' schreeuwde Cato Isaksen.

Carl Hammer keek hem aan. Geïrriteerd. 'Geen idee.'

Solveig Hammer kwam achter hem aan schuifelen. 'Ze moesten een schilderij naar de uitvaartonderneming brengen,' zei ze zacht en ze keek naar de rechercheurs.

'Waar?'

'Naar een of andere uitvaartonderneming,' antwoordde ze.

Cato Isaksen draaide zich om, liep langzaam de trap af en toetste het nummer van Jan Hagg in. Die nam meteen op. 'Ja. Hallo,' zei de diepe stem aan de andere kant van de lijn.

'Ik heb een korte vraag voor je.' Cato Isaksen draaide zich langzaam om en keek naar de rand van het bos. Er bewoog iets achter een boom. Vast een jogger.

'Zou Emmy Hammer vandaag een schilderij bij jou afleveren? Bij de uitvaartonderneming?'

'Ja, misschien wel. Ingrid heeft de deur open laten staan, ze was nogal van slag, dus Emmy heeft het misschien wel gebracht. Ik weet het niet. Ingrid en ik zitten nu met de meisjes wat te eten in een restaurant.'

*

Vanja zag dat de twee rechercheurs snel over het gazon terugliepen naar de civiele politieauto en daarin plaatsnamen. De auto maakte een U-bocht en reed op hoge snelheid terug naar de weg. Daar zetten ze het zwaailicht aan, het wierp blauwe schaduwen over de motorkap. Vlak erna hoorde hij het geluid van de sirene. Er konden meer politieauto's komen. Vanja ging gehurkt achter de dichte struiken zitten. De man in het huis moest dood. Hij was slecht. Een gruwelijk iemand, had de jassenman gezegd. En deze keer mocht Vanja het niet verknallen. Als de gordijnen weer werden dichtgetrokken, zou hij aanbellen en hem neerschieten. Dat moest lukken. Zijn vrouw deed hem echter aan zijn eigen moeder denken. Het zou snel donkerder worden. Zijn benen waren steenkoud. Er bleef sneeuw op de takken hangen, die op en neer wipten. Hij zou morgen het land al verlaten, met het geld dat die gek hem zou betalen. De man met de jas gedroeg zich zo glad als een aal, anoniem en onmogelijk bang te maken. Maar hij moest wel het geld krijgen. Vanja had gezegd dat hij hem niet vertrouwde. De jassenman had beloofd te betalen. Het geld was al ergens neergelegd, had hij gezegd, en na voltooiing van de opdracht kon het opgehaald worden. Hij had hem een briefje gegeven met een mobiel nummer dat hij moest bellen. Vanja had het opgezocht, het was van een onbekende vrouw: Miriam Balshauer. De jassenman had gezegd dat Vanja de vrouw kon bellen zodra op het nieuws was geweest dat de man was vermoord. De jassenman zou ook naar de radio luisteren. De vrouw zou hem een codewoord geven, een aanwijzing waardoor hij zou weten waar het geld verborgen lag.

*

Er waren nog dertig treden met witte en zwarte tegels omlaag. Net zo veel omlaag als omhoog. Loop normaal. Emmy Hammer hield het wapen halverwege de mouw van de witte donsjas vast. Alleen de loop stak eruit; hij wees naar de rug van Marian Dahle. Haar hart sloeg in het hetzelfde ritme als het telsysteem in haar hoofd. De echo van de passen. Vermoorden. Langs de wand lopen, dan ervoorbij. Glimlachen. Lopen. Langzaam. De deur achter zich op slot doen. Buiten. Sneeuw in de lucht. Portiek. Binnenplaats. Hond en auto. De kleine, eindeloos grote binnenplaats. Alsof je je in een buis van licht voortbeweegt, alsof je een lamp op je hoofd hebt, een zuil van wit, die een paar meter voor je uit scheen, die een patroon aftekende op de muur van het oude appartementencomplex. Ze hoorde het verkeer dat buiten voorbijraasde niet.

Een jonge vrouw liep op de stoep langs. '*Loop normaal*,' fluisterde Emmy Hammer en ze trok Marian Dahle naar zich toe. Omdat haar zintuigen volledig op scherp stonden, werden geluiden versterkt en kreeg alles grotere dimensies dan in de werkelijkheid.

Marian had haar mond nog vol keukenpapier; kleine stukjes vochtig papier gleden in haar keel en ze kreeg herhaaldelijk het gevoel dat ze moest overgeven. Ze keek vertwijfeld om zich heen, maar Emmy had het pistool en Birka keek haar vanaf de achterbank beteuterd aan. Er was geen mens te zien op de binnenplaats. De ramen van de appartementen waren leeg. De strakke pruik jeukte en zorgde ervoor dat het bovenste deel van haar voorhoofd warm was.

*

Op het eerste gezicht zagen ze eruit als een tweeling, de een droeg een donsjas en had een tas onder de arm, de ander droeg een zwarte hoodie, maar nu zag Piet het verschil. De vrouw met de donsjas had een breed Aziatisch gezicht. Ze liepen dicht tegen elkaar aan. Op een vreemde manier. De kaakspieren waren aangespannen. Emmy had een touw gebonden om het middel van de andere vrouw en haar polsen waren met strips aan elkaar vastgemaakt. Er hingen plukken haar voor haar gezicht. Er was iets aan de hand. Met de vrouwen. Hij hoorde plotseling het geraas van de auto's op de weg. Hij moest ernaartoe rennen om er een tegen te houden, maar hij bleef stokstijf staan, hij kon zich niet verroeren.

*

Emmy opende het portier aan de passagierskant. Toen beval ze Marian zachtjes: 'Instappen!'

Ze smeet de deur dicht, opende de achterdeuren, gooide de tas erin en plofte achter het stuur neer. Startte de auto. Birka blafte zacht. 'Ik hou van honden, weet je. Een beetje te veel. Daarom liet ik de hond van Aud leven en daarom brengen we jouw hond nu naar huis. Ik weet waar je woont.'

*

De sirene loeide. Het geluid joeg door de auto en het licht sneed door de sneeuwvlokken die over de motorkap dansten. 'Marian is bewapend, Cato.'

'Waarom houdt ze zich niet aan de instructies? Wat is het ook een trut. Maar er kan iets gebeurd zijn, Roger.' Cato Isaksen dacht aan de uitdrukking 'missing link', toen ze langs Chateau Neuf raasden. Ze hadden denkbeeldige gebeurtenissen geanalyseerd en allerlei betrokkenen de revue laten passeren.

'Misschien kan er iets aan het licht gekomen zijn in het Theatercafé. Heb je daaraan gedacht? Dat Aud Johnsen had gezien dat Jan Hagg achter zijn zus aan de kelder in liep, dat kan een grote leugen zijn. We hebben immers alleen Emmy Hammers versie.'

'Hammer is een man die veel in de aandacht staat,' zei Roger. 'Een man die veel te verliezen heeft. Bedoel je dat Emmy Hammer een gevaarlijke dame is?'

'Ik weet het niet, Roger.'

Emmy Hammer hield haar vingers stevig om het stuur en reed achteruit naar de weg. Ze zette de auto in de eerste versnelling en reed langzaam vooruit, manoeuvreerde de wagen tussen de andere auto's. 'Ik wilde niet dat Aud dood zou gaan. Maar ik heb een moeder en ik heb een zoon. Dat wordt liefde genoemd. De laarzen hebben sinds de tijd van de conciërge in het Ketelhuis gestaan. De jas was zo'n kiel die ik draag bij het schilderen. Ik heb jarenlang gebruikgemaakt van het Ketelhuis. Niemand heeft geweten dat ik het als atelier heb ingericht. Mijn plek. De enige plek waar ik me terug kan trekken.'

Emmy had Marians mobiel tussen haar benen, samen met het wapen. Er kwam een sms binnen. Emmy Hammer keek ernaar. *Waar ben je? Emmy Hammer kan gevaarlijk zijn.*

Emmy zette de auto aan de kant. Die belandde met horten en stoten op de stoep. Ze zette hem in de vrij en beantwoordde de sms. *Wind je niet op. We zitten in een café. Ze is niet gevaarlijk. Geen gestress.*

Emmy gooide de mobiel op de achterbank en reed weer weg. Marian Dahle was een lastig figuur. Onzeker en enorm sterk. Een gevaarlijke combinatie. Haar hond vormde geen groot probleem. Die was nu onrustig, maar niet verontrustend. Dat gedrag kon echter omslaan en ze zou haar kunnen aanvallen. Haar instincten konden haar veranderen in een wild beest, in een wolfachtige wreker, als ze in de gaten zou krijgen dat haar baasje in gevaar was. Ze kreeg het koud. Waarom stuurde ze de hond niet gewoon de straat op, zodat ze ervanaf was? De auto voor hen stopte. Ze remde. Een stuk verderop stond het verkeerslicht op rood. Toen ze in de achteruitkijkspiegel keek, zag ze een civiele politieauto met een blauw zwaailicht de stoep op rijden en daarna stilstaan. De angst kneep haar keel dicht. Ze keek naar Marian Dahle. Ze volgde de omtrek van haar gezicht, er was niet veel zichtbaar onder het lichtblonde haar dat als een deken over haar wangen hing.

*

Roger maakte een U-bocht, stuiterde van de stoeprand en stuurde de auto de binnenplaats van de uitvaartonderneming op. Hij remde abrupt bij de container.

'Ze antwoordt dat ze in een café zitten, Roger, maar ze neemt verdomme niet de telefoon op. Shit, Marian.' Hij sprong uit de auto en keek langs de gevel van het gerenoveerde appartementencomplex omhoog. Er zaten sneeuwvlokken op het vermoeide gezicht van Cato Isaksen. 'Haar auto is in elk geval niet hier,' zei hij en hij belde naar de meldkamer. 'Spoor het witte bestelbusje van Marian Dahle op,' zei hij. 'Ze heeft zich niet aan de instructies gehouden. We slaan nu de ruiten van de uitvaartonderneming in om binnen te komen.'

*

De hond had haar kop op haar schouder gelegd. Er stak iemand over bij het zebrapad. Marian probeerde een teken te geven aan de vrouw in de auto naast hen. Ze opende haar mond, zodat ze het papier zou zien. Maar haar haar zat in de weg. Hoe zou iemand in de gaten moeten hebben dat er een moordenaar langsreed met een gijzelaar?

Emmy Hammer concentreerde zich op het rijden. Marian draaide zich om. Emmy keek snel in de achteruitkijkspiegel en liet de koppeling opkomen. 'Ik zal je hond niets aandoen,' zei ze.

Het nietszeggende witte schilderij stond tegen een van de twee kleine zwarte stoelen aan geleund. Het rook er sterk naar olieverf. De andere stoel was omgevallen. Een prullenmand lag omver. Ze doorzochten alle ruimtes. Ook de koelruimte. Die was leeg. In het ene kantoor stond een kartonnen doos op de vloer met een pop, een paar stenen en een speelgoedpistool erin.

Ze renden weer de binnenplaats op. Cato Isaksen hield contact met de meldkamer via de portofoon. Vanachter de container dook plotseling als een duiveltje uit een doosje een man op. 'Ik ben Piet Hagg,' zei hij.

'Wat doe jij hier in hemelsnaam?' Cato Isaksen keek naar de enigszins mollige man met het bruine haar en de tas op zijn rug.

'Ik verstop me niet.'

'Wat doe je hier in hemelsnaam?' herhaalde hij.

'Ik wacht op Jan. Ik heb eindelijk besloten om opnieuw te beginnen. Maar toen kwam Emmy Hammer de trap af met een vrouw die ze had vastgebonden. Die was net als zij ook lichtblond, maar ze had een Aziatisch gezicht.'

'Wanneer? Hoe lang is dat geleden?'

'Zojuist. Vlak voordat jullie kwamen.'

'Verdomme, Roger!' Cato Isaksen dacht aan Karsten Tønnesens analyse van de moordenaar: *psychisch ziek, slecht, gewiekst, toneeltalent.* Het klopte allemaal. Emmy Hammer was gewetenloos en psychotisch. Zeker schizofreen. Oplettend en helder. Slecht. Kil. Sterk. Haar kracht was waarschijnlijk dat haar zelfbedrog echt was. Weer die piste, het beeld van Marian. Als je direct vanuit de piste in de schijnwerpers treedt, ziet niemand je.

'Ga op de achterbank zitten,' commandeerde Cato Isaksen en hij nam via de portofoon contact op met de meldkamer.

'We hebben mogelijk te maken met een gevaarlijke situatie. Marian Dahle heeft een bewakingsopdracht. Ze is bewapend. De persoon die ze bewaakt is Emmy Hammer. De rollen zijn mogelijk omgedraaid.'

Roger Høibakk hield beide handen aan het stuur. De sirene loeide. 'Waar moeten we in vredesnaam naartoe?'

'Vanaf het moment dat ik het appartement van Berit binnenstapte, voelde ik me veilig,' zei Piet Hagg vanaf de achterbank.

Cato Isaksen draaide zijn hoofd. 'Nu is het genoeg, Piet Hagg,' zei hij. 'Hou je mond.' Hij zag een vrouw voor zich, verkleed als een goochelaar. Ze stond in een cirkel van koud licht. Ze had indringende, lichtblauwe ogen en iets wat leek op dreadlocks in haar blonde haar. Op dat moment kwamen er twee politieauto's de binnenplaats op rijden. Er sprongen mannen en vrouwen in politie-uniformen met reflecterende banden aan de zijkanten van hun broeken en jassen uit.

*

Marian legde haar hoofd achterover tegen de neksteun. Hoe wist Emmy waar ze woonde? Het was een drukke avondspits. De ruitenwissers stonden op de hoogste stand. In de straat links lag het Soria Moria-gebouw. Vernoemd naar een plek in een Noors sprookje. Ze voelde Birka's snuit in haar nek. Ze hoorde dat de hond voorzichtig kwispelde. Marian slikte een stukje papier door. De droge lucht uit de verwarming sloeg in haar gezicht. Emmy praatte zacht en zalvend. 'De regisseur van het kwaad. Ik heb elke gebeurtenis in scène gezet. Eerst een gedachte, daarna daadkracht, plannen en de juiste zetten. Het is net een marionettenspel. Aan de touwtjes trekken.' Ze keek opzij naar Marian. 'Ik denk dat jij heel goed weet wat ik bedoel. Toen we het hadden over ouders.'

Marian draaide haar hoofd weg, maar Emmy praatte door.

'Ik begon ergens aan. Ik voelde dat het een ijskoude toestand was, waarin mijn hersenen volop werkten. Ik wist dat ik op alles voor lag. Ik vroeg die kantoorjuffrouw, Irmelin Quist, waar je woonde. Ik dacht dat dat misschien weleens van pas kon komen. Ik weet veel over toestanden vanwege papa. Een van de dingen die ik nog het beste weet van Maike, is dat ze zo gek op haar vader was. Maikes vader was aardig. Hij had alleen wel haar moeder vermoord met een bijl.'

John Johnsen opende de deur. Op de stoep stonden twee geüniformeerde agenten, die hij niet eerder had gezien. De buurvrouw met de haviksneus stond op van de bank. Miriam was bij hem op bezoek. Hij had er lang op geoefend wat hij zou zeggen en hoe hij zich moest gedragen. Hij had op televisie gezien dat je iets lekkers serveerde, wijn inschonk en converseerde. Hij had van tevoren dingen opgeschreven waarover ze konden praten. Ze hadden allebei een huisje op de volkstuin. Dat ze was uitgenodigd om hem een alibi te geven, had ze niet in de gaten. Ze hadden geconverseerd, over boeken gesproken. 'Woorden snoeren de waarheid in,' had hij gezegd.

De agenten kwamen de woonkamer binnen. Ze vroegen Miriam iets, maar ze wilde geen antwoord geven. Ze pakte haar jas van het haakje en vertrok. Dat was prima. Hij zou straks nog wel even naar haar toe gaan. Wanneer Hammer dood was, zouden ze hem weer vrijlaten. Hij had de plank in de vloer vastgelijmd en hem gevoegd. De ladekast met de boeken stond er nog steeds. Niemand zou het vaalroze kladblok vinden. Hij kende de woorden van Aud uit zijn hoofd. *Maike is zo ontzettend dol op haar papa. Ik ben gek op mijn papa. Het is vreemd dat Emmy zegt dat ze ook dol op haar papa is. Juist hij deed zo lelijk tegen mij in de kelder. Hij zegt dat als ik het aan iemand vertel, alle papa's dood zullen gaan en dat we ze nooit meer zullen zien. Ik heb niets tegen Berit en Norma gezegd, maar ik denk dat ze het wel weten, want ze hebben de hele tijd zo'n angst om ons. Carl Hammer is slecht. Hij wil Maike weer iets in de kelder laten zien. Ze heeft geen zin, maar ze moet wel. Dit heb ik ergens gelezen: slechtheid is als een ster. Je kunt het niet altijd zien, maar je weet dat het er altijd is. Ik wil nu niet verder schrijven in het dagboek.*

*

Het was stil op de binnenplaats in de Valdresgata. Er was niemand te zien. De ramen waren donker en doods, als blinde ogen. Marians deur lag recht vooruit, op de begane grond, naast een rij vuilnisbakken.

Marian zat vastgebonden met de veiligheidsgordel als een zwarte sjerp dwars over haar lichaam. Emmy Hammer stapte uit en bevrijdde de hond van de achterbank. Ze pakte Marians telefoon, liep naar achteren en opende het achterportier. Ze pakte de handtas met de legitimatie eruit, trok Marians leren jas hardhandig uit de tas en smeet het portier dicht. Ze stopte de mobiel in de jaszak bij de portofoon. Birka strekte haar poten, schudde zich uit, plaste een beetje in een bruin, dood bloembed en liep vrolijk naar de deur. Emmy Hammer opende de deur met Marians sleutel en liet de hond binnen. Ze stapte snel over de drempel en gooide de handtas en de leren jas op het bed. De portofoon knetterde toen ze de deur op slot ging doen.

*

John Johnsen werd tussen de twee agenten die hij niet eerder had gezien in uit het huisje op de volkstuin geleid. Hij voelde zich rustig. De politie zou hem vanavond alweer vrijlaten. Zodra Hammer dood was. Zijn jas stond open. Hij had het koud. 'Slechtheid is als een ster,' zei hij. 'Je kunt haar niet altijd zien, maar je weet dat ze er is.'

De politie zou geen bijzondere transacties op zijn bankrekening kunnen ontdekken. Hij had het geld jarenlang opgespaard. De vijftienduizend kronen die hij Vanja schuldig was, lagen al goed ingepakt in een plastic zak in een van de tbc-huisjes. Er was meer sneeuw in de loop van de dag voorspeld, dus er leidden geen sporen naartoe. Vanja had het nummer van Miriam gekregen. Zodra Hammer was vermoord, zou Vanja haar bellen en zij moest zeggen: het tbc-huisje. Ze wist niet waarom. Hij vereffende de rekening. John Johnsen zou er geen boterham minder om eten. Liefde werd ondergewaardeerd. Hij had de hond van Aud aan Werner gegeven. Wraak werd ook ondergewaardeerd. Werner had ook een dochter te wreken. Vanja moest voor hen allebei de moord plegen. Miriam en hij waren vrienden. Nu zou alles goed komen. Alles zou op zijn pootjes terechtkomen. Over een paar dagen, na de begrafenis van Aud, zou dit allemaal worden afgedaan als een kletsverhaal. Vol lucht. En langzaam zou het verdwijnen in een vakwerk van niets. In de lente zou hij weer zonnebloempitten in de aarde gaan poten.

*

Ze hielden stil bij Berit Adamsen voor de deur. Cato Isaksen belde naar Randi vanuit de auto. 'Randi, kom naar beneden. Piet Hagg komt nu naar boven. We zijn op zoek naar Emmy Hammer. Marian kan in levensgevaar zijn.'

Ze reden naar het politiebureau. Cato Isaksens handen trilden. Hij klemde zijn vingers om het stuur. 'Emmy Hammer moet gewoon iets hebben verzonnen, sporen geplant.' Hij voelde de pijn in zijn schedel, die uitstraalde naar zijn nek en rug.

Roger keek naar hem. 'Geef eens gas! Door haar verdachten we Jan en Werner Hagg, van wie de laatstgenoemde in de auto stapte en naar Oslo reed. En Jan, die een leugen om bestwil had verteld aan zijn vrouw dat hij aan het trainen was en niet in de loge. Werner Haggs vingerafdrukken die we op de deurbel van Aud Johnsen vonden.'

'Emmy Hammer vermoedde misschien dat Werner langs zou komen om te praten,' zei Randi. 'En dat hij ook Aud Johnsen zou gaan opzoeken.'

Cato Isaksen was duizelig van de honger en de stress toen ze terugkwamen op de afdeling op het politiebureau, waar alles in rep en roer was. Roger kreeg het bevel om met John Johnsen te praten wanneer hij werd binnengebracht. Werner Hagg was gebeld en hield vol dat hij op de kleine boerderij was geweest. Er was een patrouilleauto naar hem onderweg. Op de Trosterudveien was alles rustig, meldden de mensen die daar de wacht hielden. Irmelin Quist haalde koffie en broodjes. Cato Isaksen at er een in twee happen op en delegeerde de taken. Hij stond voortdurend in contact met de meldkamer. Voorlopig had geen enkele eenheid de auto van Marian gevonden. Hij keek naar Roger. 'Ik ga naar Marians woning.'

'Jij moet hier blijven. Er is al een auto onderweg.'

'Ik ben zo terug,' zei Cato. 'Werk hard door hier en hou me op de hoogte.'

*

Emmy Hammer verliet vlak na het Ullevål Stadion de hoofdweg, reed de rotonde op en daarna in de richting van Gaustad. Er rende een vos over de weg, die zijn sporen naliet in de sneeuw. Ze sloeg abrupt af op de smalle hobbelige weg rechts van de rotonde bij het Rijkshospitaal.

Ze keek vlug opzij naar Marian. Haar profiel, met de kleine neus, zag er hulpeloos uit onder de pruik. Ze dacht aan de leugen, de ontkenning, het gevoel verraden te worden. Het verraad van haar vader, dat ze niet had willen beschouwen als verraad, want het leven bestond niet uit rechte wegen. Nadat ze zwanger was geworden, had hij haar niet meer aangeraakt. En sindsdien hadden ze de schijn opgehouden. Ze hadden gespeeld dat ze moeder en kind en oma en opa waren. Ze kneep haar vingers om het stuur. Het pistool lag tussen haar bovenbenen. De stilte in de auto voelde plotseling onaangenaam. Ze keek weer opzij naar Marian Dahle. 'Ik had gehoopt dat jullie Berit Adamsen niet zouden vinden. Ik weet dat ze begreep wat papa in zijn schild voerde. Ze was bang voor hem. Norma en zij. Ik probeerde de rol van Berit Adamsen te bagatelliseren. Aud praatte over dissociatie, dat waarnemingen kunnen worden opgeslagen in de hersencortex en dat grote delen van het geheugen geen weg kunnen vinden naar het bewustzijn. Daar weet ik alles van.'

Marian had zelf een familie die *far out* was. Dat gold voor de meeste families. Ze hadden íéts speciaals. Veel mensen hielden geheimen en donkere kanten in hun huis verborgen. Samen in een auto op een donkere novemberavond, samen naar het einde. *The end.* Ze deed haar richtingaanwijzer naar rechts aan. Emmy leek op haar vader. Zijn slechtheid was ten koste van haar gegaan. Ze had er nog nooit met iemand over gesproken, maar nu zou ze het aan Marian vertellen, want die zou doodgaan.

*

Cato Isaksen hield stil voor het appartement van Marian aan de Valdresgata en zette de motor af. Hij stapte uit, liep naar de voordeur en bonsde erop. Hij hoorde Birka binnen blaffen. Hij belde haar mobiel en hoorde de ringtone door de dichte deur. Toen Cato Isaksen de deur insloeg, rende de hond naar buiten. Hij ging naar binnen, maar de studio was leeg. Op het bed lag Marians handtas met de legitimatie erbovenop en ernaast lag de leren jas. In de jaszak voelde hij de portofoon en haar mobiel. De laatste sms was van hem. Hij nam de telefoon mee en liep naar de badkamer. Birka kwam terug en kwispelde. Er was iets goed mis, dus hij nam de hond mee. Birka ging netjes op de achterbank liggen. Op dat moment kwam er een patrouilleauto de binnenplaats op rijden. Hij gaf de mobiel aan hen en informeerde hen kort over wat hij had gedaan.

Toen hij weer richting het centrum reed, verkondigde een stem op het nieuws dat de overheid het aantal politiedistricten wilde verminderen van zevenentwintig naar zes. Hij zette de radio uit.

Toen parkeerde hij de auto bij een bushalte om Ole Porat te bellen. De drukke straat met de natte tramrails was pikzwart en glanzend.

De chirurg klonk kortaf. 'Het is een crisissituatie, Porat. We denken dat we weten wie de moordenaar is. Het is mogelijk Emmy Hammer.' Hij wachtte niet op een reactie, maar ging verder: 'U wordt niet meer verdacht. Een van onze rechercheurs kan ontvoerd zijn. Carl Hammer was een misbruiker en een mogelijke moordenaar. Hij had dingen te verbergen. Dat wist u toch? Wat weet u?'

Het werd stil aan de andere kant van de lijn.

'Er waren geruchten,' zuchtte hij. 'Maar in onze branche moet je uitkijken. Hammer had veel macht. Dat heeft hij nog steeds.'

'Op wat voor soort geruchten doelt u?'

'Er gebeurden dingen in Gaustad. Tijdens de Kinderdagen waren moeders verboden. Moeders voelen te veel aan. Carl Hammer werd verdacht van misbruik van vrouwelijke patiënten. Hij gaf een andere arts de schuld om zichzelf vrij te praten. Ik kan me nog heel goed het rapport herinneren dat ze samen hadden uitgewerkt. Dat was volstrekt illegaal: op juridisch vlak, wat volledigheid betrof en waar het om het nemen van beslissingen ging.'

'Kom ter zake.'

Het werd eerst stil en daarna zei Porat: 'Nu u deze dingen vertelt, vallen alle puzzelstukjes op hun plek. Carl Hammer lobotomiseerde zijn vrouw. Ik denk omdat ze plotseling lastig in de omgang werd. Ze had hem waarschijnlijk door. Zijn verraad was vast ondraaglijk voor haar. Ze werd gedwongen opgenomen en verbleef enkele weken in het ziekenhuis. Hij vroeg me om hem bij te staan tijdens de operatie. Hij dreigde mijn carrière te ruïneren als ik het niet deed. Ik had in mijn ogen geen keuze. Ik trok me daarna steeds meer terug van Gaustad en Hammers universum. Solveig Hammer werd een zombie, ze slentert waarschijnlijk rond en versiert het huis met bloemen. Ze leeft in haar eigen wereld, vermoed ik.'

Het witte bestelbusje reed door het smeedijzeren hek, langs de lege fontein, onder een van de bogen door en het gazon achter het hoofdgebouw op. Het was donker in het hoofdgebouw met de toren. Het waaide nu een beetje. Het was harder gaan sneeuwen, waardoor de sneeuw als een dichte deken op het stenen plein lag, de galerij op werd geblazen en tegen de ramen plakte. Het zag er mooi uit, net kerstversiering. De laag sneeuw was zo dun dat de sporen hopelijk zouden verdwijnen onder een nieuwe laag sneeuw. De auto zou vanaf de voorkant niet zichtbaar zijn.

'Ik heb sleutels van alle gebouwen. De oude sleutelbos van het Ketelhuis. Ik kom hier om te schilderen, het is niet zo ver lopen. Olieverf ruikt sterk, net als chemicaliën. Thuis gebruik ik acrylverf. Ik weet wanneer de beveiliger komt en wanneer hij weer weggaat. Zover is het nog niet. Hij denkt dat ik hier mag zijn. Dat geeft me een kick. Ik kom hier vaak 's nachts, want ik slaap slecht. Nu neem ik je mee naar het Ketelhuis. Je hebt de eer om mijn grijze tas te dragen.'

Plotseling voelde ze dat dit een bedoeling had, dat het gewoon zo moest gaan. En dat een van hen zou verliezen, en dat was zij niet.

*

Het weten was afschuwelijk. Cato Isaksen keek zichzelf in de achteruitkijkspiegel in de ogen. Solveig Hammer was de vrouw die in 1991 werd gelobotomiseerd. Hetzelfde jaar als waarin Philip Hammer werd geboren, realiseerde hij zich nu. De man had ervoor gezorgd dat ze geen gevaar meer vormde. De littekens die ze bij haar slapen moest hebben, waren hem niet opgevallen. Dat was niet zo vreemd, want haar mooie permanentkrullen hingen helemaal tot waar haar bleke wenkbrauwen begonnen.

De werkelijkheid oversteeg zijn wildste fantasieën. Niets menselijks verbaasde hem. Hij wist dat wat Porat had verteld waar was.

*

Piet zat in de fauteuil in de woonkamer van Berit Adamsen toen hij werd gebeld met de vraag of hij zijn broer wilde ontmoeten op het busstation bij Oslo Centraal. Jan wilde hem oppikken om hem mee te nemen naar hun vaders kleine boerderij. Berit pakte een schone broek en een trui uit zijn kast. Hij zei dat hij zelf wel naar het busstation kon gaan, maar ze reed hem ernaartoe in de Micra.

Jan stond hem op te wachten. Hij was precies zoals Piet hem zich kon herinneren. Net zo lang, net zo knap. Hij stak zijn hand op ter begroeting en Piet deed hetzelfde, waarna hij opzijkeek naar Berit en de auto uit stapte. 'Ga nu maar, dan wacht ik thuis op je. Ik zal opblijven.' Ze glimlachte. 'Ik wil alles horen.'

*

Cato Isaksens telefoon ging. Het was Asle. 'Moet je horen. De agenten die naar het boerderijtje van Werner Hagg zijn gegaan melden dat er een familiebijeenkomst wordt voorbereid. De schoondochter is er en de twee kleinkinderen. Zoon Jan is onderweg naar het centrum om zijn broer op te halen, zegt ze. Er is dus geen gevaar dat Werner Hagg naar de Trosterudveien zal gaan om Carl Hammer uit de weg te ruimen.'

*

'Uitstappen!' Emmy Hammer zwaaide met het wapen. Marian zette haar benen op de grond en voelde het pistool in haar rug. Het was ijskoud, maar de warmte van de pruik jeukte op haar voorhoofd. Haar samengebonden handen deden pijn. Ze werd overvallen door een doof gevoel. De honger gierde door haar maag. Sinds die wafel van vanochtend hadden ze niets meer gegeten.

Emmy pakte de tas uit de auto, hing hem over Marians polsen en schoof hem naar haar bovenarmen. Marian voelde het gewicht en begreep dat de tas het moeilijker voor haar zou maken om iets te kunnen uithalen. Ze liepen naar de hoofdingang van het Torengebouw en Emmy Hammer haalde de deur van het slot. 'Ga naar binnen!' zei ze ongeduldig en ze trapte de deur achter hen dicht en draaide hem op slot. Niemand zou de voetsporen naar het Ketelhuis kunnen volgen. In de hal maakten de bogen schaduwen in het weinige licht van de enkele, kleine lamp boven de glazen vitrine met de vogel. Ze liepen langs de fluwelen meubels en Marian wierp een blik omhoog naar het glazen dak. Ze dacht aan Cato's hand, zoals hij haar daar op zolder over de rug streek toen ze de anekdote over de bruidskist te horen kregen: het verhaal over de vrouw die honderd jaar geleden wilde sterven. En haar geliefde die haar verbrandde in de oven. Ze liepen langs de vogel.

'Piet heeft hem opgezet,' zei Emmy. 'Ik haal nu het papier uit je mond. Er is hier toch geen mens. Niemand zal je horen.'

Emmy trok het papier uit haar mond. Marian voelde restjes aan de achterkant van haar tanden, op haar tong en in haar keel. 'Wat voor iemand ben je eigenlijk?' Ze boog naar voren en gaf over, haalde adem en spuwde de woorden uit.

'Pas op met wat je zegt. Ik ben een goede moeder. Philip is een onschuldig schepsel midden in een zwart trollenbos. Als moeder ben ik nooit nalatig geweest, als dochter ook niet.'

De scharnieren piepten toen Emmy Hammer de deur naar de kelder van het slot haalde met de ouderwetse verroeste sleutel. Er zat een kleine bocht in de trap. Ze liepen naar beneden.

'Dat geloof je zelf toch niet, Emmy.' De stem van Marian trilde. 'Zelfverachting is je grootste probleem. Je bent geen goede moeder.'

Emmy Hammer voelde woede, maar ze kon zich beheersen. Van moederlijke zorg had ze zelf maar een heel kleine dosis gekregen. Maar toen ze klein was, had haar moeder haar kledingkast volgestopt met jurken en ze was nooit boos geweest, ook niet toen ze zwanger raakte en al op haar vijftiende van school ging, niet toen ze kunstenaar werd. In het ziekenhuis had ze gehoopt dat haar moeder zou begrijpen dat zíj haar nodig had en niet de baby in het doorzichtige plastic bedje. Maar haar moeder werd steeds vager en had zich in omavermomming gehuld.

Na twaalf treden stonden ze op de betonnen vloer in de kou. Marian voelde de luchtstroom die hun als een verrotte wind tegemoetkwam. Het gewicht van de handtas brandde in haar armen. Ze keek naar links langs de dikke betonnen muur, waar alle kleine ruimtes waren.

'Ik weet waaraan je denkt,' zei Emmy. 'Je was hier samen met een paar andere mensen, nietwaar? Ik stond in een van de kelderruimtes, achter de deur. Ik was op een van mijn ontdekkingsreizen.'

De ondergrondse gang was een zwart rattenhol in de muur. Emmy deed een zaklamp aan, die ze achter een steen in de muur vandaan haalde. Door de lichtcirkel werd de schimmel aan het plafond en de aarden vloer verderop zichtbaar. 'Jij bent niet gewend om hier in het donker te lopen.' Ze trok de pruik van Marians hoofd. 'Deze heb je niet meer nodig.' Ze gooide hem bij de dikke stalen buis die langs de stenen muur liep neer.

Marian kreeg een knie in haar onderrug. 'Loop door!' zei Emmy Hammer.

Ze liepen, ze hoefden niet naar rechts en niet naar links, maar moesten gewoon rechtdoor. Langs de muren aan beide kanten hingen nieuwe buizen en leidingen. Het onderbewustzijn werkte, sprak tegen Marian: doe rustig aan, hou het gesprek gaande, doe wat zij zegt. Probeer haar te laten ontspannen.

'Luister eens.' Marian slikte. 'Mijn moeder probeerde mij te vermoorden toen ik zestien was. Ze verpestte mijn leven. Ik heb tegenwoordig geen contact meer met haar, maar ik heb vaak de behoefte gehad om naar haar toe te rijden en haar te vertellen dat ik het haar heb vergeven.'

'Schei eens uit met die klotepreek.' Emmy Hammer spuwde de woorden uit.

'Maar ik heb het niet gedaan. Wil je weten waarom?'

'Nee,' zei Emmy Hammer. 'Hou je bek. Hou gewoon je bek en loop door.'

Maar Marian praatte verder: 'Omdat het een vorm van macht is om iemand te vergeven die niet vindt dat hij of zij iets verkeerd heeft gedaan. Kinderen moeten groeien in het licht van de volwassenen, niet sterven in hun schaduw.'

'Groeien in het licht, hou op. Ik had meteen in de gaten dat ik niet het doel was toen de schoten werden afgevuurd. Papa moest vermoord worden.'

'Waarom?'

'Loop door!'
'Wie probeerde je vader te vermoorden?'
'Johnsen of Werner. Of Jan. Of Piet. God mag het weten. Iemand die wraak wilde nemen. Maar nu ga jij dood.'
'En jóúw verhaal, Emmy?' De betonnen oneffen muur kwam hun tegemoet.
'Ik heb geen verhaal.' Emmy duwde het pistool in Marians onderrug en voelde zich meteen moe. In de kinderkamer van Philip hadden witte kanten gordijnen gehangen, die haar moeder had genaaid. Het leken net twee bruidsjurken zoals ze daar langs het raam hingen. Emmy had ze naar beneden getrokken, van de roede gerukt, kapotgescheurd, het mooie kanten patroon verpest, het zachte, aangename geluid gehoord van stof die scheurde en tenietging. Herstellen had geen zin, ze had erop gestampt en ze opzij geschopt. 'Ik ruim op,' zei ze. 'Ik kon Aud niet alles laten verpesten. Maike zou toch niet terugkomen. Je begrafenis zal een hele happening worden.'
Natuurlijk kwam er geen begrafenis. Marian Dahle zou eindigen als as, in de loop van de nacht in de korfkist opbranden in de oven van het Ketelhuis, eindigen als stof in een metalen emmer met een klep, die ze morgen kwijt moest zien te raken. Ze gingen langs de plek waar de ondergrondse gang zich opdeelde naar rechts en verder rechtdoor, naar het Ketelhuis.
Marian concentreerde zich om rustig te blijven. Ze wist dat ze haar de baas kon. Het recht van de sterkste. Emmy liep achter haar. En ze had het wapen. Ze voelde de koude kelderlucht in haar gezicht en het gewicht van de grijze tas, en ze dacht aan de noodgevallentraining die ze had gehad.

*

Cato Isaksen reed onrustig door de straten van Oslo. Op de achterbank lag de hond van Marian. Hij hield contact met zijn collega's en de meldkamer op het Hoofdbureau van Politie, maar er was geen nieuws te melden. Johnsen zat in voorlopige hechtenis. Alles was stil op de Trosterudveien. De patrouille wilde de bewaking nu stopzetten. Zou hij terugrijden naar het politiebureau? Of zou hij naar Gaustad gaan? Welke connectie had Emmy Hammer tegenwoordig met Gaustad? Geen, concludeerde hij. Patiënten kwamen vaak terug, had Deidrée gezegd. Toen kwam het heel hard binnen. Emmy Hammer was geen patiënt, maar wie was ze eigenlijk wel? De dochter van de psychiater. Een beschadigde dochter. Iemand die het familiegeheim bewaakte. Hoe ver was ze bereid te gaan?

Hij keerde de auto. De banden gierden op het gladde wegdek. De sneeuw spoot achter de achterwielen weg. Hij passeerde een langzaam rijdende Honda, de auto slipte, maar hij kreeg hem weer onder controle. De ruitenwissers werkten hard om de sneeuwvlokken weg te houden.

Werner Hagg pakte twee glazen cola, voor elk meisje een. Misschien mochten ze dat wel niet drinken. Hij wist niet waar de kinderen van hielden. Ze krioelden om hem heen. De jongste, Thea, ging op haar hurken onder het raam zitten en peuterde het spinnenweb met de dode vliegen weg. Het was vies langs de plint. Ze keek naar hem op. 'Ik ben niet bang voor je hond.' Ze keek naar Bruff, die midden in de keuken zat. Ze haalde verlegen haar schouders op en kneep haar handjes ineen, terwijl ze heen en weer wiegde en naar hem opkeek. Ze straalde, zoals alleen een klein meisje kon stralen.

'Dat is opa's hond,' zei Tilde, die uit de woonkamer kwam. 'Opa is lief.'

Werner Hagg was stil. Hij voelde een angst die deze illusie, waarin hij zo graag wilde geloven, kon bedreigen.

Ingrid ruimde het aanrecht op. 'Je zou een afwasmachine moeten hebben, schoonvader,' zei ze. Ze draaide de kraan helemaal open en spoelde de etensresten met warm water van de borden.

Werner keek haar hulpeloos aan. Hij wilde haar vragen om te stoppen, maar hij kon het niet opbrengen. Toen hoorde hij het geluid van de auto. Hij liep de woonkamer in en keek door een van de ramen. De auto met Jan en Piet kwam aanrijden. Werner Hagg liep naar het dressoir waarop de radio stond en zette het geluid iets harder. Hij had wat achtergrondgeluiden nodig. De stilte deelde de kamer in tweeën. Zijn zenuwen konden nu geen stilte verdragen. Hij spande zijn kaakspieren.

Ingrid keek naar hem. 'Ze komen eraan, Werner, je jongens. Ga ze toch buiten begroeten.'

Werner liep het huis uit. Piet kwam uit de auto. Ze liepen elkaar tegemoet.

*

Emmy bleef maar praten. Marian interpreteerde het als zenuwen en ze stelde vragen om het gepraat gaande te houden.

'Aud wilde mij waarschuwen. Dat was wel aardig. Ze wist dat het verschrikkelijk voor mij zou worden wanneer het artikel gedrukt zou zijn, maar ze zei dat papa gepakt moest worden. Voordat de verjaringstermijn was verstreken.'

Ze waren er. Emmy Hammer drukte op het lichtknopje. 'Ik had geen keuze. Toch?'

De tl-buis aan het plafond knipperde. Het licht scheen op Emmy's witte haar. Ze ging op een krukje staan en duwde een houten luik in het plafond omhoog. Ze hield de hele tijd haar ogen op Marian gericht en wees naar haar met het wapen. Toen kwam ze weer naar beneden en beval Marian naar boven te gaan. 'Doe wat ik zeg,' zei ze. Marian keek haar aan. 'Ik kan niet door dat luik komen met mijn handen aan elkaar gebonden en met jouw rottas aan mijn armen.'

Emmy glimlachte kil en pakte de tas.

'De zaak is al heropend, Emmy. Dus die deadline van vijfentwintig jaar geldt niet meer.'

'Je liegt. Je denkt toch niet dat ik achterlijk ben?' Ze tilde het wapen op. 'Ga naar boven!'

Cato Isaksen scheurde het parkeerterrein op en remde hard voor het smeedijzeren hek met de open poort. De koplampen vlogen over de zwarte spitsen boven op de stangen van het hek, voordat de lichten doofden. Hij trok zijn jas om zich heen en stapte uit. Hij liet de hond achter in de auto. Het licht van de enige lantaarnpaal op het parkeerterrein spiegelde zich in de autoruit. Hij deed het portier op slot en begon haastig het donkere terrein op te lopen. Het gesuis van de auto's op de weg voor het parkeerterrein werd gedempt door de sneeuw. Hij zag bandensporen die bijna weer waren verdwenen door de nieuwe sneeuw. Die gingen verder door de poort. Er stond echter geen auto. De temperatuur was plotseling sterk gedaald. De hemel brak nog meer open. Sneeuwvlokken scheurden de lucht doormidden. Er lagen schaduwen over de muren van het gigantisch grote Torengebouw met de donkere ramen. De sneeuw lag als katoen tegen de kozijnen en op het dak. Het Torengebouw leek op een ijskathedraal. Hij keek naar de gevel met de dikke bakstenen muren. Het was net alsof er een geluid vandaan kwam, maar het was er doodstil. Hij moest nu voorzichtig zijn. De gedachte aan Marian brandde in hem. Hij voelde zich volledig één met haar. Eigenlijk niet zoals een man iets kan voelen voor een vrouw. Nee, het was sterker. Ze was net als hij. Zij wás hem. De gedachte aan de waanzin in deze zaak was absurd. De daden, de moorden en de mensen die erbij betrokken waren. Hij viel bijna om. Het was hem allemaal te veel geworden. Marian was een mysterie: mokkend, kwaad, bekwaam en knap. Onbereikbaar. Hij was echt harteloos. Arme Bente. Hij dacht aan wat Karsten Tønnesen had gezegd: *Soms is een pilaar gewoon een pilaar.* Hij vloekte. De angst bekroop hem vanaf het donkere plein. Hij liep door de kleine passage met de lichtgroene deuren. Als het hier inderdaad helemaal stil was, moest hij snel weer terug naar het Hoofdbureau van Politie.

De laarzen van de oude conciërge stonden naast de ijzeren schildersezel. Eronder lag een grote rol canvas en ernaast een scherp behangmes en een fles terpentine. Er vloog een spin over de vloer weg achter enkele schilderijen die tegen elkaar aan langs de ene wand stonden. De schildersezel was leeg. Aan de wand erachter hing het duivelsmasker. En de sikkel. Boven een werkbank hing gereedschap op een rij. Emmy deed nog een lamp aan, een soort zaklamp die aan de bakstenen muur hing. Het licht straalde op haar gezicht. Marian keek naar haar lichtblauwe ogen. Ze glommen alsof het licht uit haar hoofd kwam. In een glimp zag ze hoe knap Emmy Hammer eigenlijk was.

'Vroeger werkten de patiënten in de landbouw,' zei ze en ze volgde de ogen van Marian. 'Ja, die sikkel heb ik gebruikt.' Hij had hetzelfde formaat als een stuk keukengereedschap. In het glimmende ronde blad zag Marian heel even een weerspiegeling van haar eigen gezicht, die daarna overging in een gebogen, huidkleurige streep.

'Het kost me geen moeite om je nu dood te schieten.' Emmy's knokkels waren wit rond het wapen. Ze liep weg en schopte het houten luik met haar voet dicht. Toen stak ze de oven aan en legde er één plank in.

Marian voelde de angst ijskoud door haar borst glijden.

'Maar ik schiet je niet dood. Dat geeft te veel bloed, en bloed laat sporen achter.'

'Waarom heb je de sikkel teruggehangen? Die had je toch weg kunnen gooien?' Haar hart sloeg als een hamer achter haar borstbeen.

'Hier komt toch niemand. Bovendien heb ik hem schoongemaakt en in een oplossing van terpentine en spiritus gelegd. Er zit geen kras of deuk op, geen vingerafdruk en ook geen restje bloed. Hij is ook niet meer roestig, gewoon glimmend en mooi. Je moet niet denken dat ik me nu goed voel. De angst baant zich een weg door mijn lichaam als een zwart web. Ik ben natuurlijk geen moordenaar, niet echt.' Ze liep de ruimte erachter in en zette een schakelaar in een meterkast om. De ventilator begon te draaien. Marian zag hem glimmen door het luik van de grote ovendeur. In de hoek achter de oven stond een gevlochten kist op zijn kant, zonder deksel. Er ging een ijskoude rilling door Marian heen. Een grijze bruidskist, zo een als waarover Deidrée had gesproken. Ze slikte. 'Je arme zoon,' zei ze met een bevende stem.

'Hou je bek over Philip!' Emmy pakte de grijze tas, droeg hem naar binnen en zette hem op een ouderwetse, paarse pluchen bank in een ruimte achteraf. 'Ik probeerde mezelf voor te houden dat ik de vader van Philip op een feest had ontmoet, maar ik ging nooit naar een feest. Ik was gewoon thuis.'

'Wat bedoel je?'

*

Vanja keek haastig om zich heen. De kou verdampte voor zijn mond. De zachte sneeuwvlokken bleven in zijn haar zitten en voelden ijskoud aan op zijn handen. De patrouillewagen die de wacht had gehouden, was zojuist weggereden. Nu moest het gebeuren. Er brandde licht in het huis en de gordijnen zaten niet dicht. Hij zag binnen iets bewegen en liep dichter naar het huis toe. Helemaal naar de muur, erlangs en de hoek om. Hij vond iets waarop hij kon staan, een stapel planken; materialen die misschien gebruikt moesten worden om een terras van te bouwen. Hij keek de woonkamer in. De vrouw met het gepermanente haar zat op de bank televisie te kijken met de rug naar hem toe. Ze was alleen in de woonkamer. De man met het grijze haar was niet te zien, maar even later kwam hij met zijn dikke buik binnen. Hij had alleen een handdoek om zijn bierpens en zijn haar was nat. Vanja sloeg het raam met de hamer in. Het glas rinkelde. Hij stak de Glock door het gat, richtte en schoot twee keer. Er sprong een bloem van bloed op uit de borst van de man. Toen viel hij. Vanja klom van de stapel planken, er vielen een paar houten ski's om. Hij smeet de hamer en het wapen bevend in de tas. Hij tilde hem op en begon te rennen. Een paar meter door de tuin, het pad op en verder door het witte bos. Er verscheen een harde glimlach om zijn lippen. Zijn hart bonkte. Zijn longen bewogen op en neer in zijn borstkas. De sneeuw leek op wit schuim op de grond.

*

Emmy Hammer stroopte de mouwen van haar hoodie op en liet de dikke witte littekens zien die ze op haar onderarmen had. Marian keek ernaar. 'Wat bedoel je?' herhaalde ze.

'Mijn vader zei dat de pijn in je geest wel overging. Hij heeft er immers verstand van. Ik denk dat Norma het in de gaten had, maar predikanten hebben zwijgplicht, weet je... ze...'

'Is hij de vader van je... Ik zal je helpen, Emmy. Dit is niet jouw schuld.'

'Jij gaat mij niet helpen,' zei Emmy Hammer. 'Ik kan me gewoon nog herinneren dat ik in foetushouding op mijn kamer lag. Dat ik vijf maanden zwanger was. Ik vertelde aan mama wat papa had gedaan. Ze werd hysterisch woedend. Mama werd een paar weken opgenomen en daarna was ze rustiger. Het was een schok voor me toen het kind in mijn armen werd gelegd, want ik had het niet gezien als een levend wezen. Ik heb sinds de dood van Maike geen vriendin meer gehad. Ik voelde me ongelukkig. Ik wil dit niet, Marian. Wanneer jij dood bent, is het afgelopen. Dan zal iedereen denken dat de moordenaar jou gepakt heeft en dat ik kon ontsnappen. En ik heb hem natuurlijk niet gezien en het gebeurde niet hier, maar op een andere plek in de stad. Ik moet iets bedenken, maar hij leek misschien wel een beetje op Jan. Of op Ole Porat. Of op Piet Hagg. De moordenaar reed er met jou vandoor.'

'Beste Emmy...'

'Hou je bek, Marian. De politie zal mooie woorden over je spreken, je bedanken voor je inzet. Ik zal gebroken zijn om je.'

Marian slikte.

Emmy Hammer liep naar de korfkist en trok hem over de vloer. 'Wil je er vrijwillig in gaan liggen of moet ik je eerst doodschieten?'

'Je moet me doodschieten,' zei Marian rustig.

'Ze zullen een herdenkingsdienst houden,' zei Emmy. Er trok een spastische beweging door haar gezicht. 'Maar je lichaam zal spoorloos verdwenen zijn. Het zal een pompeuze gebeurtenis worden.'

'Je bent slecht,' fluisterde Marian.

'Slechtheid is veel gevaarlijker vóórdat je erin meegaat.' Emmy bleef haar in de ogen kijken.

Cato Isaksen stond op het smalle wandelpad tussen de oranje bakstenen gebouwen en keek in de richting van de kapel. Het Ketelhuis lag iets verderop aan de rechterkant. Hij liep ernaartoe en zag dat er achter de glas-in-loodramen een zacht licht brandde. Hij kon onmogelijk naar binnen kijken. Het stonk er naar rook. Het mummieachtige, witmarmeren beeld stond vlak naast de deur. Er was niemand te zien. Geen voetsporen. Er lag een dunne witte vorstlaag op de keien tussen de gebouwen, lichte sneeuw als poedersuiker langs de randen, een witte deklaag op de gazons achter de gebouwen, op het plein tussen de gebouwen en het wandelpad dat naar het bos achter het terrein leidde. Er kwam nu meer rook uit de pijp. Zag hij daar binnen geen schaduwen? Hij zag iets bewegen. En stemmen? Hij hoorde de stem van Deidrée in zijn hoofd: *Wie weet wat zich hier eigenlijk heeft afgespeeld. De patiënten dachten vroeger dat het een crematorium was.*

*

Marian wierp zich achterover, maar ze viel over een stoel en bleef liggen. Ze trok haar benen op in foetushouding, bracht haar aan elkaar gebonden handen instinctief naar haar keel, rolde om, dacht dat ze schreeuwde, maar de kreet bleef steken.

Emmy legde het wapen op de vloer, ver genoeg bij Marian vandaan.

Ze voelde de stevige greep van Emmy in haar oksels. Haar hakken schraapten over de stenen vloer toen ze erover werd getrokken en over de rand van de grof gevlochten korfkist werd gerold. Emmy pakte het wapen van de vloer en richtte dat op haar. 'Als je beweegt, schiet ik.' Ze pakte nog wat papier van een keukenrol, dat ze hardhandig in haar mond drukte. Marian kokhalsde.

*

Cato Isaksen luisterde. Hij bonkte hard op de deur. 'Is daar iemand?' Hij luisterde opnieuw. De stilte kwam door de dikke stenen muren naar buiten.

De beveiliger stond plotseling achter hem. 'Waar bent u mee bezig?'

Cato Isaksen hield zijn legitimatie omhoog. 'Politie,' zei hij.

'Er is hier 's avonds niemand,' zei de beveiliger. 'Wie zoekt u?'

'Ik weet het niet,' antwoordde hij.

'Er is hier niemand,' herhaalde de beveiliger. 'Afgezien van die kunstenares dan,' voegde hij eraan toe.

'In het Ketelhuis?' Cato Isaksen keek de man aan. 'Een lichtblonde dame? Emmy Hammer?'

'Ik weet niet hoe ze heet. Ze werkt vaak 's nachts. Dan zullen kunstenaars vast inspiratie hebben. Er staat trouwens een witte auto tegen de muur van het hoofdgebouw geparkeerd. Is die van u?'

Cato Isaksen voelde de angst door zijn borstkas gieren. 'We moeten de deur van het Ketelhuis forceren,' zei hij.

'Dat kunnen we niet,' zei de beveiliger. 'Die is van massief eiken. Ik heb geen sleutels van dat gebouw en er zitten tralies voor de ramen. We komen er niet in. Waar gaat het eigenlijk om?'

Cato Isaksen keek hem sprakeloos aan.

'Ik ga mijn ronde afmaken,' zei de beveiliger, 'daarna kom ik terug.' Hij werd opgeroepen via zijn walkietalkie en verdween al pratend.

Cato Isaksen bleef verslagen achter. Hij rende terug en bonkte opnieuw op de eikenhouten deur. Hij beukte erop. 'Doe open! Doe open!' brulde hij, maar er gebeurde niets. Hij hield zijn oor weer tegen de deur. Binnen was het volkomen stil.

*

Er had iemand aangeklopt. Vanbinnen voelde ze aan als ijs. Emmy Hammer tilde de kist aan één kant omhoog en het lukte haar om de rand ervan in de lage oven te krijgen. 'De oven is gedeeltelijk elektrisch,' mompelde ze. 'Ik moet ook brandhout aansteken. Ik heb meer dan voldoende tijd om morgen de restanten op te ruimen. Ik zeg dat de moordenaar je heeft meegenomen en dat ik op het laatste moment kon ontsnappen. Ik zal de hoogste graad van bescherming krijgen, niveau 5. Een fictieve identiteit. Ze zullen me weer terugbrengen naar de schuilplaats om daar een paar weken te blijven. Maar uiteindelijk zal ik vrij zijn. De beveiliger denkt dat ik hier moet zijn. Hij plaatst nergens vraagtekens bij. We maken af en toe een praatje en dan gaat hij weer verder. Ik ben altijd volop aan het werk. Voorheen vond ik dat cremeren zo onherroepelijk leek, maar het is erger om in de grond te liggen en te worden opgegeten door maden. Je moet hier blij om zijn.' Ze beet haar tanden op elkaar en met veel inspanning schoof ze de kist een stukje de oven in, die intussen warm was geworden.

*

Cato Isaksen zag plotseling de strook: de vorstvrije brede streep over de grond, als een anderhalve meter brede band van verdord gras, keien en asfalt. De sneeuw bleef daar niet liggen. Hij smolt door de onderaardse warmte uit de ondergrondse gang. Hij begon langzaam richting de passage te lopen. De strook liep van het hoofdgebouw over het gazon, waarna hij uitkwam bij het Ketelhuis. Opnieuw hoorde hij de stem van Deidrée in zijn hoofd: *Je kunt op twee manieren in de kelder komen... via de trap...* Hij ging sneller lopen. *Of via de houten deur buiten in de passage.*

*

Vanja sprintte over de smalle bosweg, langs de grijze beek met de besneeuwde stenen. Er klonk een aanhoudend geluid van water onder de lagen ijs. De sneeuwvlokken plakten tegen zijn gezicht. Hij gleed uit, maar hervond zijn evenwicht. Zijn hart bonsde. Zodra de politie kwam, zouden ze honden achter hem aan sturen. Hij had de oude vrouw misschien ook moeten doodschieten, dan had ze de politie niet kunnen bellen. Hij stond stil, haalde zwaar adem, keek achterom, pakte zijn mobiel uit zijn zak en belde het nummer dat de man met de jas hem op een wit briefje had gegeven. Hij kende het uit zijn hoofd. Hij was zo buiten adem dat hij bijna niet hoorde wat ze zei. De vrouw aan de andere kant van de lijn had een diepe, donkere stem. Hij hield zijn adem in. Ze zei: 'Het tbc-huisje.' Toen hing ze op. Hij slikte, stak de mobiel weer in zijn zak en rende verder. Het tbc-huisje. Een van de abrikooskleurige houten huisjes op palen. Op de helling van het terrein. Vlak voordat hij bij de brug kwam, liep hij schuin naar links door het bos, pakte een kleine zaklamp en rende naar de beek. Hij gleed uit en kwam ten val, maar stond weer op en waadde door de grijze stroom water. Het ijskoude water liep over de rand van zijn laarzen, maar hij bereikte de overkant en liep verder naar het eerste houten huisje. Hij liet de tas bijna vallen, maar gooide hem weer over zijn rug en kwam halverwege uit op het houten terras met zuilen, waar hij op zijn knieën viel bij een stoel die met zijn poten omhoog lag. Hij pakte de mobiel weer. De geur van bevroren hout bereikte zijn neusgaten: hij kreeg een voorgevoel. Het blauwe licht van zijn telefoon scheen onder de stoel. Hij zag het puntje van een draagtas, strekte zijn arm uit en trok hem naar zich toe. Zijn handen trilden toen hij de tas opende en zag dat die vol bankbiljetten zat.

*

Misschien had ze zich ingebeeld dat er op de deur werd geklopt. Misschien sloeg haar angst tegen de eikenhouten deur. Emmy Hammer pakte het duivelsmasker van de wand. Als de politie achter deze schuilplaats zou komen, wat zeer onwaarschijnlijk was, zouden ze geen sporen kunnen vinden die in haar richting wezen. Ze wist nu echter van de bewakingsbeelden. Ze liep de andere ruimte in, waar haar tas op de pluchen bank lag. De gloeilamp aan het plafond brandde zo fel dat hij weerspiegelde in het leer. Ze legde het pistool in de tas, samen met het duivelsmasker.

*

Cato Isaksen keek een moment naar de gebogen, lichtgroene houten kelderdeur. Hij schakelde versterking in, alarmeerde de meldkamer en nam meteen daarna contact op met Roger. 'Stuur hier meteen manschappen naartoe, naar Gaustad, vooralsnog voor het doorzoeken van het gebied rond het Ketelhuis en van de kelder.' Hij beëindigde het gesprek, nam een aanloop en schopte zo hard hij kon tegen de houten deur. Die bewoog niet. Zijn been deed pijn. Hij tilde zijn voet op en trapte nog een keer. En nog een keer. Plotseling vloog de deur open, zodat de splinters in het rond vlogen. Hij belandde in de kelder en rende de opening aan de linkerkant in. Het rook er sterk naar aarde. Hij liep op de tast door de pikzwarte ondergrondse gang. Hij moest rechtdoor, niet rechtsaf, niet linksaf. Gewoon rechtdoor in de richting van het Ketelhuis. Hij struikelde bijna ergens over. Hij stopte, boog zich voorover en pakte het op. Het was een pruik. Hij gooide hem vol afgrijzen weg en liep verder.

*

De deur van de oven stond op een kier. Ze zou zo het vuur aansteken met de lucifers die op de werkbank lagen. De rook zou nog dikker uit de hoge pijp blazen. In de loop van de nacht doofde het vuur en as en botresten zouden alles zijn wat er nog over was. Ze zou de as van de bodem van de oven in de grote metalen bak scheppen die onder het bed stond, botresten en de schedel verzamelen, en ervoor zorgen dat alles weg was voordat de mensen morgenochtend weer op het terrein gingen rondlopen. Ze pakte het luciferdoosje en trok de ovendeur helemaal open.

*

Marian hoorde de ovendeur piepen. Het geluid werd een zwaar lied in haar hoofd. De ventilator in de oven bromde. Als een briesend dier. Het was haar gelukt om het papier uit te spugen. Ze haalde snel adem. Het was net alsof ze ergens anders was, in de hel. Ze voelde het vlechtwerk in de bodem van de kist tegen haar rug, een scherpe tak die prikte. Ze keek omhoog naar het zwarte plafond in de oven en kon niet ademhalen, want de warmte lag als een verstikkende deken over haar gezicht. Ze hoorde Emmy een knisperende krant oprollen, die ze in de oven stopte. Ze opende haar mond om te schreeuwen, maar haar mond, keel en longen werden gevuld met de verzengende rook. Die grijszwarte rook rolde over haar heen. Wie zou er überhaupt om treuren dat ze was verdwenen? En Birka, wat zou er met Birka gebeuren? Daar stopte haar gedachtereeks. Haar gehoor stopte en alles verdween in een helder wit licht.

*

De warmte sloeg in haar gezicht. Emmy Hammer scheurde nog een krant in stukken en stak hem in brand. Het papier vatte langzaam vlam en begon op te krullen aan de rand. De vlammen likten nu aan de grijze korfkist. De lichtkegel kleurde de stenen vloer geel in een halve cirkel. Ze sloot de deur van de oven en ging in de ruimte erachter op de pluchen bank zitten. De vering was te zacht. Ze bleef daar zitten, met haar handen in haar schoot, staarde recht voor zich uit en gaf zich over aan haar gedachten. De duistere.

Het Ketelhuis was al jarenlang afgesloten. Ik heb me geïnstalleerd in het kleine stenen huisje waar de wilde wingerd zich vastklampt aan de buitenmuren, zoals ik me vastklamp aan de toekomst. Hier heb ik alles: rust, stilte, duisternis. Ik moet niet stilstaan bij mijn persoonlijke problemen, maar gewoon doen wat ik moet doen. Het is net alsof ik de enige overlevende ben na een verschrikkelijke catastrofe. De angst doorkruist mijn lichaam als een donker spinnenweb. Ik ben geen moordenaar, geen echte.

Hier op het terrein is het gebeurd, lang geleden. Alsof ik door een schacht viel, maar de tijd verstreek en ik heb me gered. Alles is hier nog als voorheen: de stalen trap met het mos, de mussen die pikken op het asfalt. De vossen aan de bosrand. In de zomer zoemende insecten tegen de kleine glas-in-loodramen; niemand kan erdoor naar binnen kijken, maar de grote schaduwen van de boomkronen op het gras kunnen van binnen wel gezien worden. Ik hoor de ratten lopen in de kelder, en de koude lucht van de muren in de onderaardse gangen trekt omhoog door de kieren in het houten luik. Het sneeuwt nu. De geur van winter zit in de muren. De sneeuwwitte deken op het plein tussen de gebouwen lijkt op een lijkkleed. Over het gazon loopt een strook van een meter breed, de warmte van de ondergrondse gang doet de sneeuw smelten. De ondergrondse gang komt vanaf het hoofdgebouw. De beveiliger denkt dat ik hier hoor te zijn. Hij zet nergens vraagtekens bij. We maken vaak een praatje, dan loopt hij verder. Als het zover is, zal ik verhuizen. Waarschijnlijk vannacht. De korfkist is nu in de oven geschoven. Zodra haar lichaam verbrand is, zal ik deze plek voor altijd verlaten.

Aan het eind van de tunnel zag hij plotseling een paar zwakke lichtstralen en eronder stond een krukje. Toen hij daar aankwam, zag hij dat het licht door een paar kieren in een houten luik in het plafond naar buiten kwam.

Cato Isaksen ging op het wankele krukje staan. Later zou hij zich die laatste minuten herinneren als een eeuwigdurende waanzin. Hij duwde het luik open, hees zich omhoog en rolde op de vloer. Een zweem van terpentine kwam hem tegemoet. Hij stond snel op. De ruimte was leeg, afgezien van een groot ijzeren voorwerp in het midden, dat een schildersezel moest zijn. Eronder lagen een rol canvas en een mes. Emmy Hammer zat in een soort achterkamer, op een paarse pluchen bank, met een grote grijze tas naast zich. 'Hallo,' zei ze. 'Ik moest gewoon even schilderen. Maar moet je die spin eens zien, die is weer naar het plafond gekropen.'

Marian was er niet. Cato Isaksen bleef een ogenblik verbaasd staan en keek achterom naar het openstaande kelderluik. Had hij zich vergist?

'Hij heeft haar meegenomen,' riep Emmy Hammer met een rare, iele stem alsof ze een kind imiteerde. Ze stond op en balde haar vuisten. 'Een man,' schreeuwde ze. 'Iemand die ik nooit eerder heb gezien. Hij nam haar mee door de kelder. Hij zei dat hij haar ergens ging verstoppen waar niemand haar zou kunnen vinden.'

Cato Isaksen draaide zich om. Er brandde vuur in de oven. Een zware warmte verspreidde zich in de ruimte.

Emmy Hammer dacht aan het wapen, dat in de tas lag. Ze zag de zwarte blik van de rechercheur, de mondhoeken en de diepe groeven aan beide kanten ervan. 'Haal me hier maar vandaan,' zei ze rustig, maar het was te laat.

*

Cato Isaksen trok de ijzeren deur open. De warmte sloeg hem in het gezicht. Rook vulde het vertrek. Hij hoestte en wuifde hem weg. Toen hoorde hij het geschraap, een vaag geluid, iets wat kraste. Een paar seconden kon hij zich niet verroeren. Er kwam een oranje licht uit het grote gat. Iets was bezig vlam te vatten. De korfkist brandde aan de ene kant. Hij pakte het uiteinde met beide handen vast en trok de kist eruit, rukte zijn jas uit en doofde het vuur.

Marian lag daar. Zwart van het roet. Aan één kant was haar gezicht helemaal verbrand. Haar hals en één arm ook. Het vlees lag open; huid was weggerold van de arm. Hij trok haar omhoog. Ze was levenloos. Haar hoofd viel tegen zijn borstbeen, haar armen recht omhoog en toen gleed ze op de stenen vloer. Hij rende naar de deur, haalde hem van het slot en trok hem naar zich toe zodat er koude lucht in de met rook gevulde ruimte stroomde. Hij ging op zijn knieën naast Marian zitten, haalde de strips van haar polsen en drukte zijn mond op die van haar, blies lucht tussen haar verschroeide lippen door. Als een dodelijke kus. Toen voelde hij de loop van het wapen tegen zijn nek. Hij stootte met zijn elleboog naar achteren en raakte Emmy Hammer tegen haar bovenbeen. Hij stond snel op en trapte haar in haar buik. Ze viel achterover, liet het wapen vallen en sloeg met haar hoofd hard op de stenen vloer. Ze bleef op haar rug liggen. Toen begon ze hysterich te schreeuwen. Cato Isaksen pakte het wapen. De ruimte was nog steeds gevuld met rook. Vanuit zijn ooghoeken zag hij Emmy Hammer het houten luik in de stenen vloer openen. Ze glipte erdoor weg en verdween. Hij trok Marian naar buiten in de sneeuw en ging daar verder met de mond-op-mondbeademing.

*

Het geluid van de helikoptermotor klonk als een aanhoudend gebrom hoog in de hemel. De rotorbladen sloegen in het rond alsof ze de lucht in stukjes hakten. Cato Isaksen keek de gele ambulance na, die met Marian erin wegreed. Het geluid van de sirene sneed als een pijn door zijn lichaam. Roger zei iets tegen hem, maar hij hoorde niet wat. 'Emmy Hammer is in de kelder,' riep hij en hij haalde het wapen uit zijn zak. 'Hier, neem mee. Jullie moeten zoeken. De politiehonden komen zo. Ik ga naar het ziekenhuis.' Hij draaide zich om en liep naar de kleine passage, waar de houten deur openstond. Hij wierp een blik in de kelder en liep erlangs, verder over het plein en door het smeedijzeren hek naar buiten. Er kwamen nog meer auto's aanrijden. Hun blauwe zwaailichten schoten als bliksemschichten door het donker. Mannen en vrouwen in politie-uniformen met reflecterende banden aan de zijkanten vlogen uit de auto's. Er klonken voortdurend meldingen uit de portofoons.

Alles hieronder is zwart. Ik heb me onder de kapel verstopt, helemaal achterin, in een kleine lege ruimte in de ondergrondse gang bij de houten trap die naar de sacristie leidt. De grond onder me is koud en vochtig. Ik zet mijn jeukende handen op de grond en vul ze met aarde. Ik ruik naar rook, maar ik red me wel. Op dit terrein gebeurde het allemaal. Alsof ik door een schacht viel, maar de tijd verstreek en ik heb me gered. Nu zit ik in die schacht. Helemaal onderin. Alles is hier nog als voorheen: de stalen trap met het mos, de mussen die pikken op het asfalt. De vossen aan de bosrand. In de zomer zoemende insecten tegen de kleine glas-in-loodramen; niemand kan erdoor naar binnen kijken. Sst, nu hoor ik een geluid. Nu hoor ik de ratten. Of wacht eens even, het zijn geen ratten. Er komt me zacht geblaf tegemoet door de keldergang. Het geluid weerkaatst. Dreunt. Het zijn honden. Ze blaffen en blaffen. Ik hou mijn adem in. Ze blaffen nog meer en het geluid komt steeds dichterbij. Nu hoor ik het gehijg, het dier dat komt. Dan is het beest hier. Het geluid slaat me in het gezicht. Het blaast mijn gehoor op. De hond blaft met opengesperde bek en een rotte adem, zodat de spatten tegen mijn wang komen. En scherpe gele tanden.

Cato Isaksen stond in de gang op de intensive care van het Rijkshospitaal. Hij had een zwart gezicht en zwarte handen. Hij keek naar buiten. Daar stonden twee politieauto's. Persfotografen maakten foto's van de hoofdingang. Birka keek naar hem op en piepte. Hij draaide zich weer om naar de glazen wand en keek het hokje in waar Marian aan apparaten en slangetjes lag gekoppeld in een bed met witte lakens. Er stonden twee verpleegsters over haar heen gebogen. Het bot aan de zijkant van haar voorhoofd was zichtbaar. De huid was weggeschroeid. Haar gezicht was zwart van het roet. Haar handen en hals zaten vol open brandwonden, het vlees lag bloederig open. Hij had tegen de arts gezegd dat hij Marians naaste familielid was. Dat klopte. Ze had alleen hem maar.

Het apparaat met het grote scherm met de grafieken werd plotseling zwart. Toen verschenen een paar lichtgroene knipperlichtjes in de hoek rechtsonder. Daarna ging de grafiek weer omhoog, om vervolgens helemaal te verdwijnen. Het scherm was zwart.

Cato Isaksen stond daar, gevoelloos. Marian was dood, het was afgelopen, nu hoefde hij niet meer bang te zijn dat Marian dood zou gaan, want ze kon niet nog een keer sterven. Hij stond alleen, met de hond aan de lijn en hij verdween. Hij werd zo wit als de wanden, blinkend als de vloer, vierkant als de stalen tafel met instrumenten. Maar hij hoorde haar stem in zijn hoofd: *Xiao San, kleine derde persoon.*

De verpleegster stond plotseling bij hem. 'U mag hier niet met een hond komen. Wilt u iets hebben om u mee te wassen? Uw gezicht, mond en handen zitten vol roet.'

'Nee, bedankt,' zei hij en hij proefde de doordringende smaak op zijn lippen.

'Honden zijn hier niet toegestaan. U heeft vast een auto waar u hem in kunt zetten.'

Hij had een auto. Birka was niet zomaar een hond. Hij draaide zich om en liep langs haar heen. De aftandse ziekenhuisgang was vergeeld. Hij bond de riem om zijn hand en liep naar het eind van de gang, waar de lift was. Hij wist hoe ze er van achteren uitzagen: een rechercheur met gebogen rug in een leren pak en een hond aan een slappe lijn, met een laaghangende kop en kromme poten. Ze liepen in hetzelfde ritme, een pijnlijk ritme. Maar een ritme.

Werner Hagg boog zich naar de radio op het dressoir. De lichtbruine Bruff stond tegen hem aan. Tilde en Thea sliepen met hun voeten naar elkaar toe in zijn bed in het koude kamertje. Piet, Jan en Ingrid zaten met elkaar te praten. Hij keek naar het behang, dat aan het vergaan was. Piet en Jan zaten naast elkaar op de versleten bank. Ze staken hun hoofden naar elkaar toe. Werner zette het geluid van de radio iets harder. *We herhalen dat de bekende psychiater Carl Hammer kortgeleden vermoord is aangetroffen in zijn woning aan de Trosterudveien in Oslo. De man is beschoten vanuit de verandadeur en overleed in zijn eigen woonkamer. De dader is ontsnapt.*

Werner zette de radio uit, ging rechtop zitten en wierp een blik op de hooischuur. De sneeuwvlokken bleven nu op de rode planken liggen. Johnsen had woord gehouden. Hij boog zich voorover en legde zijn vieze werkhand in de nek van de hond; hij voelde de warmte van de dierenhuid onder de dikke vacht en keek naar de halsband, dezelfde als toen zijn baasje nog in leven was. *Auds Bruff.* De kistenmaker voelde iets wat deed denken aan geluk. Die goede Johnsen. Hij hoorde zijn stem in zijn hoofd: *Wraak wordt sterk onderschat. Als je van een bloem houdt die op een ster woont, dan is het heerlijk om 's nachts naar de hemel te kijken – dan zijn alle sterren met bloemen versierd.*

*

Cato Isaksen reed door de tunnel bij Lysaker de E18 op. Hij reed langs Sandvika en Holmen. Nu ging hij naar zijn huis in Asker. Naar Bente. De ruitenwissers maakten ritmische bogen door de groter wordende sneeuwvlokken die op de voorruit smolten. Zijn portofoon stond uit en zijn telefoon, die zwijgend op de stoel naast hem lag, op stil. Hij keek naar de hond in de achteruitkijkspiegel. Birka zat rechtop, ze wilde niet gaan liggen. Toen hij bij Asker van de snelweg reed, zette hij de autoradio aan. Het geluid vulde de auto. *We herha-*

len dat de bekende psychiater Carl Hammer kortgeleden vermoord is aangetroffen in zijn woning aan de Trosterudveien in Oslo.

Hij sloeg af. Zijn oor deed zeer, een pijnscheut vloog langs het kaakbot, dat onder het roet zat. Een wit parallellogram, zijwaarts naar binnen geschoten als een pijl van ijs. Johnsen zat vast. Hagg was op zijn boerderijtje. De mobiel op de stoel naast hem lichtte op, een witte glimp, alsof het een auto met zwaailicht was. Hij zag een onbekend nummer. Hij remde af, nam een scherpe bocht naar rechts en hield abrupt stil voor de McDonald's bij het benzinestation. Hij pakte zijn mobiel vlug op. Het was het ziekenhuis. De artsenstem klonk metaalachtig, alsof het een antwoordapparaat was: '*We gaan haar wel redden. Uw collega Marian Dahle zal het overleven.*'

Cato Isaksen gooide de telefoon terug op de stoel, hoorde de artsenstem doorpraten: '*Er komt een arts vanuit Bergen hiernaartoe, een specialist in brandwonden...*'

Het felle neonlicht van de hamburgerhel weerspiegelde in de voorruit. Hij hoorde Marians huisdier, dat opstond en op de achterbank kwispelde. Hij legde zijn hoofd tegen de neksteun, kneep de handen vol roet om het stuur en keek naar een punt vlak voor de auto. In het donker een muur van platte leistenen, boven op elkaar gestapeld in onregelmatige, verweerde rijen met een natte laag sneeuw. De tranen die in zijn mondhoeken liepen hadden een doordringende, verbrande smaak. Hij voelde de kou toen de hond zijn natte snuit tegen zijn nek legde. Iets verderop lag de snelweg. De rij straatlantaarns leek op een lange streep lichtparels in de met sneeuw gevulde lucht.

AAN DE LEZER

Doodsbruid *is een sprookjesboek voor volwassenen; niet zozeer een analyse van de maatschappij, als wel van een sfeer. Werknemers en anderen verbonden aan psychiatrisch ziekenhuis Gaustad – psychiaters, verzorgers en misschien patiënten – zullen merken dat er dingen zijn die niet overeenkomen met de werkelijkheid. Ik schrijf niet over de werkelijkheid, maar over iets wat erop lijkt. De werkelijkheid is immers ongelofelijker dan fantasie. Ik heb me vrijheden gepermitteerd die een schrijver zich gelukkig kan veroorloven, want de magie van het spannende boek bestaat uit het creëren van een universum met een ondertoon van iets anders. Maar ik heb ernaar gestreefd alles zo waarheidsgetrouw mogelijk te beschrijven. Tijdens mijn research ben ik van psychiatrisch ziekenhuis Gaustad gaan houden. De hele geschiedenis van Gaustad draait om leven.*

Unni Lindell